D1092550

Buch

Dieses Buch handelt von dem grundsätzlichen Konstruktionsfehler in unserem Geldsystem, der die Entwicklung einer wirklich freien, sozialen und ökologischen Marktwirtschaft verhindert. In der Vergangenheit, und auch heute wieder, hat unser
Geldsystem zu großen sozialen Problemen, unbezahlbaren
Schulden, zur Ausbeutung unseres Ökosystems Erde, zu Revolutionen und Kriegen geführt. In diesem Buch wird gezeigt, wie
wir den Konstruktionsfehler in unserem Geldsystem beheben
und ein Tauschmittel schaffen können, welches allen dient: uns
selbst und dem Planeten Erde.

Autorin

Dr. Margrit Kennedy, 1939 in Chemnitz geboren, studierte in
Darmstadt Architektur und wirkte anschließend als Stadtplanerin und Ökologin in Deutschland, Nigeria, Schottland und
in den USA. Seit 1972 arbeitete sie in Forschungsprojekten für
das Schulbau-Institut der Länder (Berlin), die OECD und
UNESCO in 15 Ländern Europas sowie in Nord- und Südame-
rika. Von 1979 bis 1984 leitete sie den Forschungsbereich
Ökologie/Energie und Frauenprojekte im Rahmen der Internationalen Bauausstellung und hatte in den zwei folgenden Jahren
eine Gastprofessur für Stadtökologie an der Gesamthochschule
Kassel inne. Seither ist sie aktiv an der Planung und am Bau
eines Permakultur-Modellprojekts in Steyerberg beteiligt und
ist Professorin für technischen Ausbau und ressourcensparen-
des Bauen an der Universität Hannover.

MARGRIT KENNEDY

GELD OHNE ZINSEN UND INFLATION

EIN TAUSCHMITTEL DAS JEDEM DIENT

Mit einem Beitrag und Grafiken
von Helmut Creutz

GOLDMANN VERLAG

Die Originalausgabe dieses Buches wurde 1988 in englisch und unter dem Titel »Interest and Inflation Free Money« von Permaculture Publications (Steyerberg) veröffentlicht. 1989 erschien sie bei Korpen (Göteborg) in schwedisch, 1990 in dänisch bei Fri und Intryk (Kopenhagen) und in finnisch bei Vavo Oy (Helsinki) sowie 1991 in norwegisch bei Cappelen (Oslo). Übersetzungen in die polnische und russische Sprache sind in Vorbereitung.
Die erste deutsche Fassung in der Übersetzung von Erhard Lies wurde von Permakultur Publikationen 1990 veröffentlicht. Die hier vorliegende, wesentlich erweiterte und überarbeitete Fassung entspricht nur in den ersten drei Kapiteln in etwa der ersten deutschen Fassung.
Grafiken und Illustrationen stammen vorwiegend aus Ausstellungen und Publikationen zum Thema »Geld und Wirtschaft« von Helmut Creutz und können, wie auch weitere Literatur zum Thema, über den Angela Hackbarth Verlag (Sankt Georgen) direkt bezogen werden.

Umwelthinweis:
Alle bedruckten Materialien dieses Taschenbuches sind chlorfrei und umweltschonend.
Das Papier enthält Recycling-Anteile.

Der Goldmann Verlag
ist ein Unternehmen der Verlagsgruppe Bertelsmann

Made in Germany · 3. Auflage · 5/93
© 1990 by Permakultur Publikationen, Steyerberg
© der überarbeiteten und erweiterten Ausgabe 1991
by Wilhelm Goldmann Verlag, München
Umschlaggestaltung: Design Team München
Umschlagillustration: Margrit Kennedy
Satz: Uhl + Massopust, Aalen
Druck: Presse-Druck Augsburg
Verlagsnummer: 12341
Redaktion: Dieter Löbbert
SD · Herstellung: Peter Papenbrok/sc
ISBN 3-442-12341-0

Inhalt

Einleitung 9

Teil 1: Das Problem und die Lösung

I. Vier grundsätzliche Mißverständnisse bezüglich der Funktion des Geldes 17
Mißverständnis Nr. 1: Es gibt nur eine Art von Wachstum 18 ● Mißverständnis Nr. 2: Zinsen zahlen wir nur dann, wenn wir uns Geld leihen 25 ● Mißverständnis Nr. 3: Das gegenwärtige Geldsystem dient allen gleichermaßen 28 ● Mißverständnis Nr. 4: Inflation ist ein integraler Bestandteil eines jeden Geldsystems 31

II. Ein Geldsystem ohne Zinsen und Inflation 39
Eine Nutzungsgebühr ersetzt die Zinsen 40 ● Erste Experimente mit zinsfreiem Geld 42 ● Ein Lösungsansatz für morgen 45 ● Die notwendige Bodenreform 52 ● Die notwendige Steuerreform 59

III. Wer profitiert von zins- und inflationsfreiem Geld? 62
Das Land oder die Region, die mit der Geldreform beginnt 64 ● Politiker und Banken 66 ● Die Reichen 75 ● Die Armen 80 ● Kirchen und spirituelle Gruppen 87 ● Handel und Industrie 90 ● Die Landwirtschaft 92 ● Künstler 94 ● Frauen und Kinder 94 ● Die Ökologie unseres Planeten 97

IV. Wie stichhaltig sind die Einwände gegen eine Geldreform? 102

Versuch einer Klärung von Helmut Creutz

Zinssenkungen führen zu mehr Nachfrage und damit zu einem Wachstumsschub 105 ● Die Arbeitleistenden werden ihren Kaufkraftzuwachs durch sinkende Zinsen voll ausschöpfen 105 ● Die Wünsche der Menschen sind unbegrenzt 106 ● Mit einer Umlaufsicherung läuft das Geld schneller um 108 ● Niedrigere Zinsen führen zu noch mehr Verschuldung 109 ● Bei niedrigen Zinsen flüchtet das Geld ins Ausland 110 ● Heute hortet doch niemand mehr Geld, und wenn, so ist das kein Problem mehr 111 ● Bargeld, das durch die Umlaufsicherung am höchsten belastet wird, spielt doch heute kaum noch eine Rolle 113 ● Bei einer Umlaufsicherung auf Bargeld und Girokonten hortet man Goldbarren oder andere Wertgegenstände 114 ● Wenn die Zinsen sinken, übernimmt der Gewinn die Rolle des Wachstumsantreibers 115 ● Wachstumsstillstand bedeutet Rückschritt 116 ● Mit einer Zinssenkung sind die Umweltprobleme nicht zu lösen 117

Teil 2: Vergangenheit · Zukunft · Gegenwart

V. Lernen aus der Geschichte 127

Zur Entstehung des Geldes in der Antike 128 ● Das Brakteatengeld, eine Grundlage der kulturellen Blüte des Hochmittelalters 138 ● Vergleich zweier Geschichtsepochen im Hinblick auf die Auswirkungen ihres Geld- und Bodenrechts 149

VI. Drei Zukunftsmodelle 157
Modell 1: Wachstum ohne Ende 157 ● Modell 2: Begrenztes oder Nullwachstum 168 ● Modell 3: Qualifiziertes Wachstum 179

VII. Praktische Beispiele heute: Embryos einer neuen Ökonomie 188
Das LET-System 189 ● Der WIR-Ring 195 ● Das J.-A.-K.-System in Schweden 200 ● Vor- und Nachteile alternativer Geld- und Kreditsysteme 205

VIII. Wie kann jeder an der Veränderung des Geldsystems mitwirken? 211
Informationen weitergeben 211 ● Bewußter mit Geld umgehen 213 ● Modellversuche fördern 216 ● Politik verändern 218

Anhang: Kontroverse zweier Ökonomen über Zins- und Wachstumszwang (Hugo T. C. Godschalk und Ronald Paping) 223
Begriffe zum Begreifen (von Helmut Creutz) 239
Adressen, Vereinigungen, Zeitschriften 243
Literaturhinweise 245
Register 252

Ich danke

Helmut Creutz, durch den ich zur Beschäftigung mit den Problemen des Geldes angeregt wurde und auf dessen Untersuchungen ich aufbauen konnte, für die unermüdliche Bereitschaft, Grundsatzfragen zu klären, seine Illustrationen und Grafiken sowie sein Papier »Wie stichhaltig sind die Einwände gegen eine Geldreform« als Kapitel 4 für dieses Buch zur Verfügung zu stellen;

Art Reache, der mit half, das Thema »Geld« als meine Aufgabe zu begreifen;

Dr. Dieter Suhr (†) für seine Vermittlung der rechtlichen und ökonomischen Zusammenhänge;

Gesima Vogel und Yoshito Otani für ihre Gesamtschau und Hilfe in praktischen Detailfragen;

Brigitte Voss und *Per Almgren* für die Verbindung zur Praxis;

Dr. Roland Geitmann und *Werner Onken* für ihre konstruktive Kritik bei der Durchsicht des Manuskripts;

Dr. Hugo T. C. Godschalk für seinen Diskussionsbeitrag im Anhang und seine Hilfe bei der Konkretisierung von Beispielen;

Brigitte Berg für ihre Geduld und Präzision beim Schreiben und Überarbeiten des Manuskripts;

meinem Mann *Declan Kennedy* für seine moralische und praktische Unterstützung;

den vielen Menschen, die das Buch gelesen, bei Vorträgen zugehört, an Seminaren teilgenommen und mir geholfen haben, die Probleme und die Lösung, durch ihre Fragen, besser zu verstehen.

Einleitung

Was bringt eine Architektin, Stadtplanerin und Ökologin, die mit einer Arbeit über »Öffentliche und internationale Angelegenheiten« promoviert hat, dazu, ein Buch über Geld zu schreiben?

Um diese Frage zu beantworten, muß ich zu den Jahren 1979 bis 1984 zurückgehen, als ich im Rahmen der Internationalen Bauausstellung (IBA) 1987 in Westberlin den Forschungsbereich Ökologie/Energie leitete. In diesem Zusammenhang war es zum erstenmal möglich, umfangreichere ökologische Projekte im städtischen Raum zu planen und auszuführen. Während zahlreicher Einladungen zu Vorträgen im In- und Ausland stießen unsere Arbeiten auf großes öffentliches und Fachinteresse, aber auch immer wieder auf Skepsis. Das häufigste Argument lautete: »Das ist ja alles sehr schön und wichtig, aber unökonomisch beziehungsweise im Normalfall nicht zu bezahlen.« Nun war für mich die Anwendbarkeit unserer Ideen nicht nur von fachlicher Bedeutung, sondern auch eine Frage des Überlebens.

Schon zwischen 1979 und 1980 wurde deutlich, daß die biologischen Lebensgrundlagen in der Stadt – Luft, Wasser, Boden, Energie, Nahrung – in höchstem Maße gefährdet waren. Das hieß, sollten wir wirtschaftlich nicht in der Lage sein, diese Grundlagen zu verbessern und zu erhalten, würden wir uns mittel- bis langfristig selbst umbringen.

Die wirtschaftliche Frage aber wurde immer mehr zur eigentlich entscheidenden. Ich begegnete weltweit Menschen guten Willens und voller guter Ideen. Alle ökologischen Probleme waren technisch lösbar – was fehlte und immer noch fehlt, sind die wirtschaftlichen und politischen Voraussetzungen für die Anwendung auf breiter Basis, oder vereinfacht gesagt: das Geld. Mir war klar, daß der Kampf ums Geld für ökologische Maßnahmen und Projekte einen Konflikt an vielen Fronten bedeutete: Erstens befanden wir uns in einer Einführungs- und Umstellungsphase, die immer mit erhöhten Kosten verbunden ist. Zweitens waren langfristige volkswirtschaftliche Gesichtspunkte noch nicht Grundlage der Finanzierungsrichtlinien, Baubestimmungen oder Auswahl von Baustoffen und -techniken. Drittens konnten Luft, Wasser und Böden noch immer relativ kostenlos belastet werden, obwohl neue gesetzliche Grundlagen für deren Schutz und/oder Besteuerung in Arbeit waren.

Doch eine – die vielleicht wichtigste – Kampffront blieb mir bis 1983 verborgen: die zinsbedingte Kraft des Geldes, Geld zu erwirtschaften, beziehungsweise die Tatsache, daß sich die Rentabilität jeder ökologischen Maßnahme mit dem Zins, den man für sein Geld auf dem Kapitalmarkt bekommt, messen lassen muß. Als mir dann noch die verschiedenen Wachstumsmuster in der Natur und im Geldwesen und die Ursachen unseres pathologischen Wirtschaftswachstumzwangs klarwurden, geriet ich ziemlich in Rage. Ich fühlte, daß ich gut vierzig Jahre meines Leben eine der grundsätzlichen Voraussetzungen für mein tägliches Leben nicht durchschaut hatte: die Funktion unseres Geldwesens. So begann ich darüber mehr zu lesen, zu diskutieren und dann auch zu schreiben, weil ich fast überall bei Freunden, Bekannten, Kollegen und Fachleuten auf das gleiche Unverständnis stieß.

Die Aussicht, daß uns oder spätestens unseren Kindern mit diesem zerstörerischen System der schlimmste ökonomische oder ökologische Zusammenbruch in der neueren Geschichte bevorstand, und das weitverbreitete Unwissen um die Folgen unseres Geldsystems ließen mich anfangen, darüber zu schreiben. Zuerst einige Aufsätze, die von vielen Menschen gelesen und kommentiert wurden.

Es vergingen jedoch fünf Jahre, bis ich erkannte, daß Geld – aus der Sichtweise dieses Buches – eher eine »öffentliche und internationale Angelegenheit« ist als eine rein ökonomische. Da ich in jenem Bereich promoviert hatte, begann ich, obwohl Nichtökonomin, ein Buch über Ökonomie zu schreiben, das sich mit der grundlegenden Maßeinheit dieses Berufsstands, dem Geld, beschäftigt.

Mein Ziel war, eine Einführung zu geben, die sowohl spannend als auch leicht verständlich sein würde und vielen Menschen als Anregung dienen sollte, mehr über die Hintergründe, Probleme und Möglichkeiten der Veränderung erfahren zu wollen.

Seit das Buch 1988 veröffentlicht wurde, hat sich die Welt dramatisch verändert. Die sozialistischen Länder sind unter anderem daran gescheitert, daß sie meinten, ohne eine freie Marktwirtschaft auskommen zu können. Damit verhinderten sie, daß sich die ökonomische Wahrheit in den Preisen ausdrücken konnte. Was die meisten Menschen in den ehemaligen Ostblockstaaten jedoch nicht begreifen, ist, daß im wirtschaftlich dynamischeren Kapitalismus die Preise bisher weder die ökologische noch die soziale Wahrheit ausdrücken und daß dieser Mangel nicht durch das Auswechseln einiger führender Politiker zu beheben ist. Die Fehler liegen hier tiefer und besser versteckt im Geldsystem, doch auch im Boden- und Steuerrecht. Um sie zu beheben, muß ein Bewußtwerden und Umkehren im Denken und Handeln von vielen erfolgen.

Durch die Öffnung der Ostblockstaaten für westliche Importe und Kredite wird die Geschwindigkeit, mit der die Problematik des Geldsystems in den letzten Jahren weltweit zugenommen hat, weiterwachsen. So weiß heute jeder, daß die Länder der Dritten Welt ihre Schulden nicht zurückbezahlen können, daß sich die Diskrepanz zwischen Armen und Reichen auch in den hochindustrialisierten Ländern ständig vergrößert und daß Symptombehandlungen die Lage nur verschlimmern. Auch weitsichtige Ökonomen und Bankfachleute verlangen fundamentale Veränderungen. Von einer solchen Veränderung handelt dieses Buch.

Es beschreibt die Funktionsweise des Geldes und legt die Gründe für die anhaltenden Schwankungen eines unserer wichtigsten Maßstäbe dar. Es erklärt, warum das Geld die Welt nicht nur »in Schwung hält« (money makes the world go round), sondern dabei auch immer wieder zerstörerische Krisen verursacht. Es zeigt, wie die gewaltigen Schulden der Dritten Welt, ebenso wie Arbeitslosigkeit und Umweltprobleme, Waffenproduktion und Bau von Atomkraftwerken, verbunden sind mit dem Mechanismus, der das Geld heute in Umlauf hält: dem Zins. Zusammen mit dem Zinseszins (Zins auf Zinsen) ist er einer der Hauptgründe für das wirtschaftliche Überwachstum und die Konzentration und Umverteilung der Geldvermögen. Nach dem amerikanischen Wirtschaftshistoriker John L. King ist der Zins »die unsichtbare Zerstörungsmaschine« in den sogenannten freien Marktwirtschaften.

Es ist das Anliegen dieses Buches, eine Möglichkeit der Veränderung aufzuzeigen, von der nur wenige Experten wissen, ganz zu schweigen von der breiten Öffentlichkeit. Dennoch ist das Thema zu wichtig, um es allein vermeintlichen Experten zu überlassen. Es sollte öffentlich diskutiert und von vielen verstanden werden. Das Besondere meiner Ausführungen liegt deshalb in der Art, dieses komplexe Thema so einfach wie möglich darzustellen, so daß jeder, der mit Geld umgeht, verstehen kann, was auf dem Spiel steht. Zwei weitere Besonderheiten liegen darin, daß im Unterschied zu anderen Büchern, die sich in der Vergangenheit mit diesem Thema beschäftigt haben, herausgearbeitet wird, wie der vorgeschlagene Übergang zu einem neuen Geldsystem ausnahmslos für alle einen Gewinn bedeuten würde, und welche Maßnahmen jeder selbst ergreifen kann, um die notwendigen Veränderungen herbeizuführen.

Es ist nicht so schwierig, wie es scheinen mag, den Mechanismus des Zinses, der das Geld heute in Umlauf hält, durch einen angemesseneren zu ersetzen. Das Grundprinzip der hier angebotenen Lösung ist im Laufe der Geschichte in verschiedenen Ländern angewendet und seit Beginn dieses Jahrhunderts an mehreren Orten erfolgreich erprobt worden. Was ansteht, ist die breite Anwendung dieser Lösung auf regionaler, nationaler und internationaler Ebene.

TEIL 1

Das Problem und die Lösung

I. Vier grundsätzliche Mißverständnisse bezüglich der Funktion des Geldes

Tag für Tag benutzen die meisten Menschen auf dieser Erde Geld. Dennoch verstehen sehr wenige genau, wie es funktioniert und wie es ihr Leben direkt oder indirekt beeinflußt. Sehen wir uns zuerst die positive Seite des Phänomens an: Weil Geld den Austausch von Gütern und Dienstleistungen enorm erleichtert und damit die arbeitsteilige Wirtschaft erst möglich macht, ist es eine der genialsten Erfindungen der Menschheit. Würden wir beispielsweise in einem Dorf leben, wo man nur Tauschhandel kennt, und dort ein Kunstwerk produzieren, das lediglich den Beerdigungsunternehmer interessiert, so könnten wir für unser Kunstwerk nur Särge einhandeln und müßten bald aufgeben. Bekommen wir Geld dafür, können wir es gegen alles eintauschen, was wir brauchen. Geld schafft also Möglichkeiten zur Spezialisierung und ist damit die Grundlage unserer Zivilisation.

Das Problem besteht nun darin, daß Geld nicht nur dem Austausch von Gütern und Dienstleistungen dient, sondern diesen ebenso behindern kann, wenn es nicht in Umlauf kommt. Somit wird eine Art »privater Zollstation« geschaffen, an der jene, die über mehr Geld verfügen, als sie gerade benötigen, von anderen, denen es fehlt, einen »Freigabetribut« oder Zins erzwingen können. Die Ökonomen betrachten wie die meisten Menschen den Zins als den Preis für Geld. So wie für alle anderen Waren ein Preis bezahlt werden muß, so entrichtet man auch für die begehrteste aller Waren – das Geld – einen Preis. Das macht zuerst einmal Sinn und scheint logisch. Doch ist dies ein faires Geschäft? Die Antwort lautet:

keineswegs! Tatsächlich könnte man unser gegenwärtiges Geldsystem, wie wir sehen werden, heute in allen demokratischen Nationen als verfassungswidrig bezeichnen.

Um dies zu erklären, muß ich vier Mißverständnisse zum Thema Geld näher beschreiben. Natürlich sind diese vier nicht die einzigen. Unsere Vorstellungen über Geld sind ein recht exakter Spiegel des Abbilds der Welt in uns, und diese Bilder erweisen sich als so vielfältig wie die Menschen auf diesem Planeten. Trotzdem bilden die nachfolgend besprochenen vier Irrtümer die Haupthindernisse für ein Verständnis des Konstruktionsfehlers im gegenwärtigen Geldsystem, und sie machen gleichzeitig deutlich, welche Möglichkeiten ein neues Geldsystem bieten kann.

Mißverständnis Nummer eins:
Es gibt nur eine Art von Wachstum

Wir neigen zu der Vorstellung, daß es nur eine Art von Wachstum gibt, nämlich jene, die wir an uns selbst erleben. Darüber hinaus gibt es jedoch andere, mit denen wir weniger vertraut sind.

Abbildung 1: Kurve a zeigt in vereinfachter Form das *physische Wachstumsverhalten in der Natur*, dem sowohl unser Körper folgt als auch Pflanzen und Tiere. Wir wachsen recht schnell in den frühen Phasen unseres Lebens, dann langsamer, bis dann gewöhnlich das körperliche Wachstum nach dem 21. Lebensjahr abgeschlossen ist. Ab diesem Zeitpunkt, also die längste Zeit unseres Lebens, verändern wir uns zwar *qualitativ*, aber nicht mehr *quantitativ*. Biologen bezeichnen diese Kurve als »*Annäherungskurve*«. Nun gibt es jedoch, wie die Abbildung zeigt, zwei weitere grundlegend unterschiedliche Wachstumsmuster:

Grundsätzliche Arten von Wachstumsabläufen

Zunahme

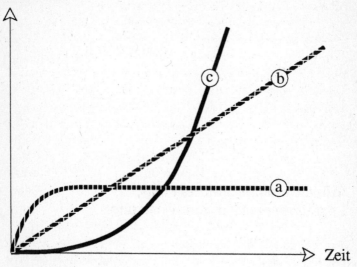

1 natürlicher Ablauf
2 linearer Ablauf
3 exponentieller Ablauf

Abbildung 1

»Kein Baum wächst in den Himmel«, sagt das Sprichwort. Diese Regel gilt für alle Wachstumsvorgänge in begrenzten Räumen, also auch für die auf der Erde. Ständig gleichbleibende Zuwachsraten (wie bei b) und noch mehr ständig zunehmende (c) sind also widernatürlich. Das gilt auch für die Entwicklung in der Wirtschaft. Auch sie unterliegt den Naturgesetzen und kann sich ihnen nicht ungestraft entziehen. Doch obwohl diese Zusammenhänge täglich deutlicher werden, rufen fast alle politisch Verantwortlichen in der Welt nach immer noch weiterem Wirtschaftswachstum (Helmut Creutz).

Kurve b veranschaulicht das mechanische oder *lineare* Wachstum: Das heißt, mehr Menschen produzieren mehr Güter, mehr Kohle produziert mehr Energie und dergleichen. Dies ist für unsere Analyse von geringerer Bedeutung. Dennoch sei darauf hingewiesen, daß auch eine solche gleichbleibende Leistungszunahme auf einer Erde mit begrenzten Kapazitäten nicht durchgehalten werden kann.

Wichtig hingegen ist das Verständnis von *Kurve c*, die einen *exponentiellen*, mit *Verdoppelungsraten wachsenden Verlauf* angibt, welchen man als das genaue Gegenteil zu Kurve a bezeichnen könnte. In Kurve c ist das Wachstum anfangs sehr gering, steigt dann aber kontinuierlich an und geht schließlich in eine fast senkrechte *quantitative* Zunahme über. Im physischen Bereich der Natur spielt sich ein solches Wachstum gewöhnlich dort ab, wo Krankheit oder Tod zu finden ist. Krebs, zum Beispiel, folgt einem exponentiellen Wachstumsmuster. Zuerst entwickelt er sich langsam. Aus einer Zelle werden 2, daraus 4, 8, 16, 32, 64, 128, 256, 512 usw. Er wächst also ständig schneller, und wenn man die Krankheit schließlich entdeckt, hat sie oft bereits ein Stadium erreicht, in dem sie nicht mehr geheilt oder zumindest zum Stillstand gebracht werden kann.

Exponentielles Wachstum endet gewöhnlich mit dem Tod des »Gastes« beziehungsweise des Organismus, von dem er abhängt. Deshalb ist das Unverständnis dieses Wachstums die folgenschwerste Fehlvorstellung hinsichtlich der Funktion des Geldes, denn mit Zins und Zinseszins vedoppeln sich *Geldvermögen* in regelmäßigen Zeitabständen, das heißt, sie *folgen einem exponentiellen* Wachstumsverhalten. Und das erklärt, warum wir in der Vergangenheit in regelmäßigen Zeitabschnitten und auch gegenwärtig wieder mit unserem Geldsystem Schwierigkeiten haben. *Tatsächlich verhält sich der Zins wie ein Krebs in unserer sozialen Struktur.*

Prozentual gleichbleibende Wachstumsabläufe

Vervielfachung

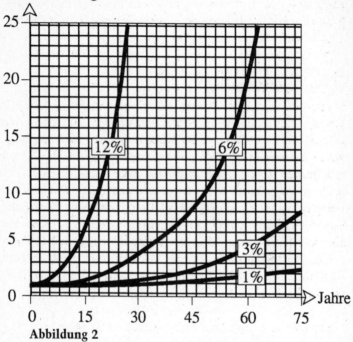

Abbildung 2

Prozentual gleichbleibende Zuwachsraten führen zu keinen entsprechenden, sondern zu immer größeren Wachstumsschüben, also zu einer exponentiellen Entwicklung, bei der sich die gegebenen Ausgangsgrößen in gleichen Zeitabständen immer wieder verdoppeln. Die Zeitabstände der Verdoppelungen sind um so kürzer, je größer der Zunahmeprozentsatz ist. Aber selbst bei geringen Sätzen von einem oder drei Prozent kommt es schließlich zu irrealen Zuwachsgrößen. Wer also möglichst hohe gleichbleibende prozentuale Zuwachsraten in der Wirtschaft fordert, weiß nicht, wovon er spricht (Helmut Creutz).

Abbildung 2 demonstriert die Zeitperiode, die nötig ist, damit sich das Geld, das angelegt wird, verdoppelt: Bei drei Prozent brauchen wir mit Zins und Zinseszins 24 Jahre, bei sechs Prozent zwölf Jahre, bei zwölf Prozent sechs Jahre.

Selbst bei einem Prozent erfolgt mit Zins und Zinseszins eine exponentielle Wachstumskurve mit einer Verdoppelungszeit von 72 Jahren.

Durch unser eigenes körperliches Wachstum haben wir nur jenes Wachstumsverhalten der Natur kennengelernt, das bei der optimalen Größe aufhört (Kurve a). *Deshalb ist es für die meisten Menschen schwer zu verstehen, was exponentielles Wachstum im materiellen Bereich wirklich bedeutet.* Wir haben eine andere biologische Lebenserfahrung. Das exponentielle Wachstum müssen wir über den Kopf bewußt verstehen lernen, erst dann können wir es, zum Beispiel in unserem Geldsystem, verändern.

Wie schwierig es ist, ein solches Verständnis zu entwickeln, beweist die folgende Analogie. Hätte Joseph zur Zeit der Geburt seines Sohnes Jesus einen Pfennig mit fünf Prozent Zinsen investiert, so hätte jener bei einer Rückkehr im Jahr 1990 sage und schreibe 134 Milliarden Kugeln aus Gold im Gesamtgewicht unseres Planeten bei dieser Bank »abheben« können.[1] Dies veranschaulicht eindrücklich die Unmöglichkeit eines permanenten exponentiellen Wachstums. Wären jedoch die Zinszuwächse Jahr für Jahr auf ein unverzinsliches Konto umgeleitet worden, so hätten sich dort in der gleichen Zeit statt des utopischen Betrags nur etwas weniger als eine Mark (genau 0,995 DM) angesammelt. Welch ein Unterschied!

Leider läßt sich jedoch der Zins nicht so einfach begrenzen. Wo Zins gezahlt wird, entsteht auch die Notwendigkeit, Zins auf Zinsen zu zahlen – und damit der Zinseszins-Effekt. In welchem Maße dieser bereits über den kurzen Zeitraum von fünfzig Jahren eine Geldanlage wachsen läßt, zeigt *Abbildung 3*.

Die Eskalation der Geldvermögen als Folge des Zinseszins-Effekts

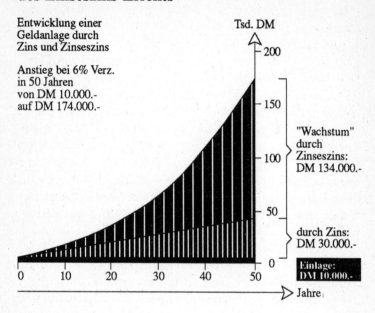

Entwicklung einer
Geldanlage durch
Zins und Zinseszins

Anstieg bei 6% Verz.
in 50 Jahren
von DM 10.000.-
auf DM 174.000.-

Tsd. DM

200

150

100

50

0

"Wachstum"
durch
Zinseszins:
DM 134.000.-

durch Zins:
DM 30.000.-

Einlage:
DM 10.000.-

0   10   20   30   40   50

Jahre

Abbildung 3

Normalerweise bilden sich Geldvermögen aus erspartem Arbeitseinkommen. Je älter eine Volkswirtschaft jedoch wird und je größer die bereits gegebenen Geldvermögen sind, desto mehr beginnen die Geldvermögen »von alleine« zu wuchern. Das heißt, sie wachsen durch die Zinsen und die Zinsen auf die Zinsen, also durch den Zinseszins-Effekt.

Wie die Grafik zeigt, macht sich dieser widernatürliche Zinseszins-Effekt in den ersten Jahren einer Geldanlage kaum bemerkbar. Im Laufe der Zeit aber übersteigt er die reinen Zinszuwächse um ein Vielfaches. So wächst beispielsweise eine mit sechs Prozent verzinste Anlage in fünfzig Jahren durch die Zinsen auf das Vierfache der Ausgangsmenge, durch den zusätzlichen Zinseszins-Effekt jedoch auf das gut Siebzehnfache.

Daß ein solches lawinenartiges Wachstum schließlich in einem Kollaps enden muß, bedarf keiner näheren Erklärung (Helmut Creutz).

23

Auf unsere Zeit bezogen, können wir daraufhin folgende Überlegungen anstellen: Im statistischen Durchschnitt besitzt jeder Bundesbürger ein Vermögen von 100 000 Mark. Hätte davon jeder im Jahr 1990 bei der Wiedervereinigung 20 000 Mark erhalten – etwa den Betrag, den man pro Jahr zum Leben braucht – und zu fünf Prozent Zins und Zinseszins angelegt (was im Durchschnitt im Lauf der Geschichte bezahlt wurde), könnten wir uns alle rein rechnerisch nach 62 Jahren zur Ruhe setzen und unsere Kinder und Kindeskinder (solange deren Zahl gleich bleibt) auch. Denn nach diesem Zeitraum bekommt jeder für die angelegten 20 000 Mark das gleiche Geld jährlich an Zinsen – und zwar für immer. Alle könnten in der Sonne liegen, und das Problem der Arbeitslosigkeit wäre ein für allemal gelöst, denn niemand müßte mehr arbeiten. Wenn aber nicht mehr gearbeitet wird, weil alle von ihren Zinsen leben, muß es einen Forderungs-Crash geben. Wenn nämlich niemand mehr arbeitet, ist auch niemand da, der noch für die Zinsen, die anderswo kassiert werden, ein »Sozialprodukt«, nämlich Nahrung, Kleidung, Wohnung, herstellt.

Paul C. Martin sagt: »Die Kapitalisten können nicht rechnen. Das ist die ganze Wahrheit des Kapitalismus.«[2] Anders formuliert heißt das: *Die andauernde und langfristige Zahlung von Zins und Zinseszins ist mathematisch nachweisbar praktisch unmöglich,* und damit befinden sich die ökonomische Notwendigkeit und die mathematische Unmöglichkeit in einem Widerspruch, der nicht zu lösen ist. Er führt heute wie in der Vergangenheit zur Akkumulation von Kapital in den Händen von zunehmend weniger Menschen und damit zu wirtschaftlichen Zusammenbrüchen, Kriegen und Revolutionen.

Heute liegt im Zinsmechanismus darüber hinaus eine Hauptursache für den pathologischen Wachstumszwang der Wirtschaft mit allen bekannten Folgen der Umweltzerstörung. Investitionen werden überwiegend nur dann vorgenommen, wenn sie eine höhere Rendite versprechen, als wenn man das Geld auf der Bank anlegt, oder wenn man mehr Gewinn macht, als man für geliehenes Geld bezahlt. *Der Zins bestimmt also, wie schnell die Wirtschaft wachsen muß.*

Die Lösung der Probleme, die durch das zinsbedingt exponentielle Wachstum von Geldanlagen hervorgerufen werden, liegt darin, *ein Geldsystem zu schaffen, das der qualitativen Wachstumskurve* (Abbildung 1, Kurve a) *folgt.* Dazu ist eine andere Umlaufsicherung erforderlich, die in Kapitel 2 beschrieben wird.

Mißverständnis Nummer zwei: Zinsen zahlen wir nur dann, wenn wir uns Geld leihen

Ein weiterer Grund für die Schwierigkeit, das Wirken des Zins- und Zinseszinsmechanismus auf unser Geldsystem vollständig zu verstehen, liegt darin, daß seine Folgen verdeckt sind. Die meisten Menschen glauben, nur dann zinspflichtig zu sein, wenn sie Geld borgen, jedoch keine Zinsen zahlen zu müssen, wenn sie sich nicht verschulden.

Abbildung 4 verdeutlicht, daß dem nicht so ist; denn in jedem Preis, den wir bezahlen, sind Zinsanteile enthalten: nämlich diejenigen, welche die Produzenten von Gütern und Dienstleistungen der Bank zahlen müssen, um Maschinen und Gebäude anschaffen zu können. Oder es sind die Zinsen, die sie für ihr eingesetztes Eigenkapital bekämen, wenn sie es der Bank als Spareinlage oder zur sonstigen Anlage überlassen würden. Der Anteil schwankt bei den Gütern und Dienstleistungen, die wir kaufen, entsprechend der Höhe des jeweiligen Kapitaleinsatzes.

Einige Beispiele aus dem öffentlichen Bereich, also von Preisen, die wir alle bezahlen, zeigen diesen Unterschied klar

auf. Der Anteil der Zins-(=Kapital-)kosten in den Müllabfuhrgebühren beträgt ungefähr zwölf Prozent. Er liegt hier insofern
relativ niedrig, da die Lohnkosten den Preis bestimmen. Dies
ändert sich beim Trinkwasserpreis, bei dem die Zinskosten
bereits 38 Prozent ausmachen. In der Kostenmiete des sozialen
Wohnungsbaus beträgt der Anteil sogar siebzig bis achtzig
Prozent bei einer normalen Zinshöhe von etwa sechs Prozent.

Aufgrund der hohen Zinsbelastung zahlt man eine Wohnung
in der Nutzungszeit von hundert Jahren nicht nur einmal ab,
sondern über die Zinsen praktisch vier- bis fünfmal. Bei einer
40-Quadratmeter-Wohnung, die heute etwa 150000 Mark
kostet, müssen bei sechs Prozent Zinsen jährlich 9000 Mark
(oder monatlich 750 Mark) nur an Zinskosten in der Miete
enthalten sein. Während hundert Jahren sind das – da sich
dieser Anteil nicht verringert, selbst wenn die Wohnung abge-
zahlt ist – 750000 Mark. Steigen die Hypothekenzinsen von
sechs auf neun Prozent, wie das derzeit der Fall ist, so vergrößert sich die Zinslast in der Monatsmiete von Neubauwoh-
nungen der gleichen Größe und Erstellungskosten ebenfalls
um die Hälfte auf 1125 Mark pro Monat. Hinzu kommen dann
Abschreibung, Reparaturkosten und Gewinn, den der Vermieter erzielen kann. Kein Wunder, daß in Zeiten hoher Zinsen der
Wohnungsbau zurückgeht und Wohnraum für viele uner-
schwinglich wird.

Im Durchschnitt erstatten wir dreißig bis fünfzig Prozent
Zinsen oder Kapitalkosten in den Preisen für Güter und
Dienstleistungen, die wir zum täglichen Leben benötigen.
Gäbe es also eine Möglichkeit, den Zins durch einen effektive-
ren Umlaufmechanismus zu ersetzen, *dann könnten die meisten von uns ihre Einkünfte fast verdoppeln,* oder sie müßten
entsprechend weniger arbeiten, um ihren derzeitigen Lebensstandard zu halten.

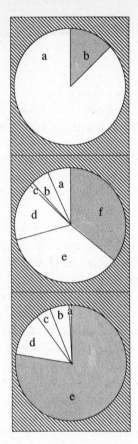

Konkrete Beispiele für Zinsanteile in Preisen und Gebühren

1 Müllabfuhrgebühren

Beispiel Stadt Aachen 1983
a) Abschreibung, Sach- und
   Personalkosten, Sonstiges   88%
b) *Kapitalverzinsung*   12%

Gebühr
110+ Tonne: DM 194.-   100%

2 Trinkwasserpreis

Beispiel eines norddeutschen
Versorgungswerkes 1981
a) Energiekosten   7%
b) Unterhalt der Anlagen   6%
c) Wasseraufbereitung   1%
d) Personal- und Wachkosten 18%
e) Abschreibung   30%
f) *Kapitalverzinsung*   38%

Preis je cbm: 1,36 DM=   100%

3 Kostenmiete im
   sozialen Wohnungsbau

Berechnung des statistischen
Bundesamtes für 1979
a) Wagnis und Gewinn   1%
b) Betriebs- und Verw.- Kosten 6%
c) Instandhaltung   5%
d) Abschreibung   11%
e) *Kapitalverzinsung*   77%

Miete je qm: DM 13,40.-   100%

Abbildung 4

Die *absolute* Höhe der Zinsanteile in einem Preis ergibt sich aus der eingesetzten Kapitalmasse, multipliziert mit dem Zinssatz. Der *relative* Zinsanteil im Preis wird von den übrigen Kosten bestimmt, die in die Preisbildung eingehen, also vor allem von Personal-, Material- und Abschreibungskosten. Bei personalintensiven Produktionen oder Leistungen wie etwa der Müllabfuhr ist also der Zinsanteil im Preis relativ gering, beim Trinkwasserpreis mit höheren Anlagekosten liegt er schon wesentlich höher, und bei kapitalintensiven Preisen wie der Miete beträgt er mehr als drei Viertel der Gesamtkosten (Helmut Creutz).

Mißverständnis Nummer drei:
Das gegenwärtige Geldsystem dient allen gleichermaßen

Eine dritte Fehlvorstellung über unser Geldsystem könnte so formuliert werden: Weil alle Zinsen erstatten müssen, wenn sie sich Geld leihen, um Güter oder Dienstleistungen zu kaufen, und Zinsen gutgeschrieben bekommen, wenn sie Geld sparen, geht es uns allen gleichermaßen gut (oder schlecht) im gegenwärtigen Geldsystem.

Auch dies stimmt nicht. In der Tat besteht ein gewaltiger Unterschied zwischen denjenigen, die in diesem System gewinnen, und denjenigen, die zur Kasse gebeten werden. *Abbildung 5* zeigt einen Vergleich zwischen Zinszahlungen und Einkommen aus Zinsen bei zehn zahlenmäßig gleich großen Haushaltsgruppen in der Bundesrepublik. Es zeigt sich, daß achtzig Prozent der Bevölkerung mehr Zinsen bezahlen, als sie erhalten, zehn Prozent einen geringen Ertragsüberschuß haben und bei den restlichen zehn Prozent der Zinsertrag beim Doppelten der Zinslasten liegt. Das ist zusammengenommen genau der Anteil, den die ersten achtzig Prozent der Bevölkerung verloren haben. *Dies erklärt vorbildlich einfach einen*

Die Zins*erträge* eines Haushalts resultieren aus den zinsbringenden Vermögenswerten, über die er verfügt. Seine Zins*lasten* lassen sich – da etwa jede dritte ausgegebene Mark eine Zinsmark ist – mit einem Drittel der Gesamtausgaben ansetzen. Da die Vermögensverteilung bei den Haushalten steiler ansteigt als die Kurve der Einkommen und Ausgaben, ergibt sich die hier dargestellte Diskrepanz der Zinslasten und -erträge. Die Folge ist eine Umschichtung der Einkommen von der überwiegend von Arbeit lebenden Mehrheit zur überwiegend von Geldbesitz lebenden Minderheit. Aufgrund des Überwachstums der monetären Größen gegenüber der Wirtschaftsleistung nimmt diese Umschichtung ständig zu und wird sogar noch beschleunigt in Zeiten hoher Zinsen (Helmut Creutz).

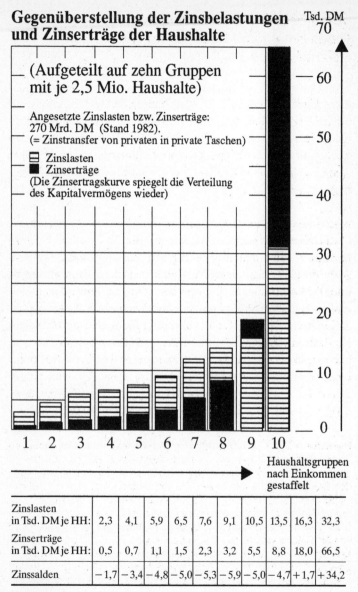

Gegenüberstellung der Zinsbelastungen und Zinserträge der Haushalte

Tsd. DM

(Aufgeteilt auf zehn Gruppen mit je 2,5 Mio. Haushalte)

Angesetzte Zinslasten bzw. Zinserträge:
270 Mrd. DM (Stand 1982).
(= Zinstransfer von privaten in private Taschen)

▤ Zinslasten
■ Zinserträge
(Die Zinsertragskurve spiegelt die Verteilung des Kapitalvermögens wieder)

Haushaltsgruppen nach Einkommen gestaffelt

	1	2	3	4	5	6	7	8	9	10
Zinslasten in Tsd. DM je HH:	2,3	4,1	5,9	6,5	7,6	9,1	10,5	13,5	16,3	32,3
Zinserträge in Tsd. DM je HH:	0,5	0,7	1,1	1,5	2,3	3,2	5,5	8,8	18,0	66,5
Zinssalden	−1,7	−3,4	−4,8	−5,0	−5,3	−5,9	−5,0	−4,7	+1,7	+34,2

Abbildung 5

Mechanismus – vielleicht den wichtigsten –, der die Reichen immer reicher und die Armen immer ärmer werden läßt.

Wenn wir die zehn Prozent der Bevölkerung, die von dem System profitieren, bezüglich ihres Einkommens aus Zinsen etwas genauer betrachten, so tritt erneut das Phänomen des exponentiellen Wachstums zutage. Für das letzte Zehntel in dieser Kategorie müßte die Säule für das Einkommen aus Zinsen etwa um das Fünffache erhöht werden, für das letzte Hundertstel und für die 82 Milliardärsfamilien in unserem Land (nach der Untersuchung des Wirtschaftsmagazins »Forbes« im Juli 1990) um das Zweitausendfache. Bei einer sechsprozentigen Verzinsung werden jene 82 Superreichen täglich um rund 32 Millionen Mark reicher, was dem gleichzeitigen Nettoverdienst von 438 000 Arbeitnehmern entspricht.

Mit dem Zins in unserem Geldsystem ist also eine Umverteilung von Geld verbunden, welche nicht auf Leistung beruht, sondern letztlich darauf, daß jemand die freie Marktwirtschaft, das heißt, den Austausch von Waren und Dienstleistungen, durch Zurückhalten des Austauschmittels behindern und für die Aufgabe dieser Behinderung eine Belohnung erzwingen kann. Und so wird ironischerweise ständig Geld verschoben: von denjenigen, die weniger Geld haben, als sie brauchen, zu denen, die mehr davon haben, als sie benötigen.

Dies ist eine andere und eine weit subtilere und effektivere Form der Ausbeutung als jene, die Karl Marx zu beheben versuchte. Fraglos hatte er recht, auf die Quelle des Mehrwerts in der *Produktionssphäre* hinzuweisen. In einer arbeitsteiligen Wirtschaft realisiert sich der Mehrwert jedoch erst in der *Zirkulationssphäre* von Geld und Waren, ja in immer größerem Umfang ausschließlich in der Geldsphäre.

Heute, am Ende einer langen wirtschaftlichen Wachstumsphase und der Trennung des Geldes vom Goldstandard, kann man das sehr viel klarer erkennen als Marx zu seiner Zeit. Das Ende wird dadurch gekennzeichnet, daß sich immer größere

Geldsummen auf immer weniger Personen oder Firmen konzentrieren. Hinzu kommen noch die Gewinne aus der weltweiten Geldspekulation, die sich seit 1980 vervielfacht haben. Betrug weltweit der tägliche Austausch von Währungen 1987 noch zweihundert Milliarden Dollar[3], so spricht man heute bereits von sechshundert Milliarden. Die Weltbank schätzt, daß inzwischen die grenzüberschreitenden Geldtransaktionen weltweit etwa das Fünfzehn- bis Zwanzigfache dessen ausmachen, was für den Welthandel, das heißt für den Austausch von Waren, tatsächlich erforderlich ist.[4]

Der Mechanismus von Zins und Zinseszins erzeugt aber nicht nur ein pathologisches Geldvermögens- und Wirtschaftswachstum, sondern arbeitet auch, wie Dieter Suhr aufgezeigt hat, *gegen die verfassungsmäßigen Rechte der Menschen*.[5] Wenn eine Verfassung den Bürgern gleichen Zugang zu allen Dienstleistungen des Staates garantiert – und das Geldsystem kann als eine solche Dienstleistung aufgefaßt werden –, dann ist es verfassungswidrig, daß durch einen Fehler in diesem System zehn Prozent der Bevölkerung auf Kosten der Mehrheit ständige und immer höhere Gewinne machen können.

Es könnte so aussehen, als ob eine Änderung in unserem Geldsystem »nur« achtzig Prozent der Bevölkerung dienen würde. Das sind diejenigen, die gegenwärtig mehr Zinsen bezahlen, als sie zurückbekommen. Dennoch würde, wie wir im Kapitel 3 sehen werden, jeder von dieser Lösung profitieren, langfristig selbst jene, die aus unserem derzeitigen krankhaften System Vorteile ziehen.

Mißverständnis Nummer vier: Inflation ist ein integraler Bestandteil eines jeden Geldsystems

Eine vierte Fehlannahme bezieht sich auf die Rolle der Inflation in unserem Wirtschaftssystem. Für die meisten Menschen scheint Inflation, das heißt Kaufkraftzerfall des Geldes, fast natürlich, weil in der Welt kein kapitalistisches Land ohne diese auskommt. *Abbildung 6, Anstiegsvergleich wesentlicher Wirtschaftsindikatoren* (in der BRD), läßt eine Tendenz erkennen, die in enger Beziehung zur Inflation steht: die zinsbedingte Auseinanderentwicklung der geldbezogenen und realen Größen. Während die Einnahmen des Bundes, das Bruttosozialprodukt sowie Löhne und Gehälter zwischen 1968 und 1989 nominal auf das Vierfache anstiegen, erhöhten sich seine Zinslasten fast auf das *Vierzehnfache.*

Die Schulden und Schuldenzinsen in den Volkswirtschaften nehmen also schneller zu als die Einkommen, was früher oder später zum Kollaps führen muß, selbst in den industrialisierten Nationen. Wenn der Körper eines Kindes zwischen seinem zweiten und zehnten Lebensjahr um das Vierfache wächst, seine Füße oder seine Lunge im selben Zeitraum jedoch auf das Vierzehnfache, würde jeder es krank nennen. *Das Problem ist, daß nur sehr wenige Menschen die Krankheitssymptome im Geldsystem diagnostizieren und daß noch weniger ein Heilmittel kennen.* Denn bisher war noch niemand in der Lage, ein gesundes Geldsystem zu entwickeln, das auch Bestand hatte.

Eine Möglichkeit für die Regierungen, die schlimmsten Probleme hinsichtlich ihrer ansteigenden Schulden zu bewältigen, besteht im Erzeugen von Inflation durch eine Aufblä-

Ein Organismus bleibt stabil, wenn sich alle seine Teile in ihrer Entfaltung am Ganzen orientieren. »Das Ganze« in der Wirtschaft, nach der sich alle anderen Größen richten müssen, ist die volkswirtschaftliche Leistung, das Bruttosozialprodukt. Entsprechend dieser Leistung können alle Ansprüche zunehmen, die Einkommen der Unternehmer und Arbeitnehmer, des Staates und des Kapitals.

Der obige Entwicklungsvergleich läßt erkennen, daß diese Wachstums- und Verteilungsregel in unserer Volkswirtschaft nicht eingehalten wird: Die Kredite und Verschuldungen nehmen rascher zu als das Bruttosozialprodukt, noch rapider die zinsbezogenen Größen. Zurück geblieben sind dagegen die Einkommen des Bundes sowie jene aus Unternehmertätigkeit und unselbständiger Arbeit (Helmut Creutz).

Vergleich des Anstiegs wesentlicher Wirtschaftsindikatoren, 1968-1989

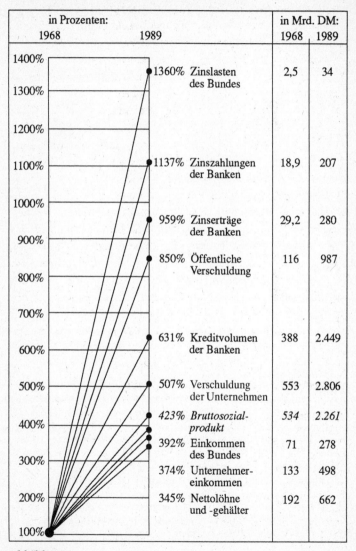

in Prozenten:		in Mrd. DM:	
1968 — 1989		1968	1989
1360% Zinslasten des Bundes		2,5	34
1137% Zinszahlungen der Banken		18,9	207
959% Zinserträge der Banken		29,2	280
850% Öffentliche Verschuldung		116	987
631% Kreditvolumen der Banken		388	2.449
507% Verschuldung der Unternehmen		553	2.806
423% Bruttosozialprodukt		*534*	*2.261*
392% Einkommen des Bundes		71	278
374% Unternehmereinkommen		133	498
345% Nettolöhne und -gehälter		192	662

Abbildung 6

Durch die Inflation ist die Mark nur noch 28 Pfennig wert

1950   1989

Abbildung 7

Maßstäbe müssen stabil sein, wenn sie ihren Zweck erfüllen sollen. Das gilt nicht nur für Längen-, Hohl- und Gewichtsmaße, sondern auch für den wichtigsten und am meisten benutzten Maßstab: das Geld.

Wie die Grafik zeigt, wurde dieser Maßstab jedoch seit 1950 auf weniger als ein Drittel seiner Ausgangslänge verkürzt. Konkret: Die Mark von 1950 war 1989 keine 30 Pfennige mehr wert. Wer also 1950 für hundert Mark Leistungen erbracht und den Betrag zurückgelegt hat, erhielt 1989 dafür nur noch eine Gegenleistung in Höhe eines Drittels. Und bei dieser ständigen »Kürzung« des Geldmaßstabs handelt es sich nicht um eine gleichmäßige und berechenbare, sondern eine schwankende Größe.

So wie der Krieg das denkbar größte Gewaltverbrechen ist und der Zins die größte vorstellbare Ausbeutung, so kann man die Inflation ohne Übertreibung als den größten denkbaren Betrug bezeichnen. Und im Gegensatz zu vielen kleinen Gaunereien werden diese drei Kapital-Verbrechen von allen Staaten immer noch legitimiert (Helmut Creutz).

hung der Geldmenge, die nicht durch entsprechende Werte aus Arbeit und Produktion abgedeckt ist. Das gilt besonders für solche Länder, in denen die Notenbanken auf Anordnung der Regierenden dem Lauf der Notenpressen keinen Einhalt gebieten. Doch auch in den Staaten mit »unabhängigen« Notenbanken ist es bisher nicht gelungen, die Geldvermehrung der wirklichen Leistungssteigerung anzupassen. Wie *Abbildung 7* verdeutlicht, war die Deutsche Mark in der Bundesrepublik 1989 nur noch 28 Pfennige wert. Diese Abwertung trifft jene Leute am härtesten, die ihr Vermögen nicht in »inflationsbeständigem« Grundbesitz oder anderen Investitionen anlegen können, am wenigsten dagegen den kleinen Bevölkerungsteil mit dem höchsten Einkommen und dem größten Sachvermögensbesitz.

Der Wirtschaftshistoriker John L. King zieht eine Parallele zwischen Inflation und den Zinszahlungen für den »US-Kreditballon«. Im Januar 1988 schrieb er mir:

»Ich habe bisher hinlänglich über den Zins als die wichtigste Ursache der steigenden Preise geschrieben, da er in den Preisen für alle Dinge, die wir kaufen, versteckt ist; jedoch wurde dieser Gedanke, obwohl er den Tatsachen entspricht, bisher nicht recht akzeptiert. Neun Billionen US-Dollar Inlandsschulden ergeben bei zehn Prozent Zins 900 Milliarden US-Dollar, die in steigenden Preisen bezahlt werden, und dies entspricht dem vierprozentigen Anstieg der Preise, den die Experten als Inflation bezeichnen. Ich habe den Zins und Zinseszins stets als eine unsichtbare Zerstörungsmaschinerie betrachtet, die gerade jetzt hart am Werk ist. Wir müssen versuchen, uns von dieser sinnlosen finanziellen Besessenheit zu befreien.«

Während der letzten dreiunddreißig Jahre stiegen die privaten und öffentlichen Schulden in den USA um tausend Prozent, wobei der größte Anteil auf die Unternehmen und

Der monetäre Teufelskreis
Eskalation der Geldvermögen und Schulden

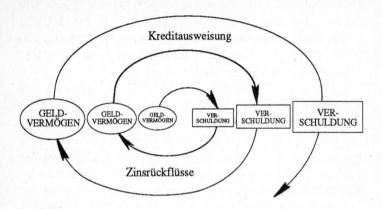

Kreditausweisung

GELD-VERMÖGEN   GELD-VERMÖGEN   GELD-VERMÖGEN   VER-SCHULDUNG   VER-SCHULDUNG   VER-SCHULDUNG

Zinsrückflüsse

Folgen:
steigende Zinseinkommen
wachsende Geldvermögen
größeres Kreditpotential

Folgen:
steigende Zinslasten
rückläufige Arbeitseinkommen
zunehmender Wachstumszwang

Abbildung 8

Die sich selbst beschleunigende Entwicklung der Geldvermögen und Schulden wird in der Grafik als Schema dargestellt: Die überproportionale Zunahme der Geldvermögen erzwingt entsprechende Kreditausweitungen, die größeren Schuldenmassen führen zu verstärkten Zinsrückflüssen an die Geldvermögen, die dadurch wiederum zunehmen und zur erneuten Schuldenausweitung zwingen.

Wir haben es also hier mit einem widernatürlichen (positiv rückgekoppelten) Regelkreis zu tun, der sich in seiner Überentwicklung selbsttätig beschleunigt, anstatt sich wie natürliche (negativ rückgekoppelte) Regelkreise abzubremsen. In der Natur kennen wir solche positiv rückgekoppelten Regelkreise weitgehend nur bei krankhaften Entwicklungsprozessen, etwa dem eines Tumors. Bringt man das Überwachstum des Tumors nicht zum Stillstand, ist der biologische Organismus auf Dauer zum Zusammenbruch verurteilt. Das gleiche gilt auch für eine Volkswirtschaft, wenn ein wesentlicher Teil derselben, nämlich die Geldvermögen und Schulden, ständig weiterwuchern (Helmut Creutz).

Privathaushalte entfällt. Alle Mittel der Regierung wurden eingesetzt, um die Kreditaufnahme und damit das Wirtschaftswachstum weiter anzuheizen: Garantien bei der Vergabe von Darlehen, subventionierte Hypothekenraten, niedrige Eigenanteile beim Kauf von Häusern und Konsumgütern, erleichterte Konditionen bei der Kreditvergabe, Steuervorteile, Sekundärmärkte und Auszahlungsversicherungen.

Die Erklärung für diese Politik ist, daß nur auf diese Weise die Reinvestition der Geldvermögen und damit der Kreislauf des Geldes aufrechterhalten und die Konsequenzen des Zinssystems für die große Mehrheit der Bevölkerung erträglicher gemacht werden konnten. *Durch das Erzeugen eines schnellen wirtschaftlichen Wachstums, das dem exponentiellen Wachstum der Geldvermögen folgt, bleiben die sozialen Konsequenzen noch eine Weile unsichtbar.* Der Teufelskreis, der sich ebenfalls immer schneller dreht, heißt nun: höhere Zinslasten, größere Geldvermögen und Verschuldung, mehr soziale Ungleichheit und immer schlimmere Auswirkungen auf unsere Umwelt (siehe Abbildung 8). Viele Gesichtspunkte sprechen also dafür, diesen zerstörerischen finanziellen Zinsmechanismus durch eine andere Umlaufsicherung zu ersetzen. Mit einer vernünftigen Geldpolitik der Notenbank wäre ein wesentlicher Grund für die ständige Inflation mit der Abschaffung des Zinses als Umlaufsicherung beseitigt.

Anmerkungen

1 Danach ergeben sich vom Jahr 0 bis 1990 bei jährlichem Zinszuschlag folgende ausgewählte Kontostände:

Jahr	Rechnungseinheit DM	Rechnungseinheit kg Gold am 9. 1. 90 18 500,– DM/kg	Rechnungseinheit goldene Erdkugeln (5,973 E + 24 kg)
0	0,01		
95	1,03		
100	1,31		
142	10,20		
189	101,10		
236	1001,55		
296	18708,22	1	
438	19 094 706	1026	
1466	1,16 E + 29	6,22 E + 24	1
1749	1,148 E + 35		1 Mill.
1890	1,116 E + 38		1 Mrd.
1990	1,468 E + 40	8,026 E + 35	134 Mrd.

Heinrich Haußmann: *Der Josephspfennig*. Fürth 1990.

2 Paul C. Martin: *Der Kapitalismus:* Ein System das funktioniert. Langen-Müller/Herbich, München 1986, Seite 46
3 Spiegel-Interview mit Alfred Herrhausen: »Ich sehe die Risiken ganz genau«, *Spiegel* Nr. 25, Hamburg 1987, Seite 59
4 Helmut Creutz: »Wachstum bis zum Crash«, *Schriftenreihe zum Thema Geld*, Heft Nr. 4, Seite 2
5 Dieter Suhr, *Geld ohne Mehrwert* – Entlastung der Marktwirtschaft von monetären Transaktionen. Fritz Knapp Verlag, Frankfurt/Main 1983

II. Ein Geldsystem ohne Zinsen und Inflation

Gegen Ende des 19. Jahrhunderts beobachtete Silvio Gesell, ein erfolgreicher deutsch-argentinischer Kaufmann, daß sich seine Waren manchmal schnell absetzen ließen und einen guten Preis erbrachten, während zu anderen Zeiten wiederum eine gegenteilige Entwicklung eintrat. Er begann darüber nachzudenken und Gründe dafür zu suchen. Bald erkannte er, daß dieses Auf und Ab wenig mit dem Bedarf an seinen Gütern zu tun hatte oder mit deren Qualität, sondern fast ausschließlich vom Preis des Geldes abhing, also den Zinsen, die das Verhalten der Geldbesitzer beeinflußten.

Wenn die Besitzer für ihr Geld weniger als zweieinhalb Prozent Zinsen erhielten, neigten sie eher dazu, es zu behalten und verursachten damit eine Verringerung der Investitionen. Die Folge war, daß weniger produziert werden konnte und es weniger Arbeitsplätze gab. Waren dann nach einiger Zeit die Leute wieder bereit, mehr Zinsen für Geld zu bezahlen, kam es erneut in Umlauf. Auf diese Weise entstand ein neuer wirtschaftlicher Zyklus mit anfangs hohen Zinssätzen und entsprechenden Preisen für die Waren. Dann verringerten sich mit langsam steigendem Waren- und vermehrtem Geldangebot die Zinssätze wieder und führten schließlich wiederum zu einem »Streik« der Geldhalter.

Gesell erklärte dieses Phänomen damit, daß Geld im Gegensatz zu allen anderen Gütern und Dienstleistungen praktisch ohne Kosten zurückbehalten werden kann. Wenn jemand eine Tasche voll Äpfel hat und eine andere Person das Geld, um diese Äpfel zu kaufen, so wird derjenige mit den Äpfeln in kurzer Zeit gezwungen sein zu verkaufen, wenn er nicht seine Ware durch Verderb verlieren will. Der Geldbesitzer jedoch kann warten, bis der Preis seinen Erwartungen entspricht. Sein Geld verursacht keine »Lagerkosten« – im Gegenteil, es bringt ihm einen »Liquiditätsvorteil«, das heißt, mit Geld in der Tasche oder Kasse ist man beweglich und kann warten, bis der günstigste Zeitpunkt beziehungsweise Preis für eine Ware erreicht ist. Und wenn zwei in Verhandlungen treten, von denen der eine unter Druck steht, macht der andere den Profit.

Wenn nun ein Geldsystem entwickelt werden könnte, in dem das Geld ebenso wie alle anderen Dienstleistungen und Waren »Lagerkosten« verursacht, folgerte Gesell, dann müßte logischerweise auch eine Wirtschaft frei vom Auf und Ab der Geldspekulation entstehen. Dabei müßten für diese Kosten im Mittel fünf Prozent jährlich zugrunde gelegt werden, was im Durchschnitt etwa den Zinsen entspräche, die im Laufe der Geschichte für Geld bezahlt wurden. Er schlug vor, das Geldsystem so zu gestalten, daß das Geld darin »rostet«; das heißt, es sollte einer Benutzungs- oder Rückhaltegebühr unterworfen werden.

Eine Nutzungsgebühr ersetzt die Zinsen

1916 formulierte Silvio Gesell seine Idee einer »natürlichen Wirtschaftsordnung«[1], die den Geldfluß sichert, indem Geld zu einer staatlichen Dienstleistung wird, für die Menschen eine Nutzungsgebühr entrichten. *Statt denjenigen, die mehr Geld haben, als sie benötigen, für die Freigabe des Geldes eine Belohnung (sprich Zins) zu geben, sollen diese eine geringe Gebühr (sprich Nutzungsgebühr) zahlen, wenn sie ihr Geld vom Umlauf zurückhalten.* Diese Gebühr kommt nicht einzelnen zugute, sondern der Allgemeinheit und damit allen aktiv am Marktgeschehen Beteiligten, die miteinander Austausch betreiben und die Akzeptanz des Zahlungsmittels gewährleisten.

Um diesen Gedanken besser zu verstehen, ist es hilfreich, das Geld mit einem Eisenbahnwaggon zu vergleichen, der ebenso wie dieses den Austausch von Gütern erleichtert. Auch hier bekommt der Benutzer für die Freigabe des Waggons am Zielort keine Prämie. Vielmehr wird er mit einer Standgebühr zur Kasse gebeten, wenn er den Waggon nicht entlädt. Und dieses »Standgeld« ist hoch genug, daß die meisten Benutzer den Waggon innerhalb kurzer Zeit abfertigen und damit anderen zur weiteren Nutzung überlassen. Das wäre im Grundsatz alles, was wir mit dem Geld tun müßten, um die negativen Folgen des Zinses zu vermeiden. Der jeweilige Benutzer bezahlt ein geringes »Standgeld« oder eine Nutzungsgebühr, wenn er das Geld länger behält, als für den Zweck des Austauschs erforderlich ist.

Während heutzutage Zinsen einen privaten Gewinn darstellen, würde die Nutzungsgebühr für das Geld eine öffentliche Einnahme sein, mit der die Kosten der Notenbank für den Geldumtausch abgedeckt werden. Überschüsse gingen – wie heute auch – in die Bundeskasse und könnten für Schuldentilgungen zweckgebunden werden. *Eine solche Änderung – so einfach sie auch scheinen mag – stellt eine Lösung dar für die vielen Probleme, die durch den Zins und Zinseszins hervorgerufen werden.*

Silvio Gesell nannte dieses Geld, weil es zinsfrei wäre, »Freigeld«[2]. Dieter Suhr hat dafür in den letzten Jahren den Begriff »Neutrales Geld«[3] geprägt, weil es »verteilungsneutral« allen dient und keinem einseitige Vorteile einräumt wie das heutige Geld. Dieser Bezeichnung möchte ich mich anschließen. Ich verwende sie deshalb im folgenden, wenn ich über zinsfreie Tauschmittel spreche, die einer »Nutzungs-« oder »Rückhaltegebühr« unterliegen. In der historischen Betrachtung benutze ich die zu der jeweiligen Zeit gebräuchliche Bezeichnungen.

Erste Experimente mit zinsfreiem Geld

In den dreißiger Jahren unternahmen die Anhänger der Gesell-
schen Theorie der Freiwirtschaft, einige Versuche mit zinsfreiem Geld, welche die Richtigkeit ihrer Gedanken bewiesen.
In Deutschland, Österreich, der Schweiz, Frankreich, Spanien
und den USA gab es Bemühungen, Freigeld einzuführen, um
die Arbeitslosigkeit zu beheben.[4] Am erfolgreichsten erwies
sich ein Versuch im österreichischen Wörgl.[5]

Die Tiroler Marktgemeinde, damals 4200 Einwohner zäh-
lend, begann sich 1932 mit dem Thema Geldreform zu befas-
sen. Der Bürgermeister überzeugte Kaufleute und Verwaltung,
daß sie viel zu gewinnen, aber nichts zu verlieren hätten, wenn
sie ein Geldexperiment durchführen würden, so wie es in
Silvio Gesells Buch »Die natürliche Wirtschaftsordnung« vorgeschlagen wurde.

Die Einwohner stimmten zu, und so gab der Wohlfahrtsaus-
schuß eigene Geldscheine, die »Arbeitsbestätigungen«
genannt wurden, im Wert von 32 000 Schilling heraus. Sie
wurden durch den gleichen Betrag gewöhnlicher österreichi-
scher Währung abgedeckt und deshalb als gleichwertig angesehen. Die Stadt bezahlte Löhne und Material mit diesen Geld-
scheinen. Und mit Hilfe der wieder in Fluß geratenen Steuereinnahmen ließ sie eine Skisprungschanze erbauen, verbes-
serte Straßen und das Kanalsystem. Die Geschäftsleute nahmen das neue Geld ebenfalls an. Die Nutzungsgebühr für
dieses Tauschmittel betrug ein Prozent monatlich, also zwölf
Prozent im Jahr, und mußte von demjenigen entrichtet werden, der die Geldscheine am Ende des Monats besaß. Sie wurde
in Form einer Marke mit dem Wert von einem Prozent des
Nennwerts entrichtet, die man auf die Rückseite klebte. Ohne
diese Marke war das Geld ungültig. *Die geringe Gebühr
bewirkte, daß ein jeder, der es als Bezahlung erhalten hatte,*

dieses Geld so schnell wie möglich wieder ausgab, bevor er sein gewöhnliches Geld benutzte. Die Bewohner von Wörgl bezahlten sogar ihre Steuern im voraus, um die Gebührenkosten zu vermeiden. *Innerhalb eines Jahres waren die 32 000 Arbeitsbestätigungen 463mal umgelaufen und hatten auf diese Weise Güter und Dienstleistungen im Wert von (32 000 × 463 =) 14 816 000 Schilling ermöglicht.*[6]

Gerade zu jener Zeit, in der viele Länder Europas mit zunehmender Beschäftigungslosigkeit zu kämpfen hatten, senkte Wörgl seine Arbeitslosenquote um 25 Prozent innerhalb dieses einen Jahres. *Die von der Stadtverwaltung eingenommene Gebühr betrug zwölf Prozent = 3840 Schilling,* die für öffentliche Zwecke verwendet wurden; das heißt, für das Wohl der Gemeinschaft und nicht zur Bereicherung einzelner.

Als sich dann über 170 Gemeinden in Österreich für das Modell zu interessieren begannen, *sah die Österreichische Nationalbank ihr Monopol gefährdet.* Sie intervenierte und ließ die weitere Verwendung dieses lokalen Geldes verbieten. Ebenso erging es entsprechenden Versuchen in der Schweiz und in Frankreich. Auch in Deutschland paßten die Freigeld- und Tauschringexperimente der dreißiger Jahre nicht ins nationalsozialistisch-zentralistische Konzept einer Geldordnung. Die 1929 gegründete Wära-Tauschgesellschaft, die bis 1931 bestand, verhalf Schwanenkirchen mitten in der Krise zu einem erstaunlichen wirtschaftlichen Aufschwung. Der Ausbreitung dieses überregionalen Versuchs einer Selbsthilfeaktion auf privater Basis wurde jedoch durch die Verordnung über Notgeld vom 30. Oktober 1931 ein Ende gesetzt. Herstellung, Ausgabe, Weitergabe und Annahme der Wära-Scheine (die ebenfalls mit Marken von einem Prozent des Wertes beklebt wurden, um die monatliche Abwertung auszugleichen) wurden verboten.[7]

Doch die Notgeldverordnung sollte sich als ein Fehlschlag herausstellen, denn die *Tauschgesellschaften stiegen darauf-*

hin auf bargeldlose Zahlungsmethoden um, und es gründeten sich etliche sogenannte *»Ausgleichskassen«*. Erst 1933 und 1934 trafen Banken und Reichsbank, die ihre Position im Geldwesen gefährdet sahen, den Lebensnerv der Ausgleichskassen und Arbeitsgemeinschaften durch das Verbot von Einlagen, worüber nicht durch Barabhebung verfügt werden konnte.[8] Damit wurde auch den Tauschringexperimenten ein vorzeitiges Ende bereitet.

In Dieter Suhrs Buch »The Capitalistic Cost-Benefit Structure of Money« (Die kapitalistische Kosten-Nutzen-Struktur des Geldes) berichtet Cohrssen von dem Versuch, das Konzept von Gesell 1933 im Rahmen des »Stamp Scrip Movement« (»Marken-Geld-Bewegung«) in den USA einzuführen.[9] Cohrssen war Mitarbeiter von Irving Fisher, einem der bekanntesten Ökonomen und Geldtheoretiker in den USA. Fisher, der sich selbst als »bescheidener Schüler des Kaufmanns Gesell« bezeichnet hatte, unterstützte Versuche mit zinsfreiem Geld in den USA. »Freigeld«, hat Fisher einmal gesagt, »könnte der beste Regulator der Umlaufgeschwindigkeit des Geldes sein, die der verwirrendste Faktor in der Stabilisierung des Preisniveaus ist. Bei richtiger Anwendung könnte es uns tatsächlich binnen weniger Wochen aus der Krise heraushelfen.«[10] Zu jener Zeit planten in den USA mehr als hundert Gemeinden, darunter mehrere große Städte, Geld einzuführen, das ähnlich wie die Arbeitsbestätigungen in Wörgl funktionieren sollte.

Arbeits-, Innen- und Wirtschaftsministerum in Washington befaßten sich mit diesbezüglichen Anträgen, und obwohl keines von ihnen dagegen war, sahen sie sich nicht imstande, eine Genehmigung durchzusetzen. Zuletzt fragte Dean Acheson, der spätere Innenminister, den wirtschaftlichen Berater der Regierung, Harvard-Professor Russel Sprague, was dieser davon halte.

Cohrssen erinnert sich eines Treffens mit ihm, das sehr herzlich verlief und bei dem Sprague meinte, daß im Grunde nichts gegen die Herausgabe von Markengeld einzuwenden sei, um neue Arbeitsplätze zu schaffen. Dennoch wandte er ein, daß das Vorhaben weit darüber hinaus ginge: Es wäre eine Maßnahme, die das amerikanische Geldsystem vollkommen umstrukturieren würde, und er hätte nicht die Vollmacht, eine solch massive Veränderung zu befürworten.

Damit war der »Stamp-Scrip«-Bewegung ein abruptes Ende beschieden, einem Modellprojekt, das wahrscheinlich zu einer wirklichen Geldreform geführt hätte.

Präsident Roosevelt verfügte im März 1933, die Banken zeitweise zu schließen, und er verbot, irgendwelches Notgeld herauszugeben. Als Schlußfolgerung aus seinen intensiven Bemühungen schrieb Cohrssen: »Insgesamt können wir sagen, daß die technischen Schwierigkeiten, um eine Stabilität des Geldes zu gewährleisten, im Verhältnis zum mangelnden Verständnis des Problems sehr klein sind. *Solange die Illusion des Geldes nicht überwunden wird, wird es unmöglich sein, die notwendige Geldstabilität politisch durchzusetzen.*«[11]

Ein Lösungsansatz für morgen

Grundlage einer Geldreform müßte die Erkenntnis eines großen Teils der Bevölkerung sein, daß wir das Geld auf seine Funktionen als Tauschmittel, Preismaßstab und gleichbleibenden Wertspeicher zu beschränken haben, wenn wir die Probleme lösen wollen, die seine jetzige Zusatzfunktion als Wertaufbewahrungsmittel mit exponentiell wachsenden Ansprüchen in Form von Zinsen verursacht. Wenn sich diese Erkenntnis in konkretes politisches Handeln umsetzen läßt, kann die Lösung folgendermaßen aussehen:

Die Bundesbank beschließt auf Weisung der Regierung, den Umlauf des Geldes statt über Zinsen über eine Nutzungsgebühr sicherzustellen.

Die Nutzungsgebühr als Umlaufsicherung macht eine genaue Anpassung an die für alle Transaktionen notwendige Geldmenge möglich. Ist genug neues Geld für die Ausführung sämtlicher Transaktionen vorhanden, braucht kein weiteres mehr in Umlauf zu gelangen. Damit folgt das Anwachsen der Geldmenge dem Wachstum der Wirtschaft und dieses wiederum dem natürlichen Wachstum *(Kurve a, Abbildung 1)*. Hat man mehr Bargeld, als man zur Zeit benötigt, zahlt man es als Guthaben bei der Bank ein. Damit werden die Nutzungsgebühren – je nach Laufzeit des Guthabens – beträchtlich verringert oder ganz aufgehoben. Wie *Abbildung 9* veranschaulicht, wird die heutige »Zinstreppe« durch eine »Nutzungsgebührtreppe« ersetzt. Bei Bargeld ist die Gebühr am höchsten; bei langfristigen Anlagen entfällt sie vollständig.

Erhalten die Banken Geld ohne Zinsen als Einlagen und müssen sie ebenfalls Nutzungsgebühren entrichten, wenn sie das Geld nicht weitergeben, so brauchen auch Kreditnehmer keine Zinsen mehr zu bezahlen. Es bleiben somit nur Bankvermittlungs- und Risikogebühren übrig, die auch im derzeitigen System in Kredit enthalten sind und im günstigsten Fall bei anderthalb Prozent liegen.

Die **Kreditkosten** betragen im Jahresdurchschnitt

bei zinstragendem Geld (1991)		bei verteilungsneutralem Geld	
a) *Arbeit der Bank*	1,7 %	a) *Arbeit der Bank*	1,7 %
b) *Risikoprämie*	0,8 %	b) *Risikoprämie*	0,8 %
c) *Liquiditätsprämie*	3,0 %	c) *Liquiditätsprämie*	0,0 %
d) *Inflationsausgleich*	4,0 %	d) *Inflationsausgleich*	0,0 %
Insgesamt	9,5 %	Insgesamt	2,5 %

UMLAUFSICHERUNG DURCH

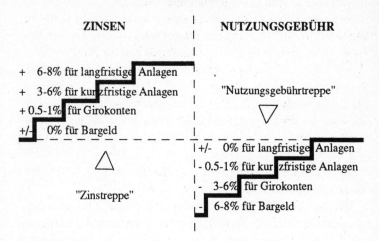

ZINSEN | **NUTZUNGSGEBÜHR**

+ 6-8% für langfristige Anlagen
+ 3-6% für kurzfristige Anlagen
+ 0.5-1% für Girokonten
+/- 0% für Bargeld

"Zinstreppe"

"Nutzungsgebührtreppe"

+/- 0% für langfristige Anlagen
- 0.5-1% für kurzfristige Anlagen
- 3-6% für Girokonten
- 6-8% für Bargeld

Abbildung 9

Im Gegensatz zu den *Zinsen*, die *Einnahmen* aus Geld ermöglichen, wenn das Geld verliehen wird, verursacht die *Nutzungsgebühr Kosten*, wenn das Geld zurückbehalten wird. In beiden Fällen sind die langfristigen Anlagen die günstigsten, die kurzfristigen Anlagen, Geld auf Girokonten und Bargeld am ungünstigsten. Zinsen sind vorwiegend eine private Einnahmequelle und wachsen durch den Zinseszins-Effekt exponentiell *(Abbildung 1, Kurve c)*. Die Nutzungsgebühr ist eine staatliche Einnahmequelle und erhöht sich nur in dem Maß, wie die Geldmenge wachsen muß, um alle Tauschvorgänge abzuwickeln, das heißt in einer natürlichen Wachstumskurve (Abbildung 1, Kurve a). Statt Umverteilung von Reichtum als Folge der Umlaufsicherung durch den Zins wirkt die Nutzungsgebühr verteilungsneutral; statt Inflation, Deflation und Crash sind natürliches und optimales Wachstum möglich (Helmut Creutz).

Obwohl Neutrales Geld den Guthabenbesitzern keine Zinsen mehr einbringt, lohnt es sich, Geld zu sparen, denn das Geld behält seinen stabilen Wert, da mit einem umlaufgesicherten Geld endlich auch die Notenbank die Geldmenge präzise steuern kann; das heißt, für die Banken ergeben sich langfristig weit geringere Risiken als im heutigen Geldsystem.

Die Nutzungsgebühr schafft klare Verhältnisse für die Kreditvergabe, weil jeder darauf aus ist, Geld langfristig anzulegen, um ihr zu entgehen. Die Gebühr selbst – soweit sie die Banken einziehen – fließt der Bundesbank beziehungsweise dem Staat zu und käme somit letztlich allen zugute – nicht nur, wie die Zinsen heute, einer kleinen Minderheit. Ansonsten würde sich praktisch wenig ändern. *Die Aufgabe der Banken bleibt weiterhin die Vermittlung von Geld.*

Um ein Gleichgewicht zwischen volkswirtschaftlicher Leistung und der Geldmenge zu gewährleisten, geben die Banken – genau wie heute – größere Überschüsse an Neutralem Geld an andere Banken mit Geldbedarf weiter beziehungsweise an die Zentralbank zurück. Schwankungen in der Nachfrage nach Krediten können über einen niedrigen Knappheitsindikator (Anreiz zum Leihen plus ein Prozent, wenn zuviel Geld vorhanden ist; Gebühr von minus einem Prozent, wenn es knapp ist) austariert werden. Dieser Knappheitsindikator von plus/minus einem Prozent ist aber *nicht (wie heute der Zins) ein Mechanismus zur ständigen Umverteilung des Reichtums.*

Knappheitsindikator, Risikoprämie und Nutzungsgebühr zusammen wären »verteilungsneutrale Größen«, deshalb die Bezeichnung »Neutrales Geld«. Im Gegensatz dazu ist der Zins, der neben Knappheitsindikator, Risikoprämie, Bearbeitungskosten und Inflationsausgleich eine Belohnung für die Aufgabe von *Liquidität* enthält, *nicht* verteilungsneutral. Der entscheidende Unterschied liegt also im Ersatz der Liquiditäts*verzichtsprämie* (= Zins) durch eine Liquiditäts*abgabe* (= Nutzungsgebühr), und da durch die Umlaufsicherung auch die

Inflation überwunden werden kann, entfällt infolgedessen der heute im Zins enthaltene Inflationsausgleich.

Die *Hortung barer Scheine* des neuen Geldes wird auf einfachere Weise als mit dem Aufkleben von Marken auf der Rückseite von Banknoten wie im Beispiel Wörgl (siehe Seite 42 f.) verhindert werden. Nach dem Vorschlag von Helmut Creutz wird, ähnlich wie beim Zahlenlotto eine Umlaufsicherung durch Auslosung einer Geldscheingröße vorgenommen[12]. Geht man von den heutigen acht Geldscheingrößen aus (5, 10, 20, 50, 100, 200, 500, 1000 Mark), dann muß man jeweils im Durchschnitt nur ein Achtel der gesamten Bargeldmenge einzogen werden.

Für die Auswahl bietet sich in optimaler Weise die heute allgemein bekannte *Kugel-Auslosungsmethode* an, die auch bei den wöchentlichen Lotto-Ausspielungen eingesetzt wird. Durch eine entsprechende Relation zwischen farbigen Geldscheinkugeln mit entsprechender Größenmarkierung und weißen Blindkugeln ist die Häufigkeit des Umtauschs einfach zu regulieren.

So kann man zum Beispiel die Auslosungen regelmäßig am ersten Samstag im Monat durchführen und das Verhältnis der Kugeln so bestimmen, daß es im statistischen Durchschnitt zu zwei Umtauschvorgängen im Jahr kommt. Wenn eine Geldscheingröße ausgelost wird, läuft die Umtauschfrist bis zum Ende des Monats. Bis dahin sind auch die »aufgerufenen« Geldscheine weiterhin gesetzliches Zahlungsmittel, das heißt, man kann mit ihnen in allen Geschäften bezahlen, wobei jedoch die Nutzungsgebühr abgezogen wird. Wer diese Scheine bis zum Ende des Monats nicht ausgegeben hat, kann sie danach bei Banken und Postämtern gegen Abzug derselben Gebühr umtauschen.

Da niemand gern eine solche Gebühr bezahlt, schränkt jeder

seine Geldscheinhaltung auf den erforderlichen Umfang ein und baut überschüssiges Geld durch Einzahlung als Bankguthaben ab.

Beim Umtausch einer Geldscheingröße braucht man nur auf *eine* Stückelung zu achten. Da die neuen Scheine eine andere Farbe als die alten haben, sind sie leicht zu unterscheiden. Wenn beispielsweise neu herausgegebene Hunderter in einem gelben Farbton in Umlauf kommen, fällt jeder alte blaue Hunderter auf. Außerdem wird die Länge oder Breite der neuen Scheine um einige Millimeter verändert und die Leitfarbe bis zur Außenkante durchgezogen. Damit ragt jeder andere Schein auch aus dem dicksten Geldbündel hervor, ohne daß man es durchzublättern braucht. Ein Einschmuggeln von abgelaufenen Scheinen ist praktisch unmöglich.

Gegenüber anderen Verfahren wie Klebe-, Stempel- oder Drei-Serien-Geld hat die Auslosung einer Geldscheingröße den Vorteil, daß man kein neues Geld ausgeben muß, sondern beim gewohnten bleiben kann und daß die Kosten nicht viel höher sind als der normale Ersatz alter Geldscheine heute.

Eine solche Reform der Geldumlauftechnik bedeutete für die achtzig bis neunzig Prozent der Bevölkerung, die beim heutigen System draufzahlen (siehe Kapitel I), einen enormen Zuwachs an Kaufkraft (etwa dreißig bis fünfzig Prozent). Den zehn Prozent, die jetzt von dem System profitieren, wird zwar der Zuwachs ohne Arbeit verwehrt, aber dafür eine langfristige gleichbleibende Erhaltung ihrer Geldvermögen geboten.

Das Neutrale Geld ist nicht nur *verteilungsneutral* – was heißt, daß keinem durch den Besitz von Geld einseitige Vorteile erwachsen –, sondern auch *zeitneutral*. Wie jeder eine Ausbildung oder Wohnung zum Leben braucht, gibt es keinen vernünftigen Grund, warum ein Kind in 24 Jahren das Vielfache dafür zahlen soll. Das Neutrale Geld stellt sicher, daß ich für das Darlehen, das ich heute aufnehme, um mein Haus zu bauen, in den 24 Jahren, die ich es abzahle, etwas Gleichwertiges in den volkswirtschaftlichen Kreislauf zurückgegeben habe.

Wenn die Guthabenbesitzer, die mir ihr Geld leihen, dieses Geld in Waren anlegen müßten, hätten sie auf alle Fälle »Durchhaltekosten«. Häuser müssen unterhalten werden, Kleider werden unmodern und sind von Motten bedroht, Getreide und Nahrungsmittel können verderben und müssen vor Mäusen geschützt werden. Im Durchschnitt kostet Lagerhaltung etwa fünf Prozent des Werts der gelagerten Güter. Also können die Geldbesitzer schon froh sein, wenn sie den vollen Wert ihres Geldes zurückbekommen, weil man ihnen hilft, die Durchhaltekosten zu reduzieren.

Natürlich wird es beim Übergang zum Neutralen Geld eine Flucht in andere »Kapitalien« geben – mit entsprechenden Preisanstiegen, also auch mit entsprechenden Renditen. Zu den interessanter werdenden Kapitalien gehört dann alles, was über die reine Werterhaltung hinaus noch Nutzen und Erträge abwirft. Schöne Bilder oder Skulpturen, die Werterhaltung erwarten lassen, garantieren neben diesem Nutzen noch den täglichen Ertrag an Kunstvergnügen. In dieser Beziehung sind sie dann bloß langweiligen Obligationen, die nur Bestanderhaltung bieten, überlegen. Das dürfte auch der Grund sein, warum im Mittelalter, als die Brakteaten in Umlauf waren, so viel in »Kunst am Bau« investiert wurde (siehe Kapitel V).

Was die Einführung eines Neutralen Geldsystems nicht automatisch löst, ist das Problem, wie mit der bisher entstandenen Ungleichheit umgegangen wird. Der Versuch eines Ausgleichs über höhere Vermögens- oder Erbschaftssteuern ist dann eine weitere wichtige politische Veränderung, mit der parallel begonnen werden muß.

Die oben beschriebene Geldreform – im großen Maßstab durchgeführt – muß zusätzlich von einer Land- und Steuerreform begleitet werden. Ohne eine Landreform würde sonst überschüssiges Geld von der Bodenspekulation angezogen.

Ohne eine Steuerreform, die uns zu einem anderen Umgang mit den Gütern der Natur bewegt, bleiben die ökologischen Probleme bestehen.

Die notwendige Bodenreform

Die Vergangenheit lehrt: Wann immer der Zins niedrig war, wurde mehr Land gekauft. Das heißt, wenn wir Geld ohne Zinsen und Inflation einführen, wächst die Gefahr, daß die Geldbesitzer in noch größerem Umfang als heute ohne Arbeitsaufwand ein Einkommen aus dem Eigentum von Grund und Boden zu erzielen versuchen.

Wie das Geld ist jedoch auch der Boden für jeden lebensnotwendig. Ob wir essen, schlafen oder arbeiten: Leben ohne Land ist undenkbar. Deshalb sollten Grund und Boden ebenso wie Luft und Wasser jedem gehören. Die Indianer von Nordamerika drücken dies so aus: »Die Erde ist unsere Mutter, wie

Auf den Boden sind wir genauso unausweichlich angewiesen wie auf Licht, Luft und Wasser. Das gilt nicht nur für die bodenbearbeitende Landwirtschaft, sondern für jeden Menschen, und sei es auch nur bezogen auf das Wohnen.

Da die Menschheit ständig wächst, der Boden sich aber nicht vermehren läßt, nimmt seine Knappheit und damit sein Preis immer mehr zu. Infolgedessen wachsen die leistungslosen Gewinne der Bodeneigentümer, sowohl beim Verkauf wie bei der Verpachtung. Nicht anders als beim Geld- und Sachkapitalzins verringern sich als Folge auch hier die leistungsbezogenen Einkommen der Werteschaffenden.

Wie die Grafik zeigt, mußte der Erwerber eines Baugrundstücks bereits 1982 dreimal länger für die Kaufsumme arbeiten als 1950. Das heißt, der Boden wird für Normalverdiener immer unbezahlbarer. Und da der Bodenwert über die Mieten mitverzinst wird, steigen entsprechend auch die Kosten des Wohnens an. In Citylagen sind Mieten darum kaum noch tragbar, da – hier – bereits die Bodenverzinsung die sonstigen Mietkosten um ein Mehrfaches übersteigt (Helmut Creutz).

Für ein Baugrundstück muß man heute dreimal länger arbeiten als in den 50er Jahren

Anstieg 1950 bis 1982:

Ohne Leistung der Besitzer
ist der Wert der Wohngrundstücke
seit 1950 um etwa 1.000 Mrd.
angestiegen.

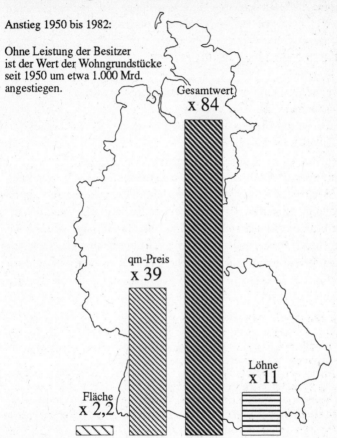

Gesamtwert
x 84

qm-Preis
x 39

Löhne
x 11

Fläche
x 2,2

Abbildung 10

könnten wir sie aufteilen und verkaufen!« Grund und Boden sollten der Gemeinde gehören und dann von ihr auch verpachtet werden. So war es in vielen europäischen Ländern üblich, bis das römische Recht das private Bodeneigentum im späten Mittelalter einführte.[13]

Heute kennen wir zwei grundsätzlich verschiedene Systeme in der Welt:

● Privateigentum und private Nutzung von Land in den kapitalistischen Ländern,

● Staatseigentum und staatliche Nutzung des Landes in den kommunistischen Ländern.

Abbildung 10 zeigt, wie in den kapitalistischen Ländern die Mehrheit der Menschen für die hohen Profite der Bodenspekulanten bezahlt. Dies wiederum verwehrt anderen die Befriedigung ihrer Grundbedürfnisse zu vertretbaren Preisen. Nicht nur für den Normalbürger wird der Kauf von Grund und Boden immer unerschwinglicher, sondern auch Geschäftsleute, Einzelhandel und Gewerbe sehen sich angesichts überhöhter Mieten vor allem in den Großstädten zunehmend finanziellen Schwierigkeiten gegenüber.

In den kommunistischen Ländern dagegen liegt der Hauptnachteil in der unwirtschaftlichen Nutzung des Landes.

So werden in der Sowjetunion, wo Grund und Boden Gemeinbesitz sind und der Allgemeinnutzung unterliegen, über sechzig Prozent der Nahrungsmittel auf jenen vier Prozent des Bodens geerntet, der Privatbesitz ist. Hier liegt also das Problem in der gemeinschaftlichen Nutzung, die sich weniger effektiv auswirkt als die private, wenn sie mit entsprechender Verantwortung und Eigeninteresse gekoppelt wird.

Aus diesem Grunde würde eine Kombination aus privater Nutzung und gemeinschaftlichem Besitz die vorteilhafteste Lösung sein, um individuelle Entwicklungsmöglichkeiten

und soziale Gerechtigkeit zu ermöglichen (siehe Abb. 11). Genau diese Vorschläge unterbreiteten bereits 1879 Henry George[14], Silvio Gesell 1904[15] und Yoshito Otani 1981[16].

Nach den katastrophalen Folgen der Enteignung in Ländern mit kommunistischer Verfassung würde heute keine westliche Nation mehr den Besitzwechsel von Land und Gemeindeeigentum ohne Entschädigung erwägen. Obwohl das römische Recht, welches das Privateigentum an Grund und Boden in die westliche Zivilisation einführte, ursprünglich den Völkern von seiten ihrer Eroberer aufgezwungen wurde, gehören jene, die davon zuerst profitierten, bereits der Geschichte an.

Abbildung 11

Bodenrecht im Kapitalismus
Bodeneigentümer: private Haushalte
Bodennutzung: private Haushalte und Unternehmen
Bodenpachtertrag: in private Taschen

Bodenrecht im Sozialismus/Kommunismus
Bodeneigentümer: Staat/Genossenschaften
Bodennutzung: staatlich zugeteilt
Bodenpachtertrag: an den Staat

Lösung der Bodenrechtsfrage
Bodeneigentümer: Gemeinschaft (Dorf, Stadt, Land)
Bodennutzung: private Haushalte und Unternehmen
Bodenpachtertrag: über die Gemeinschaft an alle Bürger

Das Problem beim Bodenrecht im Kapitalismus ist die wachsende Ungleichheit aufgrund der leistungslosen Erträge der privaten Eigentümer bei Verpachtung und Verkauf.

Das Problem bei Bodenrecht im Sozialismus/Kommunismus ist die unwirtschaftliche Nutzung des Bodens durch den Staat.

Die *Lösung* liegt in der *Kombination der beiden Modelle*, die kommunales Eigentum mit privater Nutzung (etwa über Erbpachtverträge) verbindet, und damit den Ertrag aus dem Boden in die Gemeinschaft, durch die der Mehrwert entsteht, zurückführt.

Die heutigen Eigentümer haben ihr Land entweder gekauft oder legal geerbt. Aus diesem Grund muß eine Entschädigung gezahlt werden, will man eine gerechte Situation schaffen. Hierzu sind die Gemeinden jedoch nur in der Lage, wenn sie zusätzliche Mittel bekommen. Langfristig könnten beispielsweise die Gemeinden auf sämtliches Land eine jährliche Abgabe von drei Prozent des Werts erheben und mit dem Ertrag daraus die Flächen erwerben, die zum Verkauf anstehen. Auf diese Weise könnten die Kommunen längerfristig – theoretisch in 33 Jahren bei einer dreiprozentigen Abgabe und Neutralem Geld – in den Besitz der Grundstücksflächen gelangen, die sie dann an private Nutzer verpachten.

Alternativ könnte man den Grundeigentümern die Möglichkeit einräumen, daß sie statt Zahlung der dreiprozentigen Abgabe auf ihr Land dieses der Gemeinde über einen Zeitraum von 33 Jahren verkaufen. Nach 33 Jahren hätten sie weiterhin das Recht, dasselbe Land in Erbpacht zu nutzen. Jedoch müßten sie dann die Pacht, bezogen auf den dann gültigen Wert des Bodens, an die Gemeinde bezahlen. Weiterhin sollte die Pacht in regelmäßigen Zeitabständen dem tatsächlichen Tageswert des Bodens angepaßt werden: also den Preisen, die sich aus Nutzungsversteigerungen in ähnlichen Lagen ergeben. Ohne diese Anpassung ergäben sich sonst wieder leistungslose Einkommensvorteile für diejenigen, die zu einem früheren Zeitpunkt gepachtet haben. Eine Staffelung dieser Pacht nach sozialen oder ökologischen Gesichtspunkten wäre möglich und sinnvoll.

Als sofortige Folge wäre der Bodenspekulation ein Ende bereitet, weil ungenutztes Grundstückseigentum aus Gründen des Preisverfalls umgehend auf den Markt käme, um weiteren Verlusten vorzubeugen. Je mehr Land auf diese Weise zur Verfügung stünde, desto schneller gerieten die Bodenpreise ins Wanken und entsprechend mehr Menschen hätten die Möglichkeit, das zur Disposition stehende Land produktiv zu nutzen. Besonders in den Entwicklungsländern würde sich dies erheblich auf den Ernährungssektor auswirken. Die im Verhältnis zum Bevölkerungswachstum sich stetig verringernde Nahrungsmittelerzeugung ist nicht eine Frage der Agrartechnik, sondern ein Mangel der Verfügbarkeit von Boden für kleine landwirtschaftliche Produktionsbetriebe.

Die Pächter genössen in diesem neuen System sämtliche Vorteile des heutigen Erbpachtsystems: Sie könnten ihren Besitz im Rahmen der lokalen Planungsvorgaben nutzen, ihn bebauen, ihre Häuser verkaufen beziehungsweise sie ihren Nachkommen vererben. Sie könnten an Dritte weitervermieten, *solange sie die Bodenpacht bezahlen.* Eine angemessene Pacht wäre durch öffentliche Ausschreibung oder Auktionen zu ermitteln, womit der Ineffektivität von Planwirtschaft oder bürokratischen Festlegungen ein Riegel vorgeschoben würde.

Langfristig nähme eine solche Änderung einen enormen Ballast von den Schultern der arbeitenden Bevölkerung, die letztlich immer die Gewinne der Spekulanten finanziert. Und eben dafür wurde Land nur allzu häufig mißbraucht. Wenn hierfür eine realistische gesellschaftliche Lösung gefunden werden soll, so muß die Spekulation mit Boden und Geld aufhören. Wiederum zielt die vorgeschlagene Lösung nicht darauf ab, jene zu bestrafen, die vom gegenwärtigen System profitieren, sondern langsam, aber sicher die Voraussetzungen dafür abzuschaffen, daß eine Minderheit enorme Vorteile genießt, während der Mehrheit abverlangt wird, dafür zu zahlen. *Abbildung 10* verdeutlicht, daß sich seit 1950 die mittlere Arbeitszeit etwa verdreifacht hat, die vonnöten ist, um ein Stück Land als Eigentum erwerben zu können. Entsprechend haben sich die Gewinne der Verkäufer erhöht.

In Japan lag der Bodenwert Tokios Anfang 1990 rechnerisch über dem gesamten Bodenwert der USA. In der Metropole Japans hat der Grundstückspreis derartige Dimensionen erreicht, daß sich allein die Abzahlung von Hypothekenbelastungen über mehrere Generationen erstreckt.

In der Schweiz gleichen sich die Verhältnisse langsam an. In Zürich sind die Grundstückspreise an der Bahnhofstraße in den Jahren von 1982 bis 1990 um das Fünffache gestiegen: nämlich von 50 000 Schweizer Franken auf 250 000 je Quadratmeter. Auch wenn solche Summen nur noch von Kaufhäusern, Versicherungen und Banken bezahlt werden können, muß sie der Normalverbraucher letztlich über seine Nachfrage nach Gütern und Dienstleistungen tragen. Hätte die Stadt Zürich, die im letzten Jahrhundert ihre Wallanlagen als Baugrundstücke an Private verkaufte, diese Flächen behalten und in Erbp̶ ̶ht für Wohnzwecke vergeben, könnte sie heute aus den Pa̶ ̶in̶nahmen den gesamten Kommunalhaushalt bestreiten.

Länder mit einer fortschrittlichen Verfassung hätten vom rechtlichen Standpunkt aus keine Probleme, eine solche Veränderung durchzuführen. Artikel 14 (II) im Grundgesetz der Bundesrepublik Deutschland lautet: »Eigentum [an Boden] verpflichtet. Sein Gebrauch soll zugleich dem Wohl der Allgemeinheit dienen.« Und in Artikel 15 heißt es: »Grund und Boden, Naturschätze und Produktionsmittel können zum Zweck der Vergesellschaftung durch ein Gesetz, das Art und Ausmaß der Entschädigung regelt, in Gemeindeeigentum oder in andere Formen der Gemeinwirtschaft überführt werden.«

Da diese Lösung heute sicherlich auf erheblichen politischen Widerstand stößt, weil ein Stück Land zu besitzen eine wesentliche Form von Sicherheit bedeutet, käme es einer politisch realistischeren Alternative gleich, den Zugewinn aus dem Boden über eine entsprechende Steuer der Allgemeinheit zuzuführen. Damit könnte ein entsprechender Teil anderer Steuern entfallen.

Grundsätzlich ist jede Lösung akzeptabel, welche die Spekulation verhindert und den Mehrwert aus dem Boden der Allgemeinheit zuführt.

Die notwendige Steuerreform

Man vermutet, daß etwa die Hälfte bis zwei Drittel des gegenwärtigen Bruttosozialprodukts im Hinblick auf seine ökologischen Auswirkungen als gefährlich bezeichnet werden können.[17] Die vorgeschlagene Geld- und Bodenrechtsreform würde zwar den Zwang zum ständigen Wirtschaftswachstum abbauen, aber nicht den leichtfertigen Umgang mit der Umwelt verhindern. Darum müßten die Steuergesetze in zwei Richtungen verändert werden.

Erstens: Statt Steuern auf das Einkommen erfolgt eine Besteuerung der Produkte,

zweitens: Die ökologischen Kosten der Produkte sollten in die Bemessung der Produktsteuer einfließen.

Hermann Laistner weist in seinem Buch »Die Ökologische Wirtschaft«[18] darauf hin, daß die Einkommensteuer und Sozialabgaben die menschliche Arbeit derart verteuert, daß es für Unternehmer günstiger ist, diese durch gesteigerte Mechanisierung zu ersetzen. Durch eine sinnlose, an den tatsächlichen Bedürfnissen der Menschen vorbeigehende Massenproduktion werden wertvolle unwiederbringliche Ressourcen aufgezehrt. Würde man statt dessen die Produkte besteuern und die ökologischen Kosten der Herstellung miteinbeziehen, so ergäben sich natürlich höhere Produktpreise. Aber kombiniert mit den nun weitaus geringeren Arbeitskosten (ohne Einkommensteuer und Sozialabgaben) sänke der Druck zu immer weiterer Automatisierung, und die Beschäftigung würde steigen. Immer mehr Menschen fänden Arbeit.

Gegenwärtig bezahlt die Gesellschaft doppelt, wenn ein Arbeiter durch eine Maschine ersetzt wird: Sie verliert einerseits die Einkommensteuer – weil das Einkommen von Maschinen nicht vergleichbar besteuert wird – und zahlt andererseits das Arbeitslosengeld für den Entlassenen. Um nun der Besteuerung des Einkommens und der Sozialabgaben zu entgehen, gibt es weiterhin einen beträchtlichen Anteil an Schwarzarbeit. Ohne eine Besteuerung des Einkommens wäre diese Schattenwirtschaft nicht mehr notwendig und könnte die Produktivität der Wirtschaft insgesamt erhöhen.

Der jetzige Lebensstandard würde nicht sinken, weil den steigenden Produktpreisen durch die Reform ein steuerfreies Einkommen gegenüberstände. Daraus ergäbe sich langfristig ein sehr unterschiedliches, aber ökologisch sinnvolleres Konsumverhalten. Die Menschen würden sich den Kauf eines neuen Fahrrads oder Autos zweimal überlegen, da es billiger wäre, Dinge reparieren zu lassen.

Diese Änderung der Besteuerungsgrundlagen muß jedoch nicht nur national, sondern international durchgeführt werden, denn wenn Umweltbelastung teuer wird, sähen sich die armen Länder in einem noch höheren Maße dem Export von umweltbelastenden Produktionsanlagen und Giftmüll ausgesetzt. Zusammen mit einer Geld- und Bodenreform könnte das neue System nach und nach eingeführt werden und würde auf wirkungsvolle Weise eine Vielzahl von Forderungen und Vorschlägen unterstützen, die Ökologen in den letzten Jahrzehnten vorgebracht haben. Daß es darüber hinaus andere wesentliche Veränderungen geben muß, wird in Kapitel IV gezeigt. Erst die Kombination dieser Veränderungen mit der Geld- und Bodenreform könnte jedoch zu optimalen Ergebnissen führen. Denn damit würde das Anwachsen des Reichtums weniger und die Armut vieler gebremst, die uns zu ständigem Wirtschaftswachstum zwingt, um dem sozialen Kollaps auszuweichen. *Nur wenn dieser Zwang entfällt, haben die Umwelt und die Menschheit eine Überlebenschance.*

Anmerkungen

1 Silvio Gesell: *Die natürliche Wirtschaftsordnung*. Rudolf Zitzmann Verlag, Lauf bei Nürnberg [9]1949, Seite 235-252

2 Gesell, ebenda

3 Dieter Suhr: *The Capitalistic Cost-Benefit Structure of Money – An Analysis of Moneys Structural Nonneutrality and its Effects on the Economy* (Die kapitalistische Kosten-Nutzen-Struktur des Geldes – Eine Analyse der strukturellen Nicht-Neutralität des Geldes und ihrer Auswirkungen auf die Wirtschaft). Springer Verlag, Heidelberg 1989

4 Werner Onken: »Ein vergessenes Kapitel der Wirtschaftsgeschichte: Schwanenkirchen, Wörgl und andere Freigeldexperimente«. *Zeitschrift für Sozialökonomie*, Nummer 58/59, Mai 1983, Seite 3-20

5 Fritz Schwarz: *Das Experiment von Wörgl*. Genossenschaft Verlag, Bern 1952

6 Schwarz, ebenda

7 Hugo T. C. Godschalk: *Die geldlose Wirtschaft*. Vom Tempelaustausch bis zum Barter-Club, Basis Verlag, Berlin 1986, Seite 36-38

8 Ebenda, Seite 46

9 Hans R. L. Cohrssen: »The Stamp Scrip Movement in the U.S.A.«. In: Suhr, a.a.O., 1989, Seite 113-116

10 Irving Fisher, *Stamp Scip*, New York 1933, Seite 67

11 Cohrssen, a.a.O., Seite 116

12 Helmut Creutz: »Die Sicherung des Geldumlaufs in der Praxis«. *Zeitschrift für Sozialökonomie*, Nummer 68, 1986, Seite 26-29

13 Yoshito Otani: *Ausweg*, Band 3, »Die Bodenfrage und ihre Lösung«. Arrow Verlag, Hamburg 1981, Seite 18-20

14 Henry George: *Progress and Poverty*, San Francisco 1879, Seite 169-175

15 Gesell, a.a.O., Seite 77-122

16 Otani, a.a.O., Seite 29-40

17 Pierre Fornallaz: *Die Ökologische Wirtschaft*, AT Verlag, Stuttgart 1986

18 Hermann Laistner: *Ökologische Marktwirtschaft*, Verlag Max Hueber, Ismaning 1986

III. Wer profitiert von zins- und inflationsfreiem Geld?

Der Durchbruch zu individuellem und sozialem Wandel scheint sich aus zwei grundsätzlich verschiedenen Beweggründen zu ergeben:

Erstens: Weil aufgrund eines bestimmten Verhaltensmusters mit großer Sicherheit ein negatives Ergebnis zu erwarten ist und es das Ziel sein muß, dies zu verhindern.

Zweitens: Weil ein anderes Verhaltensmuster angemessener erscheint, um ein erwünschtes Ziel zu erreichen.

Die im vorhergehenden Kapitel vorgeschlagene Änderung des Geldsystems könnte aus beiden der oben angeführten Gründe geschehen.

In der Vergangenheit wurde die krebsartige Akkumulation von Geldvermögen und damit Macht in den Händen einer Minderheit durch Revolutionen, Kriege oder ökonomische Zusammenbrüche beseitigt. *Heute sind solche Methoden nicht mehr praktizierbar.* Einerseits schließt das vielfache Potential zur globalen Zerstörung eine gewaltsame Lösung aus, zum anderen sind alle Nationen in einem bisher nie erreichten Grad voneinander wirtschaftlich abhängig. *Wir sind gezwungen, eine neue Lösung zu finden, wenn wir überleben wollen.*

Nach Aussage vieler Wirtschafts- und Bankfachleute war der Börsenkrach 1987, während dem innerhalb weniger Tage Spekulationsverluste von anderthalb Milliarden Dollar hingenommen werden mußten, nur ein kleiner Vorgeschmack auf das, was uns bei einer erneuten weltweiten Wirtschaftsdepression bevorstünde – wenn wir das System nicht in den nächsten Jahren grundlegend ändern. Eine derartige Umgestaltung bedeutet eine Möglichkeit, diese Katastrophe zu vermeiden.

Ob wir es nun erkennen oder nicht: Jedes exponentielle Wachstum führt zu seiner eigenen Zerstörung. Darüber hinaus liegen die Vorteile der Einführung des Neutralen Geldes im Hinblick auf soziale und ökologische Gerechtigkeit auf der Hand.

Dennoch liegt das Hauptproblem bei jedem Transformationsprozeß nicht so sehr darin, daß wir lieber in der alten Situation verharren wollen oder daß wir die Vorteile unseres neuen Ziels oder Wegs nicht erkennen, sondern darin, die Frage zu beantworten: *Wie können wir von hier nach dort gelangen?* Wir wissen um die Gefahren, die uns hier drohen, aber können wir ausschließen, daß das neue System nicht andere, vielleicht schlimmere Folgen nach sich zöge?

Um uns die Antwort hierauf zu erleichtern, will ich versuchen, darzustellen, wie die Transformation des Geldsystems die Ziele der verschiedensten gesellschaftlichen Gruppen unterstützt: der Reichen und der Armen, der Verantwortlichen in den Regierungen und einzelner Menschen, Minderheiten und Mehrheiten, Industrieller und Umweltschützer, sowohl materiell als auch spirituell orientierter Menschen.

Bis zu diesem Punkt bezieht sich unsere Analyse auf Tatsachen und Zahlen, die jeder nachprüfen kann. Von nun an werden es Annahmen sein, die auf Erkenntnissen in der Vergangenheit beruhen. Die Verläßlichkeit solcher Voraussagen sollte durch Erfahrungen im heutigen wirtschaftlichen und sozialen Zusammenhang überprüft werden. So wie Physiker, Chemiker und Biologen über Forschungsräume verfügen, brauchen auch die Ökonomen ein Labor, um neue Lösungen zu testen. Deshalb erhebt sich folgende Frage: Was könnte ein Gebiet oder ein Land dazu bewegen, sich als Versuchsfeld für eine neue Geldordnung zur Verfügung zu stellen?

Das Land oder die Region, die mit der Geldreform beginnt

Wenn unsere Analyse bis jetzt richtig war, dann würde die vorgeschlagene Lösung nach einer Zeit des Übergangs hauptsächlich folgende Vorteile bieten:

- *Überwindung der Inflation und der zinsbedingten Einkommensumverteilung,*
- Zuwachs an sozialer Gerechtigkeit,
- Verminderung der Arbeitslosigkeit,
- dreißig bis fünfzig Prozent geringere Preise für Güter und Dienstleistungen,
- Überwindung des Wachstumszwangs,
- langfristig eine stabile, auf qualitative Veränderung zielende Wirtschaft, nachdem die materiellen Bedürfnisse befriedigt sind.

Wenn die Zinszahlungen bei Investitionen und in der Produktion sich auf Null reduzierten, sänken nicht nur die Preise für die Güter und Dienstleistungen in dem betreffenden Land beziehungsweise der jeweiligen Region, die das Neutral-Geld-System einführt, sondern es würde auch auf dem nationalen oder auf dem Weltmarkt ein gewaltiger Vorteil entstehen. Produkte und Dienstleistungen könnten um den Betrag des jeweils aktuellen Zinsanteils billiger verkauft werden. Außerdem verlagerte sich die Nachfrage von den Zinsbeziehern zu den Werteschaffenden. Das könnte möglicherweise vorübergehend eine verstärkte Nachfrage nach Konsumgütern zur Folge haben. Im gleichen Umfang ginge jedoch auch der Bedarf an Luxuskonsumgütern und milliardenschluckenden Großprojekten, an denen heute das Großkapital beteiligt ist, zurück.

Von den Möglichkeiten abgesehen, solche Nachfrageschübe durch ein Umwelt-Steuersystem (siehe oben) einzugrenzen, kommt es im übrigen durch sinkende Zinsen insgesamt gesehen nur zu Nachfrage*verlagerungen* von den Besitzenden zu den Arbeitenden, und nicht zu Nachfrage*ausweitungen*.

Ferner ist dabei folgendes zu beachten: Viele Produkte und Dienstleistungen, die augenblicklich nicht mit der Einträglichkeit von Geldinvestitionen auf dem Geldmarkt mithalten können, würden jetzt plötzlich konkurrenzfähig. Darunter fielen ökologische Erzeugnisse, soziale Projekte und künstlerische Tätigkeiten, für die es nur erforderlich ist, daß sie sich selbst tragen, weil sie für die Menschen befriedigend sind. *Es ergäbe sich daraus eine in höherem Grad diversifizierte und damit stabilere Volkswirtschaft, die sich weniger bedrohlich auf die Umwelt auswirkt.* Die Beschäftigtenzahlen würden in diesem wirtschaftlichen Aufschwung steigen, Aufwendungen für Sozialleistungen sinken, Bürokratismus und Steuerbelastungen zurückgehen.

Bei der Erprobung in einer bestimmten Region – wie es zum Beispiel in Wörgl der Fall war – würden zwei Geldsysteme bestehen: Mit Neutralem Geld könnten alle Dienstleistungen und Waren ausgetauscht werden, die in dieser Region erzeugt werden. Mit dem üblichen Geld müßte weiterhin alles bezahlt werden, was außerhalb der »Versuchsregion« eingekauft wird. Für die Übergangszeit wären bestimmte Regeln des Austauschs und ein fester Wechselkurs von eins zu eins verbindlich. Die Region würde ähnlich wie eine Freihandelszone funktionieren, wo sowohl zoll- als auch zinsfrei produziert und gehandelt werden kann.

Nach der Regel von Gresham[1] verdrängt »schlechtes Geld« das »gute«. »Neutrales Geld« ist – nach dieser Definition – »schlechtes«, weil es im Gegensatz zum jetzigen Geld einer Nutzungsgebühr oder Liquiditätsabgabe unterliegt. Die Menschen würden, wann immer möglich, mit dem »schlechten« Geld bezahlen und das »gute« behalten. Auf diese Weise käme Neutrales Geld so rasch wie möglich wieder in Umlauf, und genau darin liegt die Absicht. Das alte Geld wird behalten und nur noch dann ausgegeben, wenn es sich nicht vermeiden läßt. Wenn wir unser Neutral-Geld-System anfänglich im Rahmen eines Experiments nur in einem Gebiet einführen, so könnte das in Koexistenz mit dem gegenwärtigen Geldsystem geschehen, bis sich sein Nutzen erwiesen hätte.

Die Nachteile dieses Vorgehens gegenüber der Einführung von Neutralem Geld im ganzen Land sind jedoch ebenfalls in Betracht zu ziehen: Erstens bliebe das Problem der unzulänglichen und nicht inflationsfreien Geldmengensteuerung bestehen. Zweitens ist bei unterschiedlichen Geldarten und -vorteilen auf längere Dauer kein fester Wechselkurs von eins zu eins zu erreichen, da man für das »bessere« Geld auch einen höheren Kurs bezahlen müßte. Und drittens käme es natürlich zu gespaltenen Preisen. Für Güter und Dienstleistungen, die nicht aus der Region mit Neutralem Geld bezahlt werden können, muß das herkömmliche Geld benutzt werden.

Der Außenhandel eines Landes würde in unveränderter Weise fortbestehen. Nach wie vor gäbe es eine gewöhnliche Wechselkursrate, wobei sich der »Nachteil« des Neutralen Geldes, keine Zinsen zu erwirtschaften, mit dem Vorteil der größeren Stabilität (keine Inflation) verrechnet. Während Spekulanten wahrscheinlich eine zinsbringende Währung vorziehen, reagieren auf Stabilität bedachte Anleger und Investoren eher umgekehrt, und nur diese sind für eine Volkswirtschaft von positiver Bedeutung.

Politiker und Banken

In allen Ländern liegt das Monopol, Geld zu drucken, beim Staat. Deshalb müßte die offizielle Erprobung eines neuen Geldsystems von der Regierung beziehungsweise der Zentralbank genehmigt oder durchgeführt werden.

Offensichtlich wäre der Versuch, zinsfreies Geld einzuführen, von höchster politischer Bedeutung. Es erfordert von seiten der Regierenden Mut, zuzugeben, daß das bisherige System ungerecht ist. Andererseits ist es für die Bevölkerungsmehrheit tatsächlich sehr schwer zu verstehen, warum es besser sein soll, auf das Geld eine »Gebühr« zu erheben, als das Zahlen von Zinsen zuzulassen.

Zur Zeit werden Regierungen, Politiker, Banken und die Wirtschaft für die meisten Probleme verantwortlich gemacht, die durch den grundsätzlichen Fehler im Geldsystem hervorgerufen werden. Ihre Reaktionen: Symptombehandlung und Zwischenlösungen wie teilweiser Schuldenerlaß, Umschuldung, temporäre Zuschüsse, um die schlimmsten sozialen Folgen zu mildern. In Wahlkampagnen erleben wir die regelmäßigen Versprechen, der Inflation entgegenzuwirken, die sozialen Dienstleistungen zu verbessern und ökologische Belange und Schutzmaßnahmen zu unterstützen, die letztlich sämtlich am heutigen Geldsystem scheitern müssen.

In Wahrheit kämpfen alle »mit dem Rücken zur Wand«. Statt besser wird die Situation um so schlechter, je länger wir das exponentielle Wachstum des Geldsystems zulassen. Sowohl konservativen als auch progressiv orientierten Politikern verbleibt im gegenwärtigen System nur wenig Raum für durchgreifende Veränderungen.

Einer der wenigen deutschen Politiker, die das nicht nur wissen, sondern auch versucht haben, einen geldpolitischen Wandel zu vollziehen, ist Klaus von Dohnanyi, der langjährige Bürgermeister von Hamburg. In seiner Regierungserklärung sagte er am 23. Februar 1983: »Wenn wir die öffentliche Verschuldung in den kommenden Jahren in Bund, Ländern und Gemeinden wie bisher weiter ansteigen lassen, dann werden wir, und zwar auch bei weiter sinkenden Zinsen, nicht nur den Spielraum für zusätzliche Maßnahmen verlieren, sondern dann wird uns auch der Atem für die Fortführung der bisherigen Politik ausgehen. [...] Die zunehmende Kreditfinanzierung der öffentlichen Haushalte wirft heute in erster Linie zwei Probleme auf: einmal die Belastung zukünftiger Haushalte mit Zinsen und Tilgungen und zum anderen die unerwünschten Verteilungsfolgen, die zugunsten der Geldkapitaleigner damit zwangsläufig verbunden sind.«[2]

Um soziale und ökologische Maßnahmen ohne die volkswirtschaftlich unsinnige und unzumutbare Belastung der Haushalte von morgen zu ermöglichen, regt er zins- und tilgungsfreie Notenbankkredite an Bund und Länder hauptsächlich für Umweltschutzmaßnahmen an. Leider läßt sich dieser Vorschlag nicht in die Tat umsetzen. Einmal kann die Notenbank nur in dem Umfang solche Kredite geben, wie sie die Geldmenge vermehrt. Dieser Betrag liegt bei fünf bis acht Milliarden Mark im Jahr, also nur bei einem Bruchteil dessen, was die öffentlichen Kassen an Krediten benötigen. Zum anderen würde der Vorteil der Zinslosigkeit solcher Kredite durch den Wegfall der Bundesbankausschüttungen an den Bund in etwa kompensiert. Diese rühren aus den Zinsen her, welche die Bundesbank bei einer Geldvermehrung über die Geschäftsbanken bisher zugunsten des Staates kassiert. Das heißt, daß nur eine grundlegende Reform, wie sie hier vorgeschlagen wird, die Probleme, die von Dohnanyi richtig erkannt hat, lösen kann.

In einer hochgradig diversifizierten Wirtschaft ist jeder Bereich eng mit dem anderen verbunden. Kürzungen auf einem Teilgebiet ziehen unweigerlich Folgen im System als Ganzem nach sich. Wenn die Geldvermögen und damit die Schulden wachsen oder der Zinssatz ansteigt, so fließt denen mehr Kapital zu, deren Reichtum aus Geld besteht. Gleichzeitig steht der arbeitenden Bevölkerung weniger Geld für ihre Bedürfnisse zur Verfügung. Dies wiederum zeitigt entweder Folgen für den Arbeitsmarkt und das Steueraufkommen oder für die Umwelt. *Eine Volkswirtschaft, die sich höher verschul-*

det, um sinkende Einnahmen zu kompensieren, muß unweigerlich die »Problemkette« verstärken. Das Neutral-GeldSystem hingegen könnte sowohl das Schuldenwachstum in der Volkswirtschaft vermindern als auch die weitere Konzentration des Geldes durch den Zinsmechanismus verhindern und einen stabilen Austausch von Gütern und Dienstleistungen auf einem freien Markt gewährleisten.

Erscheint uns nun die Situation in den industrialisierten Ländern als noch erträglich, so erweist sich ein Blick auf die Länder der Dritten Welt als ratsam, die am meisten unter den Auswirkungen des heutigen Systems leiden. Während einerseits die großen amerikanischen und deutschen Banken ihre Rücklagen erhöhen, um auf den finanziellen Bankrott ihrer Schuldner in den Entwicklungsländern vorbereitet zu sein, importieren die Industriestaaten andererseits, vor allem über die Zinserträge, Kapital aus den Entwicklungsländern und nicht umgekehrt. Auch deswegen scheint die wirtschaftliche Lage bei uns noch annehmbar. Werden neue Kredite vergeben, um alte Schulden zu tilgen, so verlängert und potenziert dies nur die internationale Schuldenkrise. Wie dringend eine Änderung dieses Trends vonnöten ist, wird unmißverständlich aus dem Bericht der UN-Weltkommission für Umwelt und Entwicklung mit dem Titel »Unsere gemeinsame Zukunft« ersichtlich. Er bestätigt, daß die scheinbar voneinander unabhängigen wirtschaftlichen und ökologischen Krisensituationen tatsächlich eine Einheit bilden.

»Ökologie und Ökonomie werden – örtlich, regional, national und global – zunehmend zu einem zusammenhängenden Netz von Ursache und Wirkung verwoben [...] Schulden, die sie nicht bezahlen können, zwingen die afrikanischen Nationen, deren Einkommen aus Rohstoffexporten besteht, zur Übernutzung ihrer empfindlichen Böden und verwandeln so das Land in eine Wüste [...] Die Wirtschaftsgrundlage in anderen Entwicklungsgebieten der Welt leidet in ähnlicher

Weise, sowohl aufgrund örtlich begangener Fehler als auch durch die Funktionsweise des internationalen Wirtschaftssystems. Als Folge der ›Lateinamerikanischen Schuldenkrise‹ werden die Naturschätze dieser Region nicht für deren Entwicklung eingesetzt, sondern um die finanziellen Verbindlichkeiten ausländischer Kreditgeber zu begleichen. Solcher Umgang mit dem Schuldenproblem ist aus wirtschaftlicher, politischer und ökologischer Sicht kurzsichtig. Von der Bevölkerung der im Verhältnis armen Länder wird verlangt, daß sie sich mit ihrer wachsenden Armut abfindet, während gleichzeitig mehr und mehr ihrer knappen Ressourcen exportiert werden. Wachsende Ungleichheit ist das größte ›Umweltproblem‹ der Erde. Gleichzeitig ist es das größte ›Entwicklungsproblem‹.«[3]

Den Worten von Alfred Herrhausen zufolge, der bis 1989 Vorstandsmitglied und Sprecher der Deutschen Bank war, geht »die Struktur und die Größenordnung des Problems über die traditionellen Problemlösungstechniken hinaus«.[4] Diejenigen, die für das gegenwärtige Geldsystem verantwortlich sind, wissen, daß es keinen Bestand haben kann, aber entweder kennen sie die andere Möglichkeit nicht, oder sie wollen nichts von ihr wissen. Bankfachleute, mit denen ich über dieses Thema gesprochen habe, gaben zu, bislang nichts von einer Alternative zum gegenwärtigen Geldsystem gehört zu haben. Nachdem ich sie beschrieben hatte, meinten einige, ihre Arbeitsplätze zu gefährden, falls sie öffentlich darüber zu

Wie aus Abbildung 12 hervorgeht, sind in der Zeit von 1950 bis 1989 die Geldvermögen dreieinhalbmal so rasch angestiegen wie das Bruttosozialprodukt, die Bankkreditgewährungen sogar viermal so schnell. Diese nochmals beschleunigte Steigerung der Bankgeschäfte hängt damit zusammen, daß man die Banken immer mehr bei der Vermittlung der Geldvermögen eingesetzt hat. Die Direktkreditvergabe zwischen einzelnen Wirtschaftsteilnehmern ist heute im Gegensatz zu den fünfziger Jahren in der Bundesrepublik kaum noch üblich (Helmut Creutz).

Von 1950 bis 1989 sind in der Bundesrepublik angestiegen:

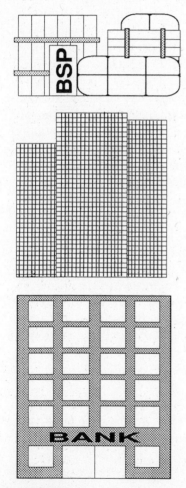

Das Sozialprodukt
auf das 22fache

Die Geldvermögen
auf das 75fache

Die Bankkredite
auf das 88fache

Abbildung 12

sprechen wagten; andere vertraten den Standpunkt, diese Veränderung sei eine politische Aufgabe; ihr Job bestände darin, das Geld ihrer Kunden so gewinnbringend wie möglich zu investieren.

Eine Erklärung für die Ablehnung der Weiterverbreitung dieses Wissens in Bankkreisen geht aus *Abbildung 12* hervor. Im Zeitraum zwischen 1950 und 1989 wuchs das Bruttosozialprodukt in der Bundesrepublik um das Zweiundzwanzigfache, steigerten sich Geldvermögen um das Fünfundsiebzigfache und Bankkredite um das Achtundachtzigfache. Das heißt, den Banken ist ein unverhältnismäßig großer Anteil des wirtschaftlichen Wachstums zugeflossen. Entsprechend gut verdienen sie: sowohl an der Weitervermittlung der überproportionalen Einlagen, die vor allen durch den Zinseffekt eskalieren, als auch am vermehrten Umfang der Spekulation mit Geld und Devisen. Da die Geldinstitute bei allen Vorgängen Vermittlungsgebühren beziehungsweise Provisionen kassieren, nehmen auch ihre Gewinne mit diesen überproportional wachsenden Umsätzen zu.

Solange die Banken die Langzeitentwicklung nicht in ihren Planungen miteinbeziehen, werden sie kein Interesse an einer öffentlichen Diskussion über die Funktionsweise des heutigen Geld- und Zinssystems haben. Im Moment verschleiern sie eher das Problem. *Abbildung 13* zeigt einige Beispiele für die übliche irreführende Werbung, die Banken weltweit in Zeitungen und Zeitschriften veröffentlichen. Geld soll »wachsen«, so sagen sie. Noch öfter beeindrucken sie potentielle Kunden mit der Vorstellung, daß das Geld für sie »arbeiten« könnte. Aber wer hat Geld jemals arbeiten sehen? Wird Arbeit nicht immer von Menschen verrichtet, ob mit oder ohne Maschinen?

Diese Werbung verbirgt die Tatsache, daß jede Mark oder jeder Dollar, den jemand für seine Bankeinlagen erhält, zuvor erarbeitet werden mußte, um dann dem zuzufließen, der mehr Geld zur Verfügung stellen kann. Mit anderen Worten: Men-

Haben Sie schon einmal Geld arbeiten sehen?

Geld muß arbeiten- für gute Erträge!

Machen Sie aus Ihrem Geld MEHR GELD

Wer sein Geld arbeiten läßt, kann sich sorgenfrei zur Ruhe setzen.

Aus dieser Mark läßt sich mehr machen!

macht Geld
macht Geld
macht Geld
macht Geld
macht Geld
macht Geld

An jedem Arbeitsplatz arbeiten im Durchschnitt 200.000 Mark

Abbildung 13

Bankanzeigen wecken die Illusion, daß Geld arbeiten, wachsen oder sich auf eine andere wundersame Weise vermehren könne. In Wirklichkeit aber stammen alle verteilten Einkommen in einer Volkswirtschaft, auch die Zinsen für das Ersparte, aus der werteschaffenden Arbeit. Dies gilt ebenso für die eingesetzten Werkzeuge und Maschinen, die gleichfalls von arbeitenden Menschen geschaffen wurden. Konkret heißt das, daß im gleichen Umfang, wie einer durch Zinseinnahmen zu mehr Reichtum kommt, ein anderer, der seine Arbeitskraft dafür hergibt, ärmer wird. Wären Zinsbezieher und -zahler identisch, liefe bei jedem nur eine Umverteilung von der linken in die rechte Hosentasche ab. Da aber Zins- und Arbeitseinkommen ungleichmäßig verteilt sind, sind immer größere Einkommensverschiebungen die Regel (Helmut Creutz).

schen, die ihre Arbeitskraft verkaufen, werden in dem Maße ärmer, wie sich Erträge aus Geldvermögen vergrößern. Das, was die große Mehrheit der Bevölkerung an Zinsen bekommt, hat sie bereits zuvor selbst erarbeitet (siehe *Abbildung 5*). Darin liegt das gesamte Geheimnis des »arbeitenden« Geldes, und die Banken wollen diese Art der Betrachtung nur zu gern bedeckt halten.

Nach meiner Erfahrung fürchten gerade diejenigen, die sich aufgrund ihrer Ausbildung dieses Problems und seiner Lösung bewußt sein sollten – also die Wirtschaftswissenschaftler in aller Welt – als »Radikale« gebrandmarkt zu werden. Würden sie sich wirklich für zinsfreies Geld einsetzen, so bekämen sie eines der dringendsten wirtschaftlichen Probleme der Welt tatsächlich an der Wurzel (= radix) zu fassen. Statt dessen wird Gesell und sein Konzept einer »Natürlichen Wirtschaftsordnung« in den Wirtschaftswissenschaften lediglich als einer der vielen historischen Versuche, eine Reform zu bewirken, abgehandelt.

Einige der großen Persönlichkeiten unseres Jahrhunderts wie Albert Einstein und John Maynard Keynes erkannten jedoch die Bedeutung der Vorschläge Gesells für eine Geldreform. Keynes äußerte bereits 1936 die Meinung, daß »die Zukunft mehr vom Geiste Gesells, als dem von Marx lernen« werde.[5] Doch hat diese Zukunft bisher nicht begonnen. Obwohl Keynes schon während des Zweiten Weltkriegs vorschlug, ein Weltwährungssystem mit einer Art Strafzins für Liquidität einzuführen[6] und Bankfachleute sowie Wirtschaftswissenschaftler nicht übermäßig weitsichtig sein müssen, um zu erkennen, daß eine Liquiditätsabgabe im Geldsystem die Lösung des zentralen Dilemmas ermöglichen würde, mit dem sie sich seit Jahrzehnten abmühen, erfinden sie immer kompliziertere Wege, mit den Symptomen der Krankheit umzugehen. Der Wirtschaftshistoriker John L. King schreibt über die Bedeutung der Arbeit von Ökonomen:

»Ihre Zahlenspielereien und ihre computerisierten Formeln haben sich als irrelevant erwiesen, und entsprechend berühmt sind die Fehler in ihren Vorhersagen. Es ist, als hätten wir diese Leute mit ihrer Ausbildung der Denkfähigkeit beraubt.«[7]

Die wenigen Experten, die die Gefahr begreifen, wie Batra[8] und King[9], versuchen im wesentlichen Ratschläge zu erteilen, wie man sich vor den Folgen des nächsten großen Zusammenbruchs schützen kann. Eine Alternative zum gegenwärtigen System bieten auch sie nicht an.

Die Reichen

Eine kritische Frage, die stets von Leuten gestellt wird, welche die Wirksamkeit des versteckten Umverteilungsmechanismus im heutigen Geldsystem verstanden haben, lautet: Werden jene zehn Prozent der Bevölkerung, für die dieser Mechanismus gegenwärtig einen Vorteil bedeutet und die an den wesentlichen Schalthebeln der Macht sitzen, es zulassen, daß das Geldsystem geändert wird, da sie dann nicht mehr die Möglichkeit haben, von der überwiegenden Mehrheit der Bevölkerung ein arbeitsfreies Einkommen zu beziehen?

Die historische Antwort heißt: Natürlich nicht! Solange sie nicht von denen gezwungen werden, die bisher zahlen, werden sie den Ast, auf dem sie sitzen, nicht absägen. Die Antwort des neuen Zeitalters könnte anders formuliert werden: Diejenigen, die vom derzeitigen System profitieren, werden sich der Tatsache bewußt, daß der ominöse Ast aus einem kranken Baum ragt. Wenn sie dann feststellen, daß nebenan ein Baum steht, der nicht früher oder später dahinsiecht, könnte ein gesunder Selbsterhaltungstrieb sie dazu bringen, auf diesen zu wechseln. Letzteres würde gesellschaftliche Evolution bedeuten – ein »weicher Weg«; ersteres hingegen gesellschaftliche Revolution – der »harte Weg«.

Der evolutionäre Weg gäbe den Reichen die Möglichkeit, ihr Geld zu behalten, das sie bisher durch Zinsen gewonnen haben. Der revolutionäre Weg wird unweigerlich zu fühlbaren Verlusten führen, möglicherweise sogar zur persönlichen Gefährdung. Der evolutionäre Weg bedeutet, daß es kein arbeitsfreies Einkommen mehr gibt, dafür aber stabiles Geld, niedrige Preise und möglicherweise geringere Steuern. Der revolutionäre Weg bedeutet wachsende Unsicherheit, höhere Inflation, Preise und Steuern sowie gesellschaftliche Instabilität bis hin zu Bürgerkriegen, was uns die Entwicklung in der Dritten Welt täglich vor Augen führt.

Nach meinen Erfahrungen mit *Menschen, die der letzten Zehn-Prozent-Kategorie* angehören, sind sie sich weder bewußt, wie das Zinssystem wirklich funktioniert, noch daß es eine praktische Alternative gibt. Mit wenigen Ausnahmen *würden sie sich eher für Stabilität als für mehr Geld entscheiden*, da sie meistens genug für sich selbst und ihre Nachkommen haben.

Die zweite Frage lautet: Was geschieht, wenn diese Leute ihr Geld in andere Länder transferieren, wo sie weiterhin Zinsen erhalten, statt es auf ihrem Sparkonto zu belassen, auf dem es zwar seinen Wert behält, jedoch keine Zinsen einbringt?

Das ließe sich am Anfang einer solchen Umstellung wahrscheinlich nur durch politische, rechtliche und wirtschaftliche Sanktionen verhindern, könnte aber sehr kurze Zeit nach Einführung der Reform ins Gegenteil umschlagen. Der Unterschied zu dem, was durch Zinsen nach Abzug der Inflation verdient würde, entspräche dann ungefähr dem, was sich als Wertsteigerung des neuen Geldes, das nicht der Inflation unterliegt, im eigenen Land ergibt. Möglicherweise wird sich das Land, welches sich zu einer Geld-, Boden- und Steuerreform entschließt, zu einer »Super-Schweiz« mit einer stabilen Währung und mit einem ökologischen Wirtschaftsboom entwickelt. In der Vergangenheit zahlten Geldanleger in der

Schweiz zeitweilig sogar dafür, daß sie ihr Geld auf einem Bankkonto ohne Zinserträge ruhen lassen durften.

Im Gegensatz dazu zog in den USA die Hochzinspolitik zu Beginn der Reagan-Ära solch einen Überfluß an Geld aus aller Welt an, daß auf Dauer nur über eine zunehmende Inflation und drastische Abwertung den Verpflichtungen der ausländischen Kreditgeber nachzukommen war. Bei einem Zinssatz von fünfzehn Prozent, zu Beginn dieser Hochzinsphase normal, hätten die USA bereits nach fünf Jahren ungefähr das Doppelte des geliehenen Betrags an ihre ausländischen Investoren zurückzahlen müssen. Angesichts des ursprünglichen Dollarwerts wäre das niemals möglich gewesen. Als weitere Folge dieser Politik wurden die USA innerhalb von acht Jahren zur größten Schuldnernation der Welt.

Eine gewaltige Menge von spekulativem Geld – sie wird auf etwa sechshundert Milliarden Dollar geschätzt – zirkuliert rund um die Welt, von einem Finanzzentrum zum anderen, auf der Suche nach gewinnbringenden Anlagemöglichkeiten. Das zeigt, daß nicht Geldknappheit unser Problem ist, sondern daß es an ausreichend rentablen (also zinsbringenden) Investitionsmöglichkeiten im gegenwärtigen Geldsystem mangelt. Mit Einführung eines zinsfreien Geldes in einer Region oder in einem Land würde beispielhaft ersichtlich, wie schnell soziale und ökologische Projekte umsetzbar werden, die sich unter Zinsbelastung heute »nicht rechnen«. Statt dessen kann eine stabile und sehr vielfältige Wirtschaft entstehen, in der überschüssiges Geld aus dem In- und Ausland investiert würde, weil statt der Zinsen langfristige Stabilität geboten wird.

Aus diesem Grund ist es für reiche Menschen letztlich sinnvoller, eine rechtzeitige Geldreform und ein dauerhaftes System zu unterstützen, als durch wachsende Instabilität des jetzigen den unausweichlichen Zusammenbruch zu riskieren.

Eine dritte Frage betrifft jene, die von ihrem Kapital leben, aber zu alt sind, um zu arbeiten. Was wird mit ihnen geschehen, falls es keine Zinsen mehr gibt? Die Antwort darauf ist, daß alle, die gegenwärtig von ihren Zinsen leben können, dies auch in einem Neutralen Geldsystem mit einem stabilen Geldwert von ihren Ersparnissen tun können. Nur werden sie damit ihr Kapital aufzehren. Ein Grundrecht darauf, daß die wirtschaftliche Ausbeutung des Nächsten vermittels des monetären Systems weiter so reibungslos funktioniert wie bisher, gibt es nicht.

Wer ein zinsbringendes Vermögen von einer Million Mark besitzt, gehört bereits zu den reichsten vier Prozent der Haushalte. Aber einige in dieser Kategorie »verdienen« weit mehr als eine Million an Zinsen täglich. Offiziellen Quellen zufolge betrug das tägliche Einkommen der reichsten Frau der Welt, der englischen Königin, 1985 etwa 700 000 Pfund (ungefähr zwei Millionen Mark).[10] Der Sultan von Brunei, der reichste Mann der Welt, mit einem Vermögen von 25 Milliarden Dollar[11], hat ein stündliches Einkommen aus Zinsen und Dividenden von einer Viertelmillion Dollar.[12] Firmen wie Siemens, Daimler-Benz und Krupp werden von der deutschen Presse als große Banken mit kleiner Produktionsabteilung bezeichnet, weil sie aus Geldvermögen mehr verdienen als aus ihrer Produktion. Obwohl weder die englische Königin noch Firmen wie Siemens, Daimler-Benz oder General Motors offiziell politische Machtpositionen innehaben, wirkt sich ihr Kapitalbesitz doch tatsächlich als inoffizielle Macht aus.

Skandale über Zahlungen führender Firmen an politische Parteien in Westdeutschland, in den USA oder anderen westlichen Ländern zeigen, wie Demokratien gefährdet werden, wenn der beschriebene Umverteilungsmechanismus des Geldes weiterhin zugelassen wird. Zwar glauben wir in einer Demokratie zu leben, aber diese ist bestenfalls noch eine Oligarchie und wird im schlimmsten Fall in einem faschistischen Regime enden, da die Macht des Geldes in den Händen von immer weniger Superreichen keiner politischen Kontrolle untersteht.

Im Mittelalter jammerten die Menschen, wenn sie den *Zehnten*, also ein Zehntel ihres Einkommens oder ihrer Erzeugnisse, an den Feudalherrn abliefern mußten. *Heute* entfällt *mehr als ein Drittel* im Preis der Güter und Dienstleistungen auf den Kapitaldienst für die Geld- und Sachkapitalbesitzer.

Daß es den meisten – jedenfalls hier bei uns – trotzdem wirtschaftlich besser geht als im Mittelalter, verdanken wir der industriellen Revolution, der zunehmenden Automatisierung der Wirtschaft, einem ungeheuer großen Raubbau an den vorhandenen Rohstoffen und der Ausbeutung der Dritten Welt. Erst durch das Verständnis des Umverteilungsmechanismus im Geldsystem wird jedoch klar, warum wir immer noch mit wirtschaftlichen Schwierigkeiten zu kämpfen haben.

Es erhebt sich somit die Frage, ob wir endlich bereit sind, die Gefahren der gesellschaftlichen Ungerechtigkeit und des ökologischen Kollapses, die durch das jetzige Geldsystem verursacht werden, zu begreifen und dies zu verändern, oder ob wir warten wollen, bis ein weltweiter ökologischer oder ökonomischer Zusammenbruch, ein Krieg oder eine gesellschaftliche Revolution stattfindet.

Daß einzelne oder kleine Gruppen von sich aus das Geldsystem ändern können, ist wenig wahrscheinlich. Wir müssen daher versuchen, auf einer breiten Informationsplattform die Bevölkerung zu erreichen und diejenigen, die über das Wissen verfügen, was verändert werden muß, zusammenzubringen mit jenen, welche die Macht haben, politische Veränderungen zu bewirken. Dabei sollte niemand angeklagt werden, der heute von dem Zinssystem profitiert, weil das bisher völlig legal ist. Was bewirkt werden kann, ist, daß die Ungerechtigkeit des Systems aufhört.

Die Armen

Im statistischen Durchschnitt besaß jeder Haushalt in West-deutschland 1989 ein privates Geldvermögen von etwa 100 000 Mark. Das würde anschaulich unseren Wohlstand verdeutli-chen, wenn er auch nur annähernd gleichmäßig verteilt wäre. Jedoch stehen wir vor der Tatsache, daß, wie *Abbildung 14* zeigt, der einen Hälfte der Bevölkerung zusammen nur vier Prozent des gesamten Geldreichtums gehören, der anderen aber 96 Prozent. Und dieser Reichtum, der sich bei zehn Prozent der Bevölkerung zu mehr als der Hälfte konzentriert, wächst dabei kontinuierlich auf Kosten aller übrigen weiter. Das erklärt beispielsweise, warum Familien der unteren Mit-telklasse in der Bundesrepublik zunehmend finanzielle Unter-stützung durch soziale Wohlfahrtseinrichtungen beantragen müssen. Arbeitslosigkeit und Armut greifen weiter um sich, obwohl ein dichtes »soziales Netz« geknüpft wurde, um beides zu überwinden.

Im Gegensatz zu oft wesentlich unwichtigeren Daten gibt es über die Verteilung der Vermögen in der Bundesrepublik keine genauen statisti-schen Erfassungen und Fortschreibungen. Als einzigen offiziellen Anhaltspunkt für die Geldvermögensverteilung kann man die alle fünf Jahre vom Statistischen Bundesamt durchgeführten »Einkommens- und Verbrauchsstichprobenerhebung« heranziehen. Bei dieser Erhebung werden etwa 40 000 Haushalte auf freiwilliger Basis auch nach den wesentlichsten Geldvermögensbeständen und Konsumentenschulden befragt. Teilt man die gesamten Haushalte in zwei Hälften, dann verfügte 1983 die ärmere über knapp vier Prozent des gesamten Geldvermögens, die reichere über 96 Prozent. Aber auch hier konzentriert sich das Gros der Geldvermögen bei den letzten zehn Prozent der Haushalte. In Wirklichkeit ist die Verteilung jedoch noch dramatischer. Denn in der Auswertung (und damit auch in der Grafik) wurden die wohlhabendsten Haushalte mit einem Monatseinkommen über 25 000 Mark herausgelas-sen. Würde man deren Vermögenssäule in die Grafik eintragen, dann wäre diese zehn- bis hundertmal höher als die höchste hier wiedergege-bene (Helmut Creutz).

Von den Geldvermögen in der Bundesrepublik gehören:

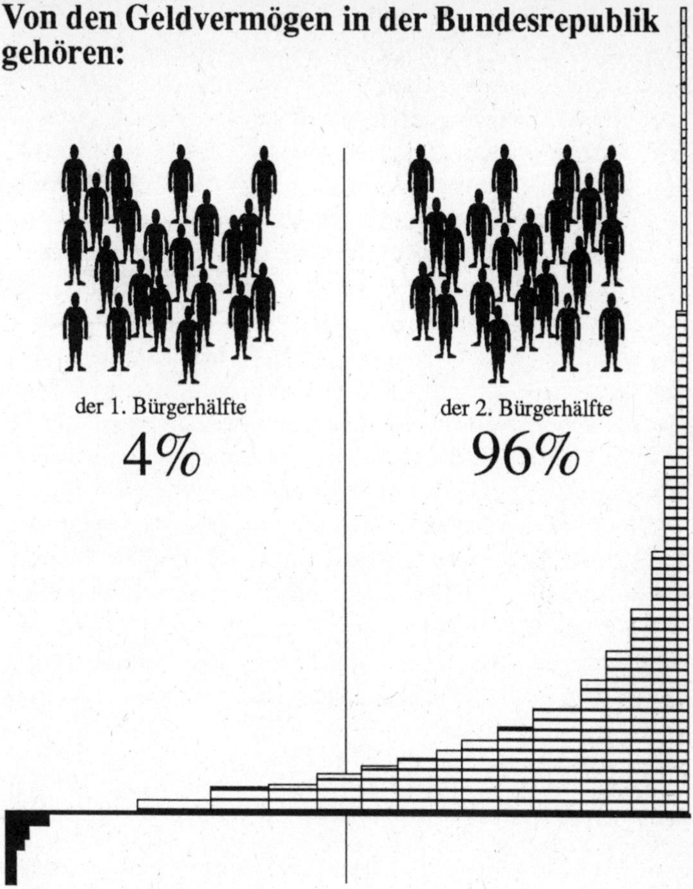

der 1. Bürgerhälfte

4%

der 2. Bürgerhälfte

96%

Abbildung 14

Der größte Anteil bei der Anhäufung von Reichtum entfällt auf den Zins, der jeden Tag die gesamte Volkswirtschaft mit über einer Milliarde Mark belastet, wenn man Geld- und Sachkapital zusammenfaßt. Mit den Zinsen auf Geldkapital allein werden täglich etwa 500 bis 600 Millionen Mark von den Arbeitenden auf die Kapitalbesitzer übertragen. Obwohl sozial orientierte Regierungen das daraus resultierende Ungleichgewicht durch Besteuerung und Rückverteilung zu kompensieren versuchen, führt das nirgends auch nur annähernd zu einem Ausgleich. Zusätzlich treffen die Kosten einer wachsenden Sozialbürokratie jeden in Form wachsender Steuern. Dabei werden selten die menschlichen Kosten von Zeit und Energie mit in die Rechnung einbezogen, nicht zuletzt die der Demütigung in der Auseinandersetzung mit dem Behördenapparat.

Die Absurdität eines Geldsystems, das die Menschen zunächst ihres gerechten Anteils an der Wirtschaft beraubt, um ihnen dann – in einem unglaublich ineffizienten Verfahren – einen Teil dieses Geldes durch Zahlungen im Wohlfahrtssystem wieder zurückzugeben, wurde kaum jemals von Experten untersucht noch öffentlich diskutiert. Solange jene achtzig

Zinsen bewirken nicht nur ständige und tendenziell zunehmende Einkommensumschichtungen von der Arbeit zum Besitz, sie belasten auch das gesamte Wirtschaftsgeschehen. Das macht sich speziell in Phasen hoher Zinssätze bemerkbar, die alle verschuldeten Wirtschaftsteilnehmer zu höheren Abgaben an die Banken und die Geldvermögensbesitzer zwingen. Die Folgen solcher Hochzinsphasen lassen sich als entsprechende Reaktionen bei allen wesentlichen Wirtschaftsindikatoren nachweisen, besonders anhand der Arbeitslosenzahlen. In der Grafik sind sowohl die Zinsgipfel als auch die Anstiegsspitzen der Arbeitslosigkeitsentwicklung mit den Zahlen 1 bis 4 gekennzeichnet. Man sieht, daß die Arbeitslosigkeit mit etwa ein bis zwei Jahren Verzögerung hinter der Zinskurve herläuft. Auch die zusätzlich eingetragene Kurve der Firmenpleiten läßt den Zusammenhang mit den Zinsen erkennen (Helmut Creutz).

Entwicklung der Arbeitslosigkeit und der Kapitalzinsen in der Bundesrepublik Deutschland, sowie die Entwicklung der Insolvenzen (Pleiten) ab 1970.

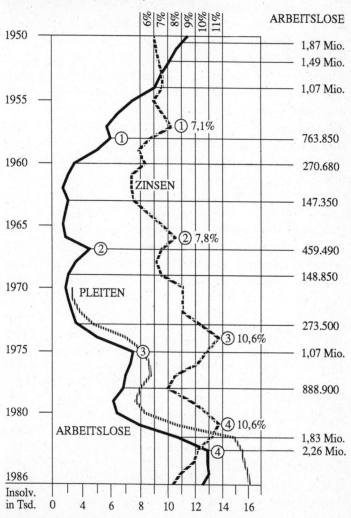

Abbildung 15

Prozent der Bevölkerung, die in diesem System ständig draufzahlen, nicht begreifen, wie das geschieht, wird sich daran
kaum etwas ändern.

Die Vorreiterfunktion des Zinses in bezug auf die wirtschaftliche Problementwicklung stellt *Abbildung 15* dar. Der Vergleich von steigenden Zinssätzen und einer um sich greifenden
Zahl von Pleiten in Handel und Industrie und ebenso der
steigenden Arbeitslosenquote, die mit einem Zeitverzug von
ungefähr zwei Jahren erfolgt, ergibt einen deutlichen Hinweis
auf diese Vorreiterfunktion. *In der Bedeutung des Zinses im
wirtschaftlichen Geschehen liegt ein weiteres zwingendes
Argument für die Einführung eines zinsfreien Geldes.* Wiederum sind in dieser Statistik nicht die zusätzlichen sozialen
Kosten von Alkoholismus, zerrütteten Familien und zunehmender Kriminalität erfaßt. Auch sie könnten durch die Geldreform vermindert werden.

Abbildung 16 veranschaulicht das Dilemma der Dritten
Welt, wo wir die Schattenseite unserer Wirtschaft wie durch
ein Vergrößerungsglas sehen. Die wesentlich krassere Situation wird durch den gleichen Strukturfehler im Geldsystem
mitverursacht. Im Unterschied zu den Industrienationen, die
insgesamt gesehen Profite machen, zahlen die unterentwickel-
ten Länder *jeden Tag dreihundert Millionen Dollar an Zinszahlungen, eine Summe, die zwei- bis dreimal über dem liegt,
was wir ihnen als »Entwicklungshilfe« gewähren.* Das, was
alle Wohlfahrtsorganisationen jedes Jahr mit viel Aufwand in
den reichen Ländern zusammenbetteln, nämlich rund vier
Milliarden US-Dollar, reicht der Dritten Welt gerade, um ihren
Zinsverpflichtungen für vierzehn Tage nachzukommen.

1989 betrug die Außenschuldenlast Brasiliens 115 Milliarden Dollar. Diese Summe wird von den Zinszahlungen und
Amortisationen der letzten sechzehn Jahre in Höhe von 176
Milliarden Dollar bei weitem übertroffen. Das heißt, die Schulden sind, wie die der meisten »Entwicklungsländer«, bereits

ENTWICKLUNGSHILFE

Jeden Tag
zahlt uns die Dritte Welt
300 Mio. Dollar Zinsen!

Abbildung 16

Das Problem der Überschuldung und der daraus resultierenden Zinstransfers von den Schuldnern zu den Geldgebern hat sich in den letzten Jahrzehnten in den Entwicklungsländern besonders kraß herauskristallisiert. Dabei läßt die Verschuldung in der Dritten Welt nur die Spitze eines weltweit eskalierenden Schuldenbergs erkennen.

Allein die bundesdeutsche Staatsverschuldung ist seit Jahren höher als die gesamte Auslandsschuld Lateinamerikas, und die Gesamtverpflichtungen der USA sind acht- bis zehnmal höher als die der Entwicklungs- und Schwellenländer zusammengenommen, einschließlich des Ostblocks (Helmut Creutz).

bezahlt. Wenn wir dies nicht anerkennen, gibt es keine Hoffnung, daß sich diese Länder je aus der andauernden Krisensituation befreien können.

Wenn Krieg mit Verhungern, Tod und sozialem und individuellem Elend gleichzusetzen ist, dann sind wir bereits mitten im »3. Weltkrieg« – keinem offiziell erklärten, sondern einem, der mit Wucherzinsen, manipulierten Preisen und unfairen Handelsbedingungen geführt wird. Es ist ein Krieg, der uns in Arbeitslosigkeit, Krankheit und Kriminalität treibt.

Werner Rosenberger spricht in diesem Zusammenhang von »Systemkorruption«, die korrupte Machthaber (Mobuto, Marcos, Noriega, Çeauşescu, Honecker) in Ländern der Dritten Welt und in sozialistischen Ländern, die ihre gewaltigen Vermögen auf sicheren Auslandskonten haben, mit den Großvermögenden aller Länder, die ohne Leistung Millionen an Zinsen beziehen, verbindet. Rosenberger sagt dazu: »Das Schreckliche an der Situation sind meines Erachtens nicht die korrumpierten Machthaber. Sie werden, wie auch wieder die jüngste Geschichte zeigt, früher oder später gestürzt. Das wirklich Arge ist die Tatsache, daß die jeweiligen Nachfolger, die neuen Machthaber, wohl von Reformen reden, aber keine tauglichen wirtschaftlichen Reformmodelle zur Hand haben.«[13]

Zweifellos liegt der Anteil derjenigen, die im bestehenden Geldsystem am schlechtesten abschneiden, bei mehr als drei Viertel der Weltbevölkerung. Die Situation der Dritten Welt könnte sich kurzfristig ändern, würden ihre Schulden ganz oder teilweise von den Gläubigernationen und Banken erlassen. Bekanntlich wird dies von fortschrittlichen Kirchenvertretern, Wirtschaftswissenschaftlern und Bankiers gefordert und teilweise in die Tat umgesetzt. Wenn man aber den grundlegenden Fehler des Geldsystems nicht eliminiert, so ist die nächste Krise bereits vorprogrammiert.

Kirchen und spirituelle Gruppen

Im Laufe der Geschichte haben viele politische und religiöse Führer, wie Moses, Aristoteles, Jesus, Mohammed, Luther, Zwingli und Gandhi, versucht, die soziale Ungerechtigkeit, die der kontinuierliche Bezug von Zinsen verursacht, durch entsprechende Hinweise oder ein Verbot von Zinszahlungen zu verhindern. So steht in 2. Moses 22,25: »Wenn du deinem Bruder, einem Armen, Geld leihst, so sollst du ihm gegenüber nicht wie ein Wucherer handeln. Ihr dürft ihm keinen Zins auflegen.«[14] Und Aristoteles sagte in Politik I,3: »Der Wucherer ist mit vollstem Recht verhaßt, weil das Geld hier selbst die Quelle des Erwerbs ist und nicht dazu gebraucht wird, wozu es erfunden ward. Denn für den Warenaustausch entstand es, der Zins aber macht aus Geld mehr Geld. Daher auch sein Name (Geborenes). Denn die Geborenen sind den Erzeugern ähnlich. Der Zins aber ist Geld von Geld, so daß er von allen Erwerbszweigen der Naturwidrigste ist.«[15]

Übersetzt man den griechischen Urtext wörtlich, so steht bei Lukas 6,35: »Leihet, ohne etwas dafür zu erhoffen.«[16] Das Konzil von Nicäa im Jahr 325 nach Christus verbot allen Klerikern das Zinsnehmen. Die Strafe bei Übertreten des Verbots war die sofortige Entfernung aus dem Amt. 1139 beschloß das zweite Laterankonzil: »Wer Zins nimmt, soll aus der Kirche ausgestoßen und nur nach strengster Buße und mit größter Vorsicht wiederaufgenommen werden. Einem Zinsnehmer, der ohne Bekehrung stirbt, soll das christliche Begräbnis verweigert werden.«[17]

Martin Luther wandte sich in mehreren Schriften leidenschaftlich gegen Wucher und Monopole: »Darum ist ein Wucherer und Geizhals wahrlich kein rechter Mensch; er sündigt auch nicht eigentlich menschlich. Er muß ein Werwolf sein, schlimmer noch als alle Tyrannen, Mörder und Räuber, schier so böse wie der Teufel selbst. Er sitzt nämlich nicht als ein Feind, sondern als ein Freund und Mitbürger im Schutz und Frieden der Gemeinde und raubt und mordet dennoch greulicher als jeder Feind und Mordbrenner. Wenn man daher die Straßenräuber, Mörder und Befehder rädert und köpft, um wieviel mehr noch sollte man da erst alle Wucherer rädern und foltern, alle Geizhälse verjagen, verfluchen und köpfen...«[18]

Der Reformator Ulrich Zwingli ging in Richtung Säkularisation einen Schritt weiter, indem er einerseits den Zins für ungöttlich und unchristlich erklärt, andererseits dem Staat das Recht zuerkennt, den Zinsfuß festzusetzen.[19]

Sie alle wußten wohl um die Ursache des Problems, boten jedoch keine praktikable Lösung an, wie der Geldumlauf gesichert werden konnte, und damit blieb der grundlegende Fehler im System bestehen.

Das Zinsverbot der Päpste im europäischen Mittelalter, aufgrund dessen Christen, die Zinsen verlangten, exkommuniziert wurden, schob beispielsweise den schwarzen Peter den Juden zu, denen es erlaubt war, von Menschen anderer Religionszugehörigkeit Zinsen zu nehmen. Also wurden die Juden seit dieser Zeit beinahe zwangsläufig die führenden Bankiers der Welt.

Bereits durch das Alte Testament wurde den jüdischen Gemeinden vermittelt, daß Zinsen auf Dauer jeden sozialen Organismus zerstören. Deshalb ergänzte Moses das Zinsverbot durch das »Erlaßjahr« allgemeiner Schulden alle sieben Jahre (5. Moses 15,1–11) und das »Halljahr«, den Rückfall des Grundbesitzes an die Gemeinschaft und der Sklavenbefreiung alle 50 Jahre (3. Moses 25). Doch haben sich diese Regeln im Alltag nicht durchgesetzt, und es kam deshalb eine dauerhafte Lösung nie zustande. Im Gegenteil, Zinsverbote wie auch Schuldenerlasse führten immer zu intensiver Geldhortung. Deren Folgen für die Wirtschaft aber wirkten sich bei Edelmetall noch schlimmer aus als das Zinsnehmen.

Während die Führungsspitze der katholischen Kirche in Lateinamerika dem westlichen Modell des Kapitalismus zuneigt, orientieren sich die Priester an der Basis eher an der kommunistischen Ideologie.[20] In einem zinsfreien Geldsystem könnte jetzt die historische Chance einer Lösung liegen, die weder kapitalistisch noch kommunistisch ist, sondern über beide hinausgeht. Sie sorgte in weit höherem Maße für Gerechtigkeit als jedes denkbare Hilfsprogramm. Sie würde eine stabile Wirtschaft ermöglichen und die Bemühungen der Kirche um den Frieden in der Welt erheblich unterstützen.

Heutzutage fordern die Kirchen immer wieder zu Spenden auf, um die Auswirkungen des Umverteilungsprozesses durch das Geldsystem und die härtesten sozialen Probleme sowohl in den industriell entwickelten als auch in den Entwicklungsländern zu lindern. Dies ist jedoch nur ein Kurieren an den Symptomen, das den Systemfehler im Geldwesen nicht berührt.

Ein Zinsverbot enthält auch der Koran. Soweit sich Banken in islamischen Ländern daran halten (bisher nur in einem sehr geringen Ausmaß), vereinbaren sie Gewinn- und Verlustbeteiligung.[21,22] Das mag in einigen Fällen besser, in anderen schlechter sein als Zinszahlungen. Es ändert aber nichts an dem Tatbestand, daß Besitzende ohne eigene Leistung auf Kosten anderer Einkommen beziehen.

Das spirituelle Wissen, welches in vielen Teilen der Welt wächst, weist auf tiefgreifende Bewußtseinsumwandlungen bei einer zunehmenden Zahl von Menschen hin. Ihre Arbeit für inneren Wandel ist die Basis für äußere Veränderung, in der die friedliche Transformation des Geldsystems einen wichtigen Aspekt darstellt. Deshalb liegt eine große Verantwortung bei all jenen, die sich geistigen und humanitären Zielen verpflichtet fühlen, die wesentliche Unterstützung durch eine Geldreform genauer zu erkennen, als das bisher der Fall war.

Handel und Industrie

Die Preise von Waren und Dienstleistungen in einer zins- und inflationsfreien Wirtschaft würden, genau wie heute in kapitalistischen Gesellschaftssystemen, durch Angebot und Nachfrage reguliert werden. Was sich jedoch ändern würde, wäre die Verzerrung des »freien Markts« durch den Zins. Durchschnittlich trägt in Westdeutschland jeder industrielle Arbeitsplatz eine Schuldenlast von siebzig- bis achtzigtausend Mark. Das heißt, dreiundzwanzig Prozent der mittleren Arbeitskosten sind allein für Zinsen aufzubringen.[23] Wie sich das auswirkt, zeigt *Abbildung 17*. Zu den Zinsen auf geborgtes müssen weiterhin die Zinsen auf das Eigenkapital der Firma gerechnet werden. Beide orientieren sich am Zinssatz des Kapitalmarkts. Hierin liegt der Grund, daß die Geldvermögen und damit die Schulden ungefähr zwei- bis dreimal schneller als die wirtschaftliche Produktivität eines Landes steigen (siehe auch *Abbildung 5*). Die Bedingungen verschlechtern sich zunehmend für jene, die ein Unternehmen gründen wollen, und für die arbeitende Bevölkerung.

Gegenwärtig beobachten wir eine steigende Konzentration in allen industriellen Bereichen. Kleine, meist verschuldete Geschäfte und Industriefirmen werden von größeren, noch liquiden aufgekauft und jene wiederum von den Branchenriesen, bis eines Tages in der sogenannten »freien Marktwirtschaft« nahezu jeder für einen multinationalen Konzern arbeitet. Diese Entwicklung wird anfangs durch größere Stückzahlen, niedrigere Preise und damit erhöhte Konkurrenzfähigkeit beschleunigt und schließlich immer mehr von dem Geld, das die großen Unternehmen aus ihren Kapitalüberschüssen verdienen.

Wollen sich dagegen kleine und mittlere Firmen vergrößern, müssen sie sich gewöhnlich Geld leihen und sich somit durch

Arbeit kostet mehr als nur den Lohn

Auf je 100 DM
Direktentgelt
für geleistete Arbeit...

...kamen 1985
in der Industrie
23 DM Zinskosten

ZINSEN

DEUTSCHE BUNDESBANK
Banknote

100

AG 33654...

AG3363455/A9

100

HUNDERT DEUTSCHE MARK

Abb. 17

Diese Relationen geben in etwa die bei uns geltenden Durchschnittswerte wieder. Bei besonders kapitalintensiven Produktionen ist die Verteilung sogar umgekehrt, etwa bei Raffinerien, Atomkraftwerken und ähnlichen Betrieben. Und da die Geldvermögen, die in die Wirtschaft investiert werden müssen, schneller als die Leistung zunehmen, verschieben sich die Relationen zwischen Kapital- und Lohneinkommen immer mehr auf Kosten der Arbeitleistenden (Helmut Creutz).

Zinsen belasten. Sie können weder in bezug auf die Menge noch Kapitalerträge konkurrieren.

Bis zum heutigen Zeitpunkt hängt unsere Wirtschaft vom Kapital ab. Dazu sagte der westdeutsche Industrielle Hanns Martin Schleyer einmal treffend: »Kapital muß bedient werden!« *Mit der neuen Geldordnung, also Neutralem Geld, wird Kapital so beschaffen sein, daß es den Bedürfnissen der Wirtschaft dient. Will es Verluste vermeiden, so muß es sich selbst anbieten. Also hat es uns zu dienen!*

Die Landwirtschaft

Dieser Erwerbszweig ist zwar heute auch industriell durchstrukturiert, muß aber langfristig noch immer auf ökologischen Prinzipien aufbauen. Ökologische Vorgänge folgen der qualitativen Wachstumskurve (*siehe Abbildung 1*, Kurve a). Hingegen muß die industrielle Entwicklung dem quantitativen Wachstum von Zins und Zinseszins folgen (*siehe Abbildung 1*, Kurve c). Da die Natur nicht im gleichen Maße wie das Kapital zu wachsen in der Lage ist, dieses aber noch »bedient« werden muß, ergibt sich auch in der Landwirtschaft der Zwang zur eskalierenden Ausbeutung von natürlichen Ressourcen, der zur Bedrohung für unser Überleben geworden ist. Weil das Wachstum eines Baumes nicht mit der »geldschaffenden« Kraft des Geldes konkurrieren kann, bleiben uns immer weniger Bäume trotz einer immer größeren Menge an Geld und vor allem an Geldguthaben.

In der ersten Phase der Industrialisierung der Landwirtschaft verschafften sich die Bauern zunehmend größere Maschinen. Reichere Landwirte kauften dann kleinere Höfe, die sich Maschinen nicht leisten konnten, und vergrößerten so ihre Betriebe noch weiter. Zu diesem Zweck erhielten sie zusätzlich staatliche Subventionen und Steuererleichterungen, mußten aber häufig auch Kredite aufnehmen. Um diese abzuzahlen, wird das letzte aus Boden, Pflanzen und Tieren herausgeholt. Die Folgen des Raubbaus sind: Fruchtbare Böden trocknen aus und werden hart und verdichtet; Wasservorräte verschmutzen; fünfzig Prozent der Artenvielfalt gingen verloren; vieles wird überproduziert und kann nur mit staatlichen Zuschüssen verkauft werden; der Einsatz geschmacksarmer Hybridkulturen stieg rapide an, ebenso wie die totale Abhängigkeit von Ölimporten für Transport, Kunstdünger, Insektizide, Pestizide und dergleichen mehr; Regenwälder werden vernichtet, um Rohstoffe für Verpackungsmaterialien zu gewinnen für die langen Transportwege zwischen den Stätten der Produktion, der Lagerung, der Weiterverarbeitung, des Verkaufs und des Endverbrauchs.

Obwohl das Zinsproblem nur als ein Faktor unter anderen zu dieser Entwicklung beiträgt, kann die Einführung des zinsfreien Geldes von besonderer Bedeutung für den zum Überleben wichtigen Bereich der Landwirtschaft sein. Durch zinsfreie Kredite in Kombination mit einer Boden- und Steuerreform, die den Boden erschwinglich und die Vergiftung des Bodens und Wassers teuer machen würden, wäre es endlich möglich, eine flächendeckende Umstellung von der hochindustrialisierten Intensivlandwirtschaft auf eine biologische Anbauweise durchzuführen. Werden zusätzlich neue Technologien für eine dauerhafte Landwirtschaft erforscht und unterstützt, so würde sich daraus wieder ein Lebensstil entwickeln, der die Verbindung von Stadt und Land, Arbeit und Muße, Hand- und Kopfarbeit, »high and low technology« zuläßt.[24] Auf diese Weise könnte dem einzelnen, der Landwirtschaft und der Gesellschaft eine ganzheitliche Entwicklung ermöglicht werden.

Künstler

Wie Dieter Suhr in seinem Buch »Geld ohne Mehrwert – Entlastung der Marktwirtschaft von monetären Transaktionskosten«[25] beschreibt, würde sich in einer Gesellschaft mit Neutralem Geld quantitatives Wachstum wahrscheinlich sehr bald in ein qualitatives wandeln. Hätten Menschen die Wahl, ihr neues wertstabiles Geld einfach zu sparen, ohne daß es Zinsen einbringt, oder es aber in Glas, Porzellan, Möbel, Kunsthandwerk oder ein solide gebautes Haus mit einem stabilen Wert anzulegen, so würden sie es vermutlich häufig zur Bereicherung ihres täglichen Lebens heranziehen. Je größer die Nachfrage nach dauerhafteren Gütern und Kunstwerken wäre, desto mehr würden diese produziert. Wir dürften auf diese Weise eine völlige Veränderung der kulturellen Werte und Tätigkeiten erleben. Kunst und Kultur würden wirtschaftlich konkurrenzfähig, wie es zur Zeit des Brakteatengeldes im mittelalterlichen Europa (siehe Kapitel V) schon einmal der Fall war.

Frauen und Kinder

Warum haben Frauen in der Welt des Geldes so wenig Einfluß? Sowohl die Börse als auch die Banken sind den Männern vorbehalten, und Ausnahmen scheinen die Regel nur zu bestätigen. Aus langjähriger Erfahrung mit Frauenprojekten bin ich mir sicher: Die meisten Frauen fühlen intuitiv, daß mit diesem Geldsystem etwas nicht stimmt. Gleichwohl wissen sie – ebenso wie die Mehrzahl der Männer – nicht, was falsch ist oder was verändert werden muß.

Ihr langanhaltender Kampf um Gleichberechtigung und wirtschaftliche Unabhängigkeit hat die Frauen jedoch sensibel gemacht gegenüber Vorgängen, die, wie die Spekulation mit Geld, große soziale Ungerechtigkeit erzeugen. Die meisten Frauen wissen aus eigener Erfahrung, daß immer irgend jemand für das arbeiten muß, was einem anderen ohne Arbeit zufällt. Zu jener Hälfte der Bevölkerung, denen nur vier Prozent des gesamten Nettogeldvermögens gehören (*siehe Abbildung 14*), gehören in der Mehrheit Frauen, weil ihre Tätigkeit (Hausarbeit, Kindererziehung) nicht bezahlt wird.

Seit dem Anfang der freiwirtschaftlichen Bewegung und Silvio Gesells Buch »Die natürliche Wirtschaftsordnung«[26] ist eine Idee lebendig, die ebenso schnell einleuchtet wie die Anpassung der Geldmenge an die natürliche Wachstumskurve und die Tatsache, daß der Boden genauso wie Luft und Wasser allen Menschen gehört. Oft wird sie jedoch schamhaft verschwiegen oder als zu weitgehend abgetan. Es handelt sich um den Gedanken, daß die Bodenrente den Frauen und Kindern zukommen sollte, weil der volkswirtschaftliche Wert des Bodens von der Bevölkerungsdichte abhängt. Helmut Creutz kommt dabei zu folgendem Ergebnis:

»Faßt man beide abzuschöpfenden Größen aus dem Wertzugewinn und der Wertverzinsung des Bodens in der BRD in Höhe von jeweils 60 Mrd. zusammen, stünde im Jahr etwa ein Betrag von 120 Mrd. für die Auszahlung als Mütter- oder Erziehergehalt bzw. für den Familienlastenausgleich zur Verfügung. Der einfachste Verteilungsweg wäre der über die Zahl der Kinder bzw. Jugendlichen. Zieht man einmal alle Jugendlichen bis zum 18. Lebensjahr in gleicher Höhe für die Verteilung in Betracht (1970 bei der letzten Volkszählung etwa 13,6 Mio.), dann ergäbe sich ein jährlicher Pro-Kopf-Betrag in Höhe von rund 8800 DM und ein monatlicher von rund 730 DM.«[27]

Durch einen »Lastenausgleich« nicht aus Steuermitteln, sondern sozusagen als Vorgriff auf das, was sie mit ihrer Kindererziehungsarbeit leisten (die Generation, die den Mehrwert des Bodens erarbeitet), wird die wirtschaftliche Grundlage für die Emanzipation von Frauen und Kindern geschaffen. (Daß auch Männer dann, wenn sie die Kinder erziehen, in den Genuß dieses Lastenausgleichs kommen, ist selbstverständlich.) Ohne wirtschaftliche Grundlage gibt es keine Freiheit. Und doch – wie weit sind wir bisher mit dem Versuch, auch Hausarbeit und Kindererziehung zur bezahlten Tätigkeit zu machen, gekommen? Kaum über die Einschätzung der Frau als Wirtschafterin hinaus – aber nur im Falle, daß sie an den Folgen eines Unfalls stirbt und eine Versicherung dem Mann Schadenersatz leisten muß.

Frauen und Kinder tragen überall in der Welt den überwältigenden Teil der Last, die durch das gegenwärtige Geld- und Bodenrecht in Gestalt von wirtschaftlichem Chaos und sozialem Elend verursacht wird. *Mit Neutralem Geld, das im Grunde ein »technisch verbessertes Austauschmittel« ist, und dem Kindergeld aus der Bodenrente würde sich ihr Los drastisch verbessern.* Da sie wissen, was Ausbeutung heißt, steht zu erwarten, daß sich viele Frauen maßgeblich für ein gerechteres Tauschmittel einsetzen werden. Nach Einführung des neuen Systems würden sie sich voraussichtlich in viel höherem Ausmaß mit Bankgeschäften und Investitionsfragen beschäftigen, weil sie dann statt in einem lebensverneinenden in einem lebensfördernden System tätig wären.

Ein Geldsystem, das sich mit steigendem Bedarf ausdehnt und mit dem Wachstum aufhört, wenn die Nachfrage gedeckt ist, entspricht unserer biologischen Erfahrung mit optimalen Wachstumsmustern (*siehe Abbildung 1,* Kurve a). »Lebende Systeme« wie Pflanzen, Tiere und Menschen und besonders Kinder aber gehören zur »Frauenwelt«, während die »Männerwelt« gemeinhin automatisiert, das heißt Menschen und alles, was nach eigenen Gesetzen wächst und lebt, auszuschalten sucht. Diese andere Haltung zum Leben ist wichtig, wenn wir die Kräfte erkennen wollen, die eine Veränderung des jetzigen Geldsystems unterstützen können.

Am meisten wird den Frauen, im Hinblick auf sich selbst und ihre Kinder, daran liegen, daß statt einer weiteren revolutionären Lösung, die bis jetzt immer nur mit menschlichem Leid verbunden war, ein sanfterer evolutionärer Weg eröffnet wird.

Die Ökologie unseres Planeten

Wenn wir unser Wirtschaftswachstum an der Zunahme des Bruttosozialprodukts messen, dann vergessen wir gewöhnlich, daß jene sich jedes Jahr auf einen größeren Ausgangsbetrag bezieht. So ist ein zweieinhalbprozentiges Wachstum heute mengenmäßig viermal soviel wie in den fünfziger Jahren.

Es ist jedoch leicht verständlich, warum trotzdem Industrielle und Gewerkschaften regelmäßig wiederkehrende Maßnahmen fordern, die den Aufschwung weiter anheizen: *In Phasen sinkender Wachstumsraten wird die Diskrepanz zwischen Einkommen aus Kapital und Einkommen aus Arbeit verschärft* beziehungsweise die Umverteilung von Einkommen aus Arbeit zum Kapital hin fühlbarer. Und das bedeutet sowohl zunehmende soziale Probleme als auch wirtschaftliche und politische Spannungen.

Andererseits erschöpfen sich die natürlichen Ressourcen durch kontinuierliches Wirtschaftswachstum. Daher haben wir im gegenwärtigen Geldsystem nur die Wahl zwischen ökologischem und ökonomischem Zusammenbruch. Zusätzlich wird die Konzentration von Geldvermögen in den Händen von immer weniger Menschen und großen multinationalen Konzernen zu einem anhaltenden Bedarf an Großinvestitionen führen, beispielsweise in Raumfahrtprojekte, Atomkraftwerke, überdimensionale Staudämme (etwa in Brasilien) und trotz aller offiziellen Bemühungen um Abrüstung zu immer größeren Rüstungsausgaben.

Nach rein wirtschaftlichen Gesichtspunkten erwies sich das jahrelange politisch widersprüchliche Verhalten der USA und der europäischen Staaten, die auf der einen Seite immer größere und bessere Waffen gegen die Länder des Warschauer Pakts installierten und auf der anderen Seite den Export in diese Länder, etwa von Weizen und technologischem Wissen in die Sowjetunion, gestatteten, als wirtschaftlich durchaus sinnvoll. Auf dem militärischen Sektor ließ sich die Sättigungsgrenze unbegrenzt hinausschieben, solange der »Feind« in gleichem Maße schnellere und größere Waffen entwickeln konnte. Zudem bezifferten sich Profite im militärischen Bereich weit höher als in irgendeinem anderen der zivilen Wirtschaft.

Die Einsicht, daß ein Weltkrieg heute von niemandem mehr zu gewinnen ist, scheint sich nun langsam in Ost und West durchzusetzen. Ob die freiwerdenden Mittel ökologisch sinnvoll eingesetzt werden, ist die nächste Überlebensfrage. Das Vordrängen der Banken und multinationalen Konzerne in die Ostblockländer seit der umwälzenden Entwicklung im Herbst und Winter 1989/90 deutet eher darauf hin, daß hier eine Chance gesehen wird, durch weitere wirtschaftliche Expansion die fundamentale Lösung der sozialen und ökologischen Probleme im Westen noch einmal aufschieben zu können.

Solange sich jede Geldanlage mit den Zinserträgen messen lassen muß, werden die meisten ökologischen Investitionen, die auf dauerhafte Systeme ausgerichtet sind, nur schwer im gebotenen größeren Maßstab zu verwirklichen sein. Diesbezüglich heutzutage einen Kredit aufzunehmen, bedeutet gewöhnlich wirtschaftlichen Verlust. Würde der Zins entfallen, könnten sich ökologische Investitionen oft selbst tragen – und das wäre für viele Menschen durchaus akzeptabel, obwohl der Unterschied zu Gewinnen in anderen Anlagen (zum Beispiel in der Waffenproduktion) bestehen bliebe.

Betrachten wir zum Beispiel die Investition in einen Sonnenkollektor zur Warmwasseraufbereitung. Wären dabei wie üblich nur zwei Prozent Rendite auf unser Geld zu erwarten, während unser Spargeld auf der Bank eine Rendite von sieben Prozent einbringen würde, so könnte diese Investition unter betriebswirtschaftlichen Gesichtspunkten nicht empfohlen werden. Andererseits erwiese sich ein solcher Kollektor hinsichtlich der Reduktion des Energieverbrauchs und der Luftschadstoffe langfristig volkswirtschaftlich und ökologisch als durchaus sinnvoll. *Mit Neutralem Geld wäre diese Investition wie zahlreiche andere zur Aufrechterhaltung und Verbesserung der biologischen Lebensgrundlagen möglich, weil das eingesetzte Kapital nur mit einem stabilen Geldwert konkurrieren muß.* Vielen Menschen würde es schon genügen, wenn sie durch die Finanzierung von Umweltschutzmaßnahmen und die Einführung ökologischer Technologien wenigstens nichts verlören.

Wo Zinszahlungen entfallen, wäre es allgemein nicht mehr notwendig, auf Kapital eine hohe Rendite zu erwirtschaften, wodurch sich der Zwang zu Überproduktion und Konsum vermindern würde. Das heißt, das Wirtschaftsvolumen könnte sich leichter dem wirklichen Bedarf anpassen, und dies würde zu einer wirklich ökologischen Wirtschaft führen. Die Preise könnten durchschnittlich um dreißig bis fünfzig Prozent gesenkt werden: um den Anteil, den jetzt die Zinsen ausmachen. Theoretisch bräuchten die Menschen, die überwiegend von ihrer Arbeit leben – und das sind über neunzig Prozent in der Bundesrepublik –, nur noch etwas mehr als die Hälfte der jetzigen Zeit zu arbeiten, um den momentanen Lebensstandard zu erhalten. Sie hätten damit mehr Gelegenheit, sich Umweltfragen und -verbesserungen zu widmen.

Anmerkungen

1 »Sir Thomas Gresham, engl. Finanzpolitiker, 1519-1579, nach dem das Greshamsche Gesetz benannt wurde, wonach bei einer Doppelwährung *schlechtes* Geld *gutes* Geld aus dem Umlauf vertreibt; für die Schuldner ist es günstiger, ihre Verpflichtungen in *schlechtem* Geld zu begleichen und das wertvollere zu behalten.« Aus: *Brockhaus Enzyklopädie.* F.A. Brockhaus GmbH, Mannheim 1986, Seite 106

2 Klaus von Dohnanyi (Hrsg.): *Notenbankkredite an den Staat?* Beiträge und Stellungnahmen zu dem Vorschlag, öffentliche Investitionen mit zins- und tilgungsfreien Notenbankkrediten zu finanzieren. Nomos, Baden-Baden 1986, Seite 137-138 und Seite 139

3 UN World Commission on Environment and Development: *Our Common Future,* Oxford University Press 1987, Seite 5-7

4 Spiegel-Interview mit Alfred Herrhausen, a.a.O., Seite 59

5 John Maynard Keynes: *The General Theory of Employment, Interest and Money.* London 1936, (Neuauflage 1967), Seite 355

6 Wilhelm Hankel: *John Maynard Keynes.* München und Zürich 1986, Seite 69ff., zitiert in Dieter Suhr: *Alterndes Geld.* Novalis 1988, Seite 84

7 John L. King: *On The Brink of Great Depression II.* Future Economic Trends, Goleta, Ca., 1987, Seite 36

8 Ravi Batra: The Great Depression of 1990. Dell, New York 1985

9 John L. King: *How to Profit from the Next Great Depression.* New American Library, New York 1988

10 *Aachener Nachrichten,* 29.5.85

11 »Das Streiflicht«, *Süddeutsche Zeitung* Nr. 217, 43. Jahrgang, München, 22.9. 1987, Seite 1

12 »Dreister Bruch«, *Spiegel* Nr. 29, Hamburg 1989, Seite 161

13 Werner Rosenberger: »Und die Antwort...« *Evolution* Nr. 2, Februar 1990, Seite 2

14 *Appell an das Ökumenische Konzil.* Dokumentation zur Eingabe katholischer Laien an die Kommission für das Laien-Apostolat betreffend Fragen der religiösen und sozialen Aktion zur Vorbereitung des von S.H. Papst Johannes XXIII. einberufenen Ökumenischen Konzils zu Rom 1962, III. Teil: »Verdammter Wucher – Damnata Usura«. Abschnitt 1. Der Zins im Urteil der Bibel und der Jahrtausende, Seite 2

15 Ebenda

16 Josef Hüwe, nach dem Großen Griechisch-Deutschen Wörterbuch von Menge-Grüthling

17 Roland Geitmann: »Bibel, Kirchen und Zinswirtschaft«. *Zeitschrift für Sozialökonomie* Nr. 80, 1989, Seite 19

18 Günter Fabiunke: *Martin Luther als Nationalökonom*. 1963, Seite 229, zitiert in Roland Geitmann, a.a.O., Seite 21

19 Geitmann, a.a.O., Seite 21

20 Leonardo Boff, Bruno Kern, Andreas Müller: *Werkbuch: Theologie der Befreiung*. Anliegen Streitpunkte Personen. Patmos, Düsseldorf 1988, Seite 89-97

21 Ahmed Elnaggar: »Islamic Banking: Concept and Implementation«. *International Conference on Islam and Technology*. Universiti Teknologi Malaysia 1982

22 Roland Geitmann: »Natürliche Wirtschaftsordnung und Islam«. *Zeitschrift für Sozialökonomie* Nr. 85, 1990, Seite 74

23 *Weltwirtschaftswoche* Nr. 4, 1984, Seite 23

24 Margrit und Declan Kennedy: »Permakultur – oder die Wiederaufforstung des Gartens Eden«. *Arch+*, Aachen, Mai 1982, Seite 18-24

25 Dieter Suhr: *Geld ohne Mehrwert*, a.a.O., 1983

26 Gesell, a.a.O.

27 Helmut Creutz: »Einkünfte aus Bodenbesitz und ihre Verwendung als Lohn für Erziehungsarbeit«. *Schriftenreihe zum Thema Geld und Boden*, Heft 67, 1989, Seite 13

IV. Wie stichhaltig sind die Einwände gegen eine Geldreform?

Versuch einer Klärung von Helmut Creutz[1]

Außer der Zunahme der Weltbevölkerung wird die Krisensituation in der Welt von drei Überentwicklungen bestimmt:

- einer zunehmenden Plünderung und Belastung der Umwelt, vor allem als Folge einer ständigen Steigerung von Produktion und Verbrauch;
- einer zunehmenden Überschuldung der Volkswirtschaften, besonders erkennbar in den Ländern der Dritten Welt; und
- einer zunehmenden Diskrepanz zwischen arm und reich, sowohl zwischen verschiedenen Ländern wie innerhalb derselben.

Geht man diesen Erscheinungen intensiver nach, stößt man auf Ursachen, die mit der herrschenden Geldordnung zusammenhängen:

Die überproportionale Akkumulation und Konzentration der Geldvermögen führt zu einer übermäßigen Zunahme der Schulden, die damit verbundenen wachsenden Zinslasten zu einer zunehmenden Einkommensumschichtung. Die Zinslasten schlagen sich bei den Geldvermögen als Erträge nieder und bewirken ein erneutes Wachstum derselben mit entsprechender Zunahme des Verschuldungszwangs. Wir haben es also hier mit einer sich selbst beschleunigenden Problemspirale zu tun, mit einem unnatürlichen Regelkreis, den wir in der Natur nur bei krankhaften Wachstumsprozessen kennen.

Die zinsbedingte Umverteilung der Einkommen von der Arbeit zum Besitz führt zwangsläufig zu einer Verarmung der Arbeitleistenden. Diese Verarmung kann nur durch ständiges

Wirtschaftswachstum vermieden beziehungsweise ausgeglichen werden. Das heißt, das Bruttosozialprodukt (beziehungsweise das Volkseinkommen) muß in jedem Jahr mindestens um den Betrag erhöht werden, den das Geldvermögen mehr beansprucht. Soll sich die Schere zwischen Arbeits- und Zinseinkommen nicht weiter öffnen, muß das Wirtschaftswachstum dem der Geldvermögen sogar prozentual entsprechen.

Unsere Volkswirtschaften sehen sich also einem dreifachen Dilemma gegenüber: Führen sie die eskalierenden Geldansammlungen nicht wieder über Kredite in den Nachfragekreislauf zurück, droht ihnen eine deflationäre Rezession. Führen sie die Geldvermögenszuwächse zurück, nimmt die Überschuldung und damit die Diskrepanz zwischen arm und reich weiter zu. Und versuchen sie den wirtschaftlichen beziehungsweise sozialen Folgen durch weiteres Wirtschaftswachstum auszuweichen, beschleunigen sie den ökologischen Kollaps.

Bei alledem spielt die Höhe der Zinsen eine ausschlaggebende Rolle. Sinkende beziehungsweise niedrige Zinsen lassen die Probleme entsprechend kleiner werden. Doch sind sinkende Zinsen, so wünschenswert sie wären, unter den heutigen Rahmenbedingungen des Wirtschaftens mit einem erheblichen Manko verbunden: Wie die Inflation als »Peitsche«, müssen sie als »Zuckerbrot« das Geld im Umlauf halten. Dieser Umlaufsicherungseffekt läßt jedoch mit der Höhe der Zins- beziehungsweise Inflationssätze nach. Das heißt, bei niedrigeren Zinsen nimmt die Zurückhaltung des Geldes zu und damit die Gefahr deflationärer Kreislaufstörungen. Zwar können die Notenbanken heute die Geldzurückhaltung durch zusätzliche Geldausgabe ausgleichen. Damit aber bauen sich Inflationspotentiale auf, die »morgen« die Preise und vor allem die Zinsen in die Höhe treiben.

Ursache der Problematik ist der Tatbestand, daß sich der Zins als Knappheitspreis des Geldes den normalen Marktmechanismen entziehen kann. Während an einem freien Gütermarkt die Gewinne mit der Sättigung des Angebots gegen Null tendieren, kommt es beim Geld ab einer bestimmten Zinsuntergrenze zu einer künstlichen Verknappung.[2] Das heißt, das Geld entzieht sich dem Angebotszwang, dem die Arbeit und alle Güter unterliegen, und verhindert damit auch bei Geldüberfluß ein marktgerechtes Absinken der Zinsen auf den Nullpunkt.

Aus dieser kurzen Lagebeschreibung ergeben sich folgende Forderungen:

Erstens: Das Geld muß genau wie Güter und Arbeit unter Angebotszwang stehen, damit es ein Äquivalent derselben und ein neutrales Tauschmittel ist.

Zweitens: Die heutigen destruktiven Umlaufsicherungsmittel Zins und Inflation müssen durch eine konstruktive, zinsunabhängige Alternative von dieser Aufgabe befreit werden.

Drittens: Der heute bereits bestehende *Annahmezwang* für Geld muß durch einen *Weitergabezwang* ergänzt werden, das heutige Verbot der Geldvermehrung (durch Geldfälschung) durch ein Verbot der Geldverminderung (durch Geldzurückhaltung).

Leider geht die Wirtschaftswissenschaft diesen Forderungen und ihrer Überprüfung bislang aus dem Wege, ja, die Notwendigkeit einer Geldordnungskorrektur und ihrer Bedeutung wird kaum gesehen. Nur einige wenige Wirtschaftswissenschaftler, die durchweg der Umweltschutzbewegung nahestehen, haben das Problemfeld Geld erkannt.[3] Gerade aus diesen Kreisen wird jedoch häufig die Befürchtung geäußert, daß ein marktgerechtes Absinken der Zinsen das Wirtschaftswachstum beschleunigen könnte. Nachstehend wird deshalb versucht, die Stichhaltigkeit dieser Befürchtungen zu überprüfen und zu widerlegen. Dabei werden die häufiger vorgebrachten Einwände gegen die geforderte Geldordnungsreform jeweils als These den einzelnen Abschnitten vorangestellt.

Zinssenkungen führen zu mehr Nachfrage und damit zu einem Wachstumsschub

Die Nachfrage in einer Volkswirtschaft kann nicht größer sein als die Einkommen, diese nicht höher als die Leistung. Einkommen, Leistung und Nachfragemöglichkeit entsprechen einander. Eine Senkung der Zinsen kann also nicht zu mehr Nachfrage führen, sondern nur zu einer *Nachfrageverlagerung:* Der bisherige Zinszahler kann mehr kaufen, der bisherige Zinsbezieher weniger.

Wenn zum Beispiel in einer Miete von 600 Mark ein Verzinsungsanteil für das Kapital in der Höhe von 400 Mark enthalten ist[4], dann würde bei einer Halbierung der Zinssätze dieser Zinsanteil von 400 auf 200 Mark zurückgehen und bei einem Zinssatz um Null ganz entfallen. Dem Mieter ständen dann 200 bis 400 Mark mehr für andere Ausgaben zur Verfügung, dem Vermieter (wenn er die Wohnung aus Eigenkapital finanziert hat) im gleichen Umfang weniger. Die erweiterte Nachfragemöglichkeit des Mieters wird also durch eine verringerte des Vermieters kompensiert. Eine Steigerung der Wirtschaftsleistung ergibt sich nicht, wohl aber ein Rückgang des Verschuldungszwangs.

Die Arbeitleistenden werden ihren Kaufkraftzuwachs durch sinkende Zinsen voll ausschöpfen

Daß eine volle Ausschöpfung des Kaufkraftzuwachses keine Vergrößerung der Gesamtnachfrage bewirkt, wurde dargelegt. Die offene Frage ist, ob die Arbeitleistenden die zu ihnen zurückfließende (richtiger: in ihren Händen verbleibende) Kaufkraft voll für eine zusätzliche Konsumgüternachfrage nutzen werden.

Sicherlich haben Teile der arbeitenden Bevölkerung noch unerfüllte Wünsche, die sie sich mit dem Einkommenszuwachs erfüllen werden. Wenn aber bereits seit Jahren Befragungen ergeben haben, daß sich ein erheblicher Prozentsatz der Arbeitenden eher mehr Freizeit als mehr Lohn wünscht, kann man davon ausgehen, daß nicht alle ihre zusätzlichen Mittel zur Bedarfsbefriedigung einsetzen werden. Vielmehr ist zu vermuten, daß zumindest ein Teil der Beschäftigten ihren Kaufkraftzugewinn durch verkürzte Arbeitszeiten ganz oder teilweise ausgleicht.

Aber selbst wenn anfangs alle arbeitenden Bürger das Mehr an Kaufkraft voll für Konsumgüter ausgeben, käme es damit nur schneller zu einer Füllung der bislang ungesättigten Restbereiche. Der abnehmende Grenznutzen weiteren Konsums würde – wie heute bereits bei vielen Konsumgütern zu beobachten ist – zu einer rückläufigen Nachfrage und zu einer Höherschätzung von Freizeit und/oder kulturellen Tätigkeiten führen.

Die Wahrscheinlichkeit und die Erfahrung sprechen also dafür, daß sinkende Zinsen – zumindest auf Dauer – zu einer Stabilisierung der Wirtschaftsleistung auf einer optimalen Höhe, wenn nicht sogar zu einer langsamen Abnahme führen.

Die Wünsche der Menschen sind unbegrenzt

Diese These gilt besonders für jene Menschen, die sich ihre Wünsche ohne eigene Arbeitsleistung erfüllen können, also vor allem für die Superreichen, die heute »von allein« immer reicher werden. Diejenigen aber, die für die Erfüllung ihrer Wünsche selbst Arbeit leisten müssen, stoßen dagegen immer an Grenzen. Diese hängen nicht nur mit dem nachlassenden Reiz zusätzlicher materieller Güter zusammen, wenn man dafür arbeiten muß, sondern auch mit der begrenzten Leistungsfähigkeit jedes Menschen. Außerdem wird jeder ab einem bestimmten Punkt feststellen, daß noch mehr Besitz nicht freier, sondern unfreier macht. Es sei denn, man verfügt über die Mittel, sich die notwendigen Hilfskräfte zur Pflege und Überwachung seines Eigentums leisten zu können.

Die heute oft überzogenen Wunschvorstellungen und -standards werden also einmal durch das fragwürdige Vorbild jener millionen- und milliardenschweren Minderheiten gesetzt, die überwiegend von ihren Kapitaleinkünften leben.[5] Mit einer Zinssenkung und der damit verbundenen Reduzierung dieser Einkommen würden also auch solche »Vorbilder« langsam schwinden.

Ein anderer Grund für überzogene Wunschvorstellungen ist heute die Werbung, die allenthalben Illusionen weckt. Ursache dieser immer aggressiveren und materialverschlingenden Kampagnen ist einmal der Kampf um ständig größere Marktanteile, zu dem vor allem diejenigen Unternehmen gezwungen sind, deren Schulden rascher steigen als die allgemeine Wachstumsquote der Wirtschaft, und das ist bei den meisten Firmen der Fall.[6] Zum anderen verlocken auch die Geldinstitute mit vermeintlich immer günstigeren Angeboten zu kreditfinanzierten Wunscherfüllungen, weil es sich für die Bankkonzerne als immer schwieriger erweist, die sich durch den Zins- und Zinseszinseffekt vermehrenden Geldeinlagen abzusetzen. Auch in diesen Fällen würde also eine Zinssenkung den Wachstums- und Werbezwang mindern helfen, sowohl bei den Unternehmen als auch bei den Banken, die heute um des eigenen Überlebens willen zu beidem gezwungen sind.

Mit einer Umlaufsicherung läuft
das Geld noch schneller um

So wie das Tempo des Blutkreislaufs von der Leistung des Herzens bestimmt wird, so hängt die Geschwindigkeit des Geldkreislaufs von der Leistung der Wirtschaft ab.

Geld kann nie schneller umlaufen, das heißt ausgegeben werden, als man es durch Leistung selbst erwirbt oder sich von anderen »erwerben läßt«. Auch kann man – was jeder aus Erfahrung weiß – sein Geld nur einmal ausgeben. Wohl aber kann jeder das Ausgeben kurz- oder längerfristig unterlassen und damit den Kreislauf des Geldes unterbrechen, was – ähnlich wie bei der Blutzirkulation – zu »Durchblutungsstörungen« führt, konkret: zu Nachfragedisharmonien beziehungsweise Geldmangel mit deflationären Folgen für die Wirtschaft.

Heute können zwar die Notenbanken die Deflationsgefahren zurückgehaltener Kaufkraft durch zusätzliche Neugeldausgabe neutralisieren. Sie schaffen jedoch mit diesem zusätzlichen Geld ein Inflationspotential, das entsprechend wirksam wird, wenn das zurückgehaltene Geld nachfragend in den Kreislauf zurückkehrt.[7] *Nur dieses dem Kreislauf zeitweise entzogene Geld wird durch eine zinsunabhängige Umlaufsicherung beschleunigt in Bewegung gebracht, nicht aber jenes, das, mengenmäßig auf die Leistung abgestimmt, zwangsläufig bei einer solchen Umlaufsicherung gleichmäßig kursiert!* Mit einer solchen Umlaufsicherung würde auch die heutige problematische Praxis der Notenbanken überflüssig, zurückgehaltenes Geld durch höhere Zinsanreize in den Kreislauf zurückzulocken. Eine Beschleunigung des Geldkreislaufs tritt also mit Einführung einer zinsunabhängigen Umlaufsicherung nicht ein, wohl aber eine Verstetigung. Die heute vorhandenen Geldüberschüsse werden sich dabei durch Einzahlung bei den Banken abbauen.

Niedrigere Zinsen führen zu noch mehr Verschuldung

Sinkende Zinsen beleben zweifellos das Kreditgeschäft, weil damit Investitionen möglich werden, die bislang an der Zinsschwelle scheiterten. Das gilt besonders für manche ökologisch wünschenswerten Vorhaben, beispielsweise Solar- und Windkraftanlagen.

Doch muß trotzdem kein Verschuldungsboom befürchtet werden: Kreditaufnahmen können immer nur in dem Umfang ausgeweitet werden, wie auf der anderen Seite die Geldüberschüsse zugenommen haben. Da aber mit sinkenden Zinsen die Vermögenseinkommen zurückgehen, verringert sich auch das Angebot für Kredite. Damit entstehen jedoch keine Engpässe oder Finanzierungsprobleme, da im Umfang der rückläufigen Zinseinkommen die Arbeitseinkommen zunehmen. Das heißt, die Unternehmen können – wenn sie investieren wollen – verstärkt auf eigene Einkommen zurückgreifen oder auch auf die Ersparnisse der Beschäftigten, falls diese ihre Arbeitszeiten nicht reduzieren. Tun sie das jedoch, sind auch weniger Investitionen erforderlich.

Auch aus einem anderen Grund kann es bei niedrigeren Zinsen zu keiner Kreditschwemme kommen: Genau wie heute muß man weiterhin für alle Darlehen Sicherheiten bieten, womit sich der Kreis der Kreditwürdigen wie bisher eingrenzt. Auch »kostenlose Kredite« wird es niemals geben, da zumindest die Bankvermittlungs- und Risikokosten getragen werden müssen, die heute – je nach Kreditart und Laufzeit – zwischen einem und fünf Prozent der Kreditsumme liegen.

Im übrigen würde der Zins nach Einführung einer Geldumlaufsicherung nicht schlagartig, sondern nur nach und nach zurückgehen und sich schließlich, bei ausgeglichenen Kapitalmarktlagen, um Null einpendeln. Aber auch bei einem derartigen Stand wird nur dann jemand investieren und produzieren, wenn an den Gütermärkten die Nachfrage das Angebot übersteigt und Aussicht besteht, die aufgenommenen Darlehen zurückzahlen zu können.

Bei niedrigen Zinsen flüchtet das Geld ins Ausland

Auch hier muß zuerst eine Fehlvorstellung revidiert werden: Geld »flüchtet« oder »fließt« nie ins Ausland – es sei denn, jemand trägt es im Koffer über die Grenze und schließt es dort in einen Tresor ein. Dann aber liegt nichts anderes vor als eine normale Hortung. Dies aber wäre sowohl hier wie dort mit Kosten und Verlusten verbunden, wenn das Geld mit einer zinsunabhängigen Umlaufsicherung gekoppelt würde.

»Mit seinem Geld ins Ausland gehen« kann man ansonsten nur durch einen Währungstausch. Das heißt, wenn jemand wegen der niedrigen Markzinsen von Mark auf Dollar umsteigen will, braucht er einen Tauschpartner, der genau das Gegenteil möchte. Das gilt nicht nur für einen Bargeldtausch, sondern ebenso für einen Tausch von Mark- gegen Dollarguthaben, auch wenn diese Vorgänge durch die Bankabwicklungen unübersichtlich werden. Doch ganz gleich, welchen Tausch wir annehmen: Der Dollarbesitzer wird nur dann auf die umlaufgesicherte Mark beziehungsweise deren geringverzinste Guthaben wechseln, wenn er die erworbene Kaufkraft für Reisen, Käufe oder Investitionen im DM-Raum einsetzen will. Damit aber sind diese Geld- oder Guthabenbestände wieder dort, wo sie hingehören. Und darin liegt der Sinn einer funktionierenden Umlaufsicherung.[8]

Kommt es zu einer übermäßigen Nachfrage nach Dollar oder einer anderen Währung, erhöhen sich auf dem freien Markt entsprechend die Wechselkurse, was den Boom selbststeuernd

110

abbremst. Das heißt, genauso wie auch heute die unterschied-lichen Zins- und Inflationshöhen und -schwankungen durch die Veränderungen der Wechselkurse ausgeglichen werden, ist das auch bei sinkenden Zinsen als Folge einer zinsunabhängi-gen Umlaufsicherung der Fall.

Im Zusammenhang mit sinkenden Zinsen muß man in bezug auf ihre Reaktionsweisen auch zwischen Investoren und Spekulanten unterscheiden: Der Spekulant versucht an Wäh-rungen mit hohen Zinsen zu gelangen, hoffend, rechtzeitig den Absprung zu schaffen, wenn ein Umkippen des Wechselkurses seine Spekulationsgewinne gefährdet.

Der Investor dagegen, also jemand, der ein Unternehmen gründen oder ausbauen will, zieht Länder mit möglichst nied-rigen Zinsen vor, weil er dort günstigere Produktionsbedingun-gen findet. Nur die Investoren jedoch erweisen sich in einer Wirtschaft als positiver Faktor. Die Spekulanten dagegen bela-sten und verunsichern jede Volkswirtschaft und den grenz-überschreitenden Handel. Ihr Anwachsen ist immer ein Beweis für eine Überentwicklung der Geldvermögen, die im Bereich der Investitionen nicht mehr die erwartete Rendite finden. Aber nicht nur die Spekulation erhöht sich aufgrund der fehlenden zinsunabhängigen Umlaufsicherung bei niedri-ger Rendite, sondern auch die liquiden Geld- und Guthaben-haltungen nehmen zu. Dadurch entsteht ein Mangel an Geld und ein Rückgang der langfristigen Kreditangebote, bis es als Folge davon schließlich zu einem Wiederanstieg der Zinsen kommt und sich die Spekulation vermindert.

Heute hortet doch niemand mehr Geld, und wenn, so ist das kein Problem mehr

Mit ziemlicher Regelmäßigkeit erscheinen in der Presse Berichte über Verstorbene, die unter Matratzen oder sonstwo erkleckliche Geldsummen versteckt hatten. Noch größere Summen werden immer wieder bei Einbrüchen aus Wohnungen gestohlen und Millionenbeträge beim Ausräumen privater Bankschließfächer. Außerdem ist bekannt, daß in Inflationsländern häufig Geldbestände ausländischer Währungen in Milliardenhöhe gehortet werden, um Ersparnisverlusten zu entgehen.[9] Weitere Milliardenbeträge sind oft jahrelang in ausländischen Notenbanken stillgelegt. Auch wenn es darüber keine genauen Zahlen gibt: Die Höhe der dem Wirtschaftskreislauf entzogenen Geldsumme ist beträchtlich.

Scheinbar stellen alle diese Geldhortungen im Grunde heute kein Problem mehr dar: Im Gegensatz zur Goldgeldzeit können die Notenbanken die entzogene Kaufkraft durch Drucken zusätzlicher Scheine leicht ersetzen. Problematisch ist jedoch das erhebliche *Schwanken* dieser Bestände, das eine präzise Geldmengensteuerung und damit eine Stabilisierung der Kaufkraft unmöglich macht.

Diese Schwankungen der Geldhaltung werden vor allem vom Auf und Ab der Zins- und Inflationssätze ausgelöst, die im allgemeinen gleichgerichtet reagieren. Sinken die Sätze, läßt ihre umlaufsichernde Wirkung nach, und die liquide Geld-(zurück)haltung nimmt zu. Bei steigenden Zins- und Inflationssätzen verläuft es umgekehrt. Das heißt, bei sinkenden Zinsen sind die Notenbanken zu überhöhten Geldausgaben gezwungen.[10] Damit aber kommen Inflationspotentiale ins Spiel, die bei steigenden Zinsen virulent werden, erst einen Nachfrageboom und dann einen Inflationsanstieg auslösen. Mit anderen Worten: Es wird nicht nur immer noch in einem erheblichen Umfang Geld zurückgehalten, sondern diese Hortungen führen aufgrund ihrer schwankenden Bestände zu erheblichen Problemen, die einen entscheidenden Einfluß auf den Konjunkturverlauf ausüben.[11]

Bargeld, das durch die Umlaufsicherung am höchsten belastet wird, spielt doch heute kaum noch eine Rolle

Diese Einschätzung ist darauf zurückzuführen, daß in den meisten Ländern die Girokontenbestände größer sind als die Bargeldmenge. Außerdem werden diese Sichtguthaben deutlich häufiger umgeschlagen als das Geld, wenngleich über letzteres nur Schätzungen möglich sind. Die Relationen zwischen Geldmenge und Sichtguthaben sind jedoch – entgegen oft geäußerten Annahmen – ziemlich konstant. In der Bundesrepublik liegen sie seit zwanzig Jahren bei eins zu zwei.

Was nun die Rolle des Bargelds anbetrifft, so hat die Bundesbank vor einigen Jahren ermittelt, daß 87 Prozent aller Zahlungsvorgänge in der Endnachfrage bar abgewickelt werden[12] und nur 13 Prozent per Scheck, Überweisung oder Dauerauftrag. Geht man vom *Wert* der Endnachfrage statt von der Anzahl der Vorgänge aus, dann dürften etwa 60 Prozent der Käufe bar und 40 Prozent unbar abgewickelt werden. Vergleicht man die unbare Endnachfrage mit den gesamten Umschichtungen auf den Girokonten, dann sind die Verbraucher daran nur mit 2,1 Prozent beteiligt, also nur knapp mit einem Fünfzigstel![13]

Die riesigen Umsätze auf den Girokonten, haben zwei entscheidende Ursachen:

Einmal wird über diese Konten die Mehrzahl der Zahlungsbeziehungsweise Verrechnungsvorgänge im Vorfeld der Endnachfrage abgewickelt: von der Rohstoffsuche über die verschiedenen Produktionsstufen bis zum Groß- und Einzelhandel, einschließlich aller investitionsbezogenen Ausgaben.

Zum anderen läuft über die Girokonten der Großteil sämtlicher Bestands- und spekulativen Anlagenumschichtungen an Banken und Börsen ab.

Alle diese Umsätze haben also nur zum Teil mit der Versorgungswirtschaft zu tun. Vor allem aber finden die vielen Übertragungen im Vorfeld der Endnachfrage nur so lange statt, wie am Ende der Kette jemand in einen Laden geht und kauft. Das heißt, *die Endnachfrage ist konjunkturentscheidend, und diese wird immer noch überwiegend mit Bargeld getätigt.*

Dabei ist noch etwas zu beachten: Der überwiegende Teil der von den Endverbrauchern vollzogenen unbaren Abwicklungen betrifft feste, gleichbleibende Beträge, etwa für Miete, Versicherung, Steuern und dergleichen, also relativ starre und konstante Größen. Damit verlagern sich die schwankenden konjunkturbestimmenden Nachfragevorgänge noch stärker auf die Zahlungsvorgänge mit Bargeld.

Bei einer Umlaufsicherung auf Bargeld und Girokonten hortet man Goldbarren oder andere Wertgegenstände

Die »Flucht« in Gold oder andere Wertgegenstände hat gar keine Auswirkung auf die Geldmenge oder den Geldkreislauf. Hier findet jedesmal nur ein Tausch von Ware gegen Geld statt und umgekehrt. Allenfalls könnte durch einen verstärkten Bedarf an solchen Gegenständen deren Preis in die Höhe gehen. Selbst bei einer Inflation von zehn und mehr Prozent wird das Geld als Tauschmittel heute nicht vom Markt verdrängt. Weshalb sollte da eine Umlaufsicherungsgebühr von sechs Prozent, die den Wert des Geldes und der Ersparnisse endlich garantieren kann, zu solch einem Verhalten führen?

Wenn die Zinsen sinken, übernimmt der Gewinn die Rolle des Wachstumsantreibers

Bei der Beurteilung dieser Annahme müssen zuerst die Unterschiede zwischen Zins und Gewinn herausgearbeitet werden:

- Der Zins ist eine *leistungslose Prämie* für die Überlassung von Geld, die sich auf alle wirtschaftlich genutzten Sachgüter überträgt.

  Der Gewinn ist eine *leistungsbezogene Prämie* für unternehmerisches Risiko und Tun, die zur Marktbedienung anregt.

- Der Zins ist ein Knappheitspreis, dessen Absinken durch Angebotszurückhaltung verhindert werden kann.

  Der Gewinn ist ein Knappheitspreis, der sich durch den von ihm ausgelösten Wettbewerb herunterkonkurriert.

- Der Zins ist eine feste, auf die Kapitalmasse bezogene Größe, die auf jeden Fall erwirtschaftet werden muß.

  Der Gewinn ist eine kalkulatorische, auf den Umsatz bezogene Überschußgröße, deren Umfang erst am Jahresende zu ermitteln ist.

- Die Summe aller Zinsen nimmt proportional mit den Investitionen und der Kapitalmasse zu.

  Die Summe aller Gewinne geht mit den Investitionen und der damit verbundenen zunehmenden Marktsättigung – zumindest relativ – zurück.

- Ein Unternehmen ist dann rentabel, wenn es bezogen auf das eingesetzte Kapital mindestens den Geldzins in Höhe von sechs bis acht Prozent erwirtschaftet.

  Ein Unternehmen ist wirtschaftlich, wenn es bezogen auf den Umsatz ein bis zwei Prozent Gewinn herausholt.

- Da die Kapitalmasse im Mittel heute etwa viermal größer als der Endumsatz ist, liegt der Zinsanteil im Preis bei 24 bis 32 Prozent, während der Gewinn im Preis einen Bruchteil dieser Größe beträgt.

Der entscheidende Unterschied zwischen Zins und Gewinn ist der unter dem zweiten Punkt genannte: Der Gewinn unterliegt den Marktgesetzen und tendiert mit zunehmenden Sättigungsentwicklungen gegen Null. Dieser Wirkungsmechanismus des Markts kann nur vorübergehend bei Knappheitslagen oder durch Monopole unterlaufen werden.

Der Gewinn kann also niemals die Rolle der Zinsen übernehmen. Und aufgrund seiner negativen Rückkoppelung ist er als dauernder Wachstumsantreiber gar nicht geeignet.

Wachstumsstillstand bedeutet Rückschritt

Alle natürlichen und gesunden Wachstumsprozesse stabilisieren sich auf einer optimalen Höhe. Diese Regel gilt für alles Leben auf unserer Erde. Sie gilt auch für die Wirtschaft, die sich den Gesetzen der Natur nicht ungestraft entziehen kann.

Nach dem letzten Krieg war das Wirtschaftswachstum in den ersten zehn bis zwanzig Jahren notwendig und sinnvoll. Nachdem jedoch fast alles wiederaufgebaut war, hätte es aufgrund der einsetzenden Sättigungserscheinungen zu einer Abnahme des Wachstumstempos und schließlich zu einem Einpendeln der Leistung auf einer optimalen Höhe kommen müssen. Eine solche natürliche Stabilisierung bedeutet jedoch weder Stagnation noch Rückschritt. Sogar der materielle Wohlstand kann unter derartigen Bedingungen noch gesteigert werden: einmal, weil sich langlebige Güter weiterhin anhäufen; zum anderen, weil Arbeitskräfte aus den gesättigten Bereichen, in denen nur noch eine Ersatzbeschaffung erforderlich ist, für andere zusätzliche Güterproduktionen eingesetzt werden können. Zum dritten setzt sich der technische Fortschritt auch in stabilisierten Volkswirtschaften fort und schafft damit die Möglichkeit, mehr oder bessere Güter zu erzeugen. Das heißt, auch ohne Wirtschaftswachstum ist entweder eine weitere (wenn auch langsamere) Steigerung des Wohlstandes möglich oder, bei gleichbleibendem Wohlstand, eine ständige Verringerung von Produktion und Arbeitszeit.

Schon vor mehr als fünfzehn Jahren hat der ehemalige Wirtschaftsminister *Friderichs* einmal gesagt, daß es drei Arten von Arbeit gäbe: sinnvolle, überflüssige und schädliche. Wenn wir demzufolge unser Wirtschaftswachstum in den letzten zwei Jahrzehnten einer kritischen Prüfung unterziehen, dann kann man sagen, daß das Gros der Zusatzproduktionen in die beiden letztgenannten Kategorien gehört, nämlich in die des Überflüssigen und des Schädlichen. Die Zeitungen sind täglich voller Beweise.

Mit einer Zinssenkung
sind die Umweltprobleme nicht zu lösen

Zweifellos hat eine Zinssenkung keinen direkten Einfluß auf die Umweltproblematik. Wohl aber verringert sich – wie hier mehrfach dargelegt – der Wachstumsdruck in der Wirtschaft und damit der Zwang zu einem immer größeren Ressourcenverbrauch, der mit stetig steigenden Umweltbelastungen verbunden ist.

Doch auch bei einer Wirtschaft ohne Wachstum, ja sogar mit rückläufigen Leistungen, bleibt das Problem der Rohstoff- und Energieverschwendung bestehen und damit auch das Dilemma ihrer Folgen.

Neben einer konstruktiven Umlaufsicherung des Geldes, mit der der Wachstumszwang in unseren Volkswirtschaften verringert werden kann, sind darum direkte Maßnahmen zum Schutz der Natur unverzichtbar. Dazu gehören vor allem die heute bereits diskutierten Ökosteuern und -abgaben, Auflagen und Verbote. Das heißt, die Umwelt muß mit einem Preis versehen werden, sie darf nicht mehr zum Nulltarif benutzt, verbraucht und belastet werden. Und diesen Preis hat jeder zu zahlen, der die Natur in Anspruch nimmt.

Außer der Geldordnungskorrektur und den ökologisch orientierten Schutzsteuern beziehungsweise -abgaben ist aber auch eine Reform des Bodenrechts erforderlich, welche die Rechte an der Nutzung der Bodenressourcen miteinschließt. Diese Bodenrechtsreform muß praktisch parallel mit der Geldordnungsreform durchgeführt werden, da sich sonst die Spekulation, noch mehr als heute bereits, auf den Boden verlagern würde.

Als naturgegebenes Gut und Lebensgrundlage aller Menschen darf der unvermehrbare Boden, genau wie Licht, Luft und Wasser, kein privates Eigentum sein, mit dem von allen anderen ein Tribut erzwungen werden kann. Er muß darum schrittweise in das Eigentum der Allgemeinheit (nicht des Staates!) zurückgeführt und mit langfristigen Verträgen den Nutzern überlassen werden. Das gleiche gilt für alle Bodenschätze und die Wasserrechte.

So richtig und wichtig alle Ökosteuer- und Abgabenmodelle auch sind: Solange wir den Wachstumszwang und -wahn nicht überwinden, hat die Umwelt keine Chance zur Erholung – selbst dann nicht, wenn wir alle Leistungszuwächse in Umwelttechnologien einsetzen. Schon ein Wirtschaftswachstum von vier Prozent führt in achtzehn Jahren zu einer Verdoppelung unseres heutigen Produktions- und Verbrauchsvolumens und damit auch zu einer Verdoppelung der negativen Folgen.[14]

Erst wenn es uns gelingt, die Ursachen des Wachstumszwangs zu überwinden und krisenfreie Wirtschaftslagen ohne Wachstum möglich zu machen, können auch die übrigen Maßnahmen zur Rettung unserer Umwelt wirklich greifen.

Die Folgen von Zinssenkungen in der Zusammenfassung:

Mit sinkenden Zinsen

- geht das übersteigerte Wachstum der Geldvermögen zurück und damit auch das der Überschuldung;
- verringern sich die Diskrepanz zwischen Arbeit und Besitz, arm und reich und damit auch die sozialen Spannungen;
- werden alle Schulden trag- und rückzahlbarer, was nicht nur für die Dritte Welt von Bedeutung ist;
- geht der Zwang zum Wirtschaftswachstum zurück, mit dem man heute allein der Verarmung der Arbeitleistenden entgegenwirken kann;
- wird die Entwicklung der Wirtschaft immer mehr von den Interessen der nachfragenden und leistenden Menschen bestimmt, immer weniger von den (Zins-)Interessen des Kapitals.
- wird – und das ist ganz entscheidend – ein Wirtschaften ohne Wachstum überhaupt erst möglich.

Oder anders ausgedrückt: Erst bei einem Zins um Null können wir uns ein »Nullwachstum« erlauben.

Anmerkungen

1 Dieser Beitrag erschien in der *Zeitschrift für Sozialökonomie*, 89. Folge, April 1991, und wurde, da er die immer wieder gestellten Fragen beantwortet, die von engagierten Umweltschützern und Ökonomen kommen, die der Geldproblematik gegenüber offen sind, in gekürzter Form mit der Erlaubnis des Autors hier übernommen, das heißt auch die folgenden Anmerkungen stammen von Helmut Creutz.

2 Die »magische Untergrenze« liegt beim Kapitalmarktzins in der Bundesrepublik etwa bei sechs Prozent. Unter diese Grenze ist der Zins nur wenige Male kurzfristig gefallen. Selbst als die Inflation bei Null oder sogar darunter lag, wie 1986, blieb der Zins an dieser Marke hängen.

3 »99 Prozent der Menschen sehen das Geldproblem nicht. Die Wissenschaft sieht es nicht, die Ökonomie sieht es nicht, sie erklärt es sogar als ›nicht existent‹. Solange wir aber die Geldwirtschaft nicht als Problem erkennen, ist keine wirkliche ökologische Wende möglich.« (Hans Christoph Binswanger, *esotera*, 12/88) »Immer dann, wenn es in der ökonomischen Realität anders zugeht, als es die Modelle der Wirtschaftslehrbücher vorschreiben, sollten die Ökonomen, statt in der Rumpelkammer überholter Theorien herumzustöbern, nach den monetären Ursachen der Krise fahnden.« (Wilhelm Hankel: *John Maynard Keynes*. München 1986, Seite 121)

4 Diese Relation entspricht etwa den Gegebenheiten bei den heutigen Marktmieten, die zu 60 bis 65 Prozent von der Kapitalverzinsung beherrscht werden. In den offiziellen Berechnungen der Kostenmiete für die Sozialwohnungen liegt der Zinsanteil sogar bei 70 bis 80 Prozent.

   Die hohen Mieten in den Citylagen werden vor allem von den oft horrenden Bodenpreisen bestimmt, die genauso wie die Kosten für das Bauwerk über die Miete verzinst werden müssen. In extremen Fällen kann diese Bodenkapitalverzinsung über derjenigen der Baukosten liegen.

5 Laut *forbes* vom Juli 1989 gibt es in der Bundesrepublik 82 Milliardäre mit einem Gesamtvermögen von 195 Milliarden Mark. Bei sechs Prozent Verzinsung liegt das Vermögenseinkommen im Jahr bei 11,7 Milliarden Mark, was ein tägliches leistungsloses Einkommen von 390 000 Mark für jede Milliardärsfamilie ergibt. Allein für diese 82 Milliardäre müssen 1,3 Millionen Beschäftigte täglich knapp drei Stunden mehr arbeiten, als es ihren eigenen Erfordernissen entspricht.

6 Bezogen auf den Unternehmenssektor ist die Wertschöpfung von 1960 bis 1989 auf das 6,8fache angestiegen, die Verschuldung auf das 11,6fache, während die Zinszahlungen für die Verschuldung auf das 15,9fache anwuchsen.

7 In der Hochzinsphase von 1979 bis 1982 hat die Bundesbank die Banknotenmenge von 79,4 auf 88,6 Milliarden Mark vermehrt, also um 9,2 Milliarden Mark = 13 Prozent. Diese Zunahme entsprach auch der des nominellen Bruttosozialprodukts (BSP), das in den drei Jahren um 14 Prozent gestiegen war.

In der Niedrigzinsphase von 1985 bis 1988, in der das nominelle BSP um 15 Prozent zunahm, mußte die Bundesbank die Geldmenge aufgrund der überhöhten Nachfrage nach Liquidität von 105 auf 151 Milliarden Mark ausweiten, also um 46 Milliarden Mark = 44 Prozent! Aufgrund des Wirtschaftswachstums wäre nur eine Ausweitung um 15 Prozent = 16 Milliarden Mark angebracht gewesen. Das heißt, in diesen drei Jahren wurde die Geldmenge um 30 Milliarden Mark zuviel vermehrt – um 30 Milliarden Mark, die nicht in den Umlauf kamen. Die von der Bundesbank immer benutzte Bezeichnung »umlaufende Geldmenge« ist sachlich also unzutreffend. Richtig wäre allenfalls der Begriff »herausgegebene Geldmenge«. Erst wenn es gelingt, diese mit der umlaufenden in Übereinstimmung zu bringen, ist eine stabilitätsgerechte Steuerung der Geldmenge möglich.

Aufschlußreich ist auch, daß mehr als die Hälfte der von 1985 bis 1989 vermehrten Geldmenge aus 1000- und 500-Mark-Noten bestand: zusammen 69 Prozent. In den drei Jahren von 1979 bis 1982 nahmen diese Noten nur um 28 Prozent zu. Auch diese Tatsache steht als Beweis für eine verstärkte Geldzurückhaltung.

8 »Der Begriff ›Kapitalflucht‹ hat einen dramatischen Akzent. Nüchtern betrachtet steht dahinter die Tatsache, daß Wirtschaftssubjekte eines Landes Kapitalanlagen im Ausland erwerben. Sie tauschen inländische Währung in Fremdwährungen um und erwerben damit Auslandsaktiva, z. B. in Form von Bankeinlagen, ausländischen Wertpapieren und Immobilien.« (Dieter Duwendag: »Kapitalflucht aus Entwicklungsländern: Schätzprobleme und Bestimmungsfaktoren«; in: *Die Internationale Schuldenkrise*, Berlin 1986)

Duwendag bestätigt, daß immer nur ein Tausch vorliegt. Der Inländer verfügt über ausländisches Geld, Geldguthaben oder -anlagen, der Ausländer über inländische Werte in gleicher Höhe, auch wenn die Verwendungen unterschiedlich sind.

9 »Es wird geschätzt, daß in Argentinien etwa 5 Mrd. Dollar in Scheinen ›unter den Matratzen‹ versteckt sind, die (wenn sie

geliehen sind) selbstverständlich verzinst werden müssen. D. h., das argentinische Volk zahlt also mindestens 350 Millionen Dollar im Jahr [an Zinsen, d. V.] oder verzichtet auf Einnahmen in dieser Höhe, weil es zu Recht kein Vertrauen in die eigene Währung hat.« (Hans Matthöfer: »Nur Schuldenerlaß für Lateinamerika ist eine Lösung – Die Verantwortung der Industrieländer«. *Frankfurter Rundschau*, 15. Februar 1988)

10 Siehe Anmerkung 7.

11 Werden die Geldhorte bei steigenden Zinsen aufgelöst, kommt es zu einem nicht durch Leistung gedeckten Nachfrageschub, der eine inflationäre Preiserhöhung und einen Zinsauftrieb zur Folge hat. Auf steigende Zinsen aber reagiert mit einem bis zwei Jahren Verspätung die Konjunktur. So kann man bei langfristigen Vergleichen feststellen, daß alle wichtigen Wirtschaftsindikatoren mit den Zinsschwankungen entweder gleich- oder gegengerichtet verlaufen. Diese Wechselwirkungen werden um so deutlicher, je höher der Verschuldungsgrad einer Wirtschaft ist und je prägnanter die Hochzinsphase ausfällt.

12 »Zahlungsverkehr: Bargeld ist nicht zu schlagen«. *Handelsblatt*, 27. Februar 1986

13 Geht man davon aus, daß die Privathaushalte 40 Prozent ihrer Endnachfrage bargeldlos abwickeln, dann ergibt sich je Haushalt und Monat im Durchschnitt dafür ein Betrag von 1560 Mark, für alle Haushalte zusammen von 40,6 Milliarden Mark. Da die gesamten Guthabenübertragungen 1989 im Monatsdurchschnitt bei 1941 Milliarden Mark lagen, war die private Endnachfrage daran nur mit gut zwei Prozent beteiligt.

14 Den Tatbestand, daß ohne Überwindung des Wachstumszwangs auch alle Ökosteuermodelle letztendlich versagen müssen und daß der heutige Wachstumszwang vom Geldbereich ausgeht, hat der in Baden-Württemberg lehrende Johannes Jenetzky schlüssig nachgewiesen: »Abgaben als Instrument ökologischer Zielsetzungen«; in: *Steuerrecht im Wandel*, Stuttgart 1989

Obwohl jeder nachdenkliche Mensch einsieht, daß auf einer begrenzten Erde kein unbeschränktes Wachstum möglich ist, setzen die Politiker weiter darauf und behaupten: »Unsere Wirtschaft ist auf niedrigeres oder gar ›Nullwachstum‹ nicht eingestellt. Wachstumsstillstand bedeutet Massenarbeitslosigkeit und damit den katastrophalen wirtschaftlichen Zusammenbruch der Bundesrepublik Deutschland.« So Hans Matthöfer, zitiert in: *Wege aus der Wohlstandsfalle*, 1980. Warum das so ist und wie man aus dem Dilemma herauskommen könnte, wird nicht untersucht.

Hinweis: Alle angegebenen Zahlen entstammen den Veröffentlichungen des Statistischen Bundesamts beziehungsweise der Bundesbank, die vorgenommenen Berechnungen bauen darauf auf.

TEIL 2

Vergangenheit · Zukunft · Gegenwart

V. Lernen aus der Geschichte

Eigentlich gehört eine geschichtliche Betrachtung an den Anfang eines Buches über das Thema Geld. Um jedoch die Funktion des Geldes im historischen Ablauf verstehen zu können, war zunächst das Verständnis für seine Anwendung und die sich daraus ergebenden Folgen erforderlich. Nur so wird deutlich, warum unser heutiges Geldsystem eine Grundvoraussetzung für über dreitausend Jahre zyklisch wiederkehrender Wirtschaftskrisen, Ausbeutung von Mensch und Erde, blutiger Kriege und endlosen Leids auf dieser Welt ist und daß wir bis heute wenig aus der Vergangenheit gelernt haben. Wer jedoch aus der Geschichte keine Lehren zieht, muß sie wiederholen. Das gilt für einzelne wie für ganze Staaten.

»Niemand weiß, wie das Geld zum erstenmal in der Menschheitsgeschichte entstanden ist«, sagte Wilhelm Roepke 1937 in »Die Lehre von der Wirtschaft«.[1] »Die heute verfügbaren Theorien über Geld gehören zu den unfertigsten Bestandteilen der ökonomischen Analyse«, bestätigt R. W. Clower in seiner »Monetary Theory«[2] noch 1969, und Keizo Nagarani wiederholt den Gedanken in einem weiteren Buch »Geld-Theorie« folgendermaßen: »Wir machen die Annahme, daß Geld nützlich ist und daß seine Erwünschtheit von allen Beteiligten an einem ökonomischen System voll anerkannt wird. Es war der gemeinsame Glaube all dieser Wirtschaftssubjekte, welcher Geld erst Geld werden ließ [...] Diese geschichtliche Sicht kann aber die Frage nicht beantworten, wie Geld in die Welt gekommen ist. Nach allem, was ich weiß, wurde diese Frage niemals richtig beantwortet.«[3]

Diese kurze Auswahl von Zitaten aus Gunnar Heinsohns »Privateigentum, Patriarchat, Geldwirtschaft«[4] soll als Hinweis darauf genügen, wie schwierig eine Rekonstruktion der Geldentstehung ist. Heinsohn hat in diesem Zusammenhang völliges Neuland betreten.

Zur Entstehung des Geldes in der Antike

In einer sozialtheoretischen Rekonstruktion zur Antike verbindet Heinsohn zum erstenmal die Entstehung der Geldwirtschaft mit der Herausbildung von Privateigentum und Patriarchat. Aus dem Studium des »dunklen Zeitalters« zwischen dem 13. und 8. Jahrhundert vor unserer Zeitrechnung ergibt sich für ihn eine neue Antwort darauf, wie sich der Übergang vom Matriarchat zum Patriarchat im Mittelmeerraum vollzog. Er findet in der Überlieferung von Heldenmythen und Sagen ebenso wie in archäologischen Arbeiten und frühen Geschichtsbeschreibungen Beweise dafür, daß am Anfang des Patriarchats das Privateigentum und die Geldwirtschaft stehen. Da diese Analyse verständlich macht,

- warum erstens unser heutiges Geld seine Tauschfunktion nur unvollkommen erfüllen kann,
- wie zweitens der Zins zustande kam,
- wie eng, drittens, Geld- und Bodenrecht zusammenhängen,
- viertens, welche Rolle die Frauen in diesem Zusammenhang spielten,

werden die für uns so wesentlichen Punkte hier zusammengefaßt.

Der Beginn dieser geschichtlichen Entwicklung mit den historischen Neuerungen Privateigentum, Patriarchat und Geldwirtschaft wurde laut Heinsohn dadurch ausgelöst, daß Gruppen oder einzelne Männer, die aus unterschiedlichen Gründen – Naturkatastrophen, Übervölkerung, sozialen Konflikten und anderem – keinen Platz in den matrilinearen (von Müttern auf Töchter vererbenden) Stammesgesellschaften oder den von Männern beherrschten Feudalsystemen mehr vorfanden, sich zusammenschlossen. Sie gründeten neue Gemeinwesen auf erobertem Land, das sie nun gleichmäßig untereinander aufteilten. Jeder erhielt ein abgegrenztes eigenes Stück Grund und Boden, über das nur er selbst disponieren durfte, auf dem er also vor existentiellen Entscheidungen anderer und vor Ausbeutung sicher war. »In Rom geschieht das der Sage nach durch rechteckige Grenzziehungen (Roma Quadrata) zwischen den Äckern ohne Rücksicht auf die natürliche Bodengliederung oder Wasserläufe.«[5]

Dieser Schritt in die Freiheit begründet also im Gegensatz zu mutterrechtlich organisierten Stammesgesellschaften, in denen das Land allen zustand, und feudal regierten Reichen, die das Eigentum des jeweiligen Herrschers oder der Fürsten waren, den Begriff des *Privateigentums einzelner*. Doch obwohl die diesbezügliche Gründergeneration aus tatkräftigen Männern besteht, sind sie ökonomisch gesehen relative Habenichtse. Sie unterscheiden sich untereinander bestenfalls in der mehr oder weniger günstigen Lage ihrer Äcker.

Um jedoch darauf etwas zu produzieren, braucht es mehr als ein Stück Land: Unterkunft, Geräte, Lager, Saatgut und dergleichen. Das heißt: Um unabhängig zu bleiben, mußten die ersten Patriarchen – wiederum im Gegensatz zu Stammesgesellschaften, in denen sich alle gegenseitig beim Bauen helfen und sich die Geräte voneinander ausleihen – *Schuldverträge* abschließen über die Höhe der Verpflichtungen, die sie in Form von Edelmetall zurückzahlten, oder einer konkreten Leistung, die sie später erbrachten. Um das persönliche Risiko des jeweiligen Kreditgebers und den damit verbundenen Verzicht auf das, was er nicht braucht und daher verleihen kann, auszugleichen, kommt der Zins ins Spiel. Eine grundsätzlich andere Herkunft des Zinses beschreibt Paul C. Martin (der auf der Analyse von Heinsohn aufbaut). Er meint, daß die Menschen nur das verleihen, was sie ohnehin nicht benötigen. Damit sie sich wiederum aber von jenem trennen können, müssen ihnen andere, die auf das Nichtbenötigte erpicht sind, mehr zurückzahlen als das, was die Verleiher dafür erhalten haben, beziehungsweise eine zusätzliche Leistung erbringen.[6]

Welche Herkunftserklärung nun die richtige ist, kann wohl kaum mit Sicherheit rekonstruiert werden; jedenfalls sind im Patriarchat erst durch das Privateigentum Schuldkontrakte zwischen einzelnen möglich geworden, und *diese sind*, nach Heinsohns Rekonstruktion, *der Ursprung der Geldwirtschaft und nicht* die *Verbesserung des Tauschhandels*, wie von den meisten Fachleuten angenommen wird. Heinsohn weist anhand verschiedener Beispiele nach, daß in Stammesgesellschaften der Grundsatz beim Tausch stets Gleichheit und gegenseitiger Nutzen, Profit auf Kosten eines anderen dagegen tabu war.[7]

Daß dieses Prinzip auch im Handel zwischen unterschiedlichen Völkern galt, beschreibt Herodot etwa um 550 unserer Zeitrechnung:

»Die Karthager berichteten: Es wären auch noch libysches Land und Menschen darin jenseits der Säulen des Herkules [der Straße von Gibraltar] zu erwähnen. Wenn wir dahin kommen, laden wir unsere Waren aus, dann gehen wir wieder auf unsere Schiffe und machen einen großen Rauch. Wenn nun die Eingeborenen diesen Rauch sehen, kommen sie an das Meer und legen für die Waren Gold hin und gehen dann wieder weit weg von den Waren. Wir gehen dann wieder an Land und sehen nach – wenn unserer Meinung nach das Gold genug ist für die Ware, nehmen wir es und fahren nach Hause. Ist es aber unserer Meinung nach nicht genug, gehen wir wieder an Bord und warten. Dann kommen [die Eingeborenen] wieder und legen noch Gold dazu – bis wir zufrieden sind. Keiner aber betrügt den anderen, denn die einen rühren nicht das Gold an, ehe die

Waren damit bezahlt sind, noch rühren die anderen die Waren an, bis sie [die Partner] das Gold genommen haben.«[8]

Wo in der Literatur häufig Edelmetallmengen als »Zahlungsmittel« angeführt werden, zugleich aber zum Ausdruck kommt, daß sie auch durch andere Materialien ersetzt werden können, handelt es sich also jeweils auch beim Edelmetall »nur« um Tauschgut, wie im obengenannten Beispiel, und nicht um eine allgemein akzeptierte frühe Währungseinheit.[9]

Die Entstehung von Münzen ist jedoch mit Sicherheit auf die frühe Verwendung von Gewichtsgeld zurückzuführen. Da das Wiegen bereits in Feudalgesellschaften und auch bei Tempelbanken im Rahmen der Erfüllung von bäuerlichen Abgabepflichten in Naturalien eine Rolle gespielt hat, nimmt man an, daß Gewichte zuerst in allen möglichen Edelmetallen, dann – zur Einschränkung von Mißbrauch – zunehmend in Silber als Ersatz für die jeweiligen Produkte benutzt wurden. Sie verursachten weniger Lagerhaltungskosten und konnten leichter transportiert werden. Die französische Sprache kennt für Geld und Silber noch immer dasselbe Wort: argent.

Der auf die Einführung von Silbergewichten als allgemeinem Zahlgut zurückzuführende Mangel an diesem Edelmetall dürfte dann wohl auch als Ausgangspunkt für die nominale Münze gedient haben. Statt zehn Pfund Silber zu zahlen, beginnt der Feudalherr oder die Tempelbank – denn nur sie können sich einen solchen »Betrug« leisten –, mit einer Zehn in Form einer aufgeprägten Zahl auf einem Stückchen Silber ihre Schulden zu begleichen.

Doch auch für die Beziehung zwischen Schuldnern und Gläubigern erweist sich die Wertfestsetzung des Geldes durch ein zentrales staatliches oder kirchliches Geldmonopol als vorteilhaft. »Geld« muß etwas »gelten«, wie der deutsche Wortstamm sagt, sonst ist es eben keins. Und so müssen die Privateigentümer, das heißt die Patriarchen, die über den Teufelskreis Schulden, Zinsen, mehr Schulden bald in den

Strudel des »aufschuldenden« oder »debitistischen« Kapitalismus hineingezogen werden, auch sehr bald ein Interesse an einem starken Staat gehabt haben. Denn nur er kann dank seiner gesetzlichen Autorität den Gläubiger-Schuldner-Kontrakten die nötige Durchsetzung und dem ursprünglichen Betrug durch das nominale Geld die nötige Legitimation verleihen.

Geld entstand also nicht, um den Tausch zu vereinfachen – dann hätte man es vielleicht gleich mit einer anderen Umlaufsicherung als dem Zins versehen können –, sondern primär als Symbol einer persönlichen, vom einzelnen und nicht von einer Gemeinschaft zu tragenden und wegen des hohen Risikos zu verzinsenden Schuld. Es war damit von Anfang an Wertmesser, Zahlgut und Spekulationsmittel zugleich. Der Markt stellt sich in diesem Zusammenhang auch nicht in erster Linie als Ort des freien Austauschs von Gütern dar, sondern als Ort, wo Schuldner ihr Produkt in dasjenige Medium zurückverwandelten, in dem die Schuldendeckung vereinbart wurde.[10]

Heinsohn rekonstruiert nun folgende Kausalkette: Der Patriarch/Privateigentümer produziert nicht für den Tausch, sondern von Anfang an für Geld, um Schuld und Zinsen abzuzahlen. Er muß, um Warenüberschüsse herzustellen, immer mehr rationalisieren, das heißt die Produktionsbasis vergrößern und effektiver machen. Sein Existenzrisiko wird nicht von allen mitgetragen (wie in den früheren Stammesgesellschaften, wo sich nach schlechten Ernten alle einschränkten), sondern von ihm selbst beziehungsweise vom einzelnen, der in ständiger Konkurrenz mit anderen Patriarchen steht, die der *Überschuldungsgefahr* genauso rastlos zu entkommen trachten. Produziert er aufwendiger, wird sein Erzeugnis unverkäuflich, und ihm bleibt nicht weniger, sondern schlicht nichts; das heißt, er steht vor dem Ruin. »Hierin liegt die *Armseligkeit, die angsterzeugende Unsicherheit* in der antiken Privateigentümergesellschaft, wie reich und entwickelt sie auch immer gewesen sein mag«[11], stellt Heinsohn fest, und das ist, kann man sagen, das Dilemma der kleinen, mittleren und großen Privatunternehmen bis heute.

Der Druck, der aus der Existenzangst des einzelnen erwächst, mehrfach verstärkt durch das Phänomen »Zins«, ist nun Heinsohn zufolge der eigentliche Dynamo des Kapitalismus. Eine solche Geldwirtschaft transformiert nicht nur angrenzende Stämme, sondern eignet sich auch zur Kolonisierung noch unbehelligter Feudalreiche, die bis dahin ausschließlich durch die Übernahme des Landes von abhängigen Bauern territorial wachsen konnten.

»Der Randständigkeit und Kleinheit griechischer oder nahöstlicher Geldwirtschaften, die gleichwohl ausgedehnte Feudalgebiete des Altertums ihrer Dynamik unterwerfen, entspricht in der Neuzeit bekanntlich das technisch zurückgebliebene und dünnbesiedelte England. Seine kapitalistische Struktur führt nicht allein zum Niederkonkurrieren anfänglich weit überlegener europäischer Nationen wie Frankreich und Spanien, sondern schließlich sogar zur Übernahme von Indien und zur Destabilisierung Chinas – beides Feudalgebiete, die allein jeweils mehr Menschen umfaßten als ganz Europa zusammen (um 1500 haben Europa 81 Millionen, China 100 und Indien 105 Millionen Einwohner). Chaldäer, Phönizier, Griechen und Römer hätten dann für die Antike nichts Ungewöhnlicheres vollbracht als England für die Neuzeit.«[12]

Die Angst prägte im Patriarchat auch das Verhältnis der Geschlechter untereinander. Frauen mußten zu Anfang geraubt oder gezwungen werden, in diesen von Männern und männlichen Werten geprägten Gruppen zu leben, um deren Fortbestand zu sichern. In den Stammesgesellschaften waren die Frauen ebenso hochgeachtet wie der Mann und diesem gleichgestellt. Sie bestimmten über ihren Körper, die Anzahl der Kinder und mit welchen Männern sie zusammenleben wollten. Kein Wunder, daß sie sich gegen die Gewalt der Bevormundung, der sie in patriarchalischen Gruppen ausgesetzt waren, zur Wehr setzten. Dort unterstehen sie ausschließlich der Strafgewalt ihres Mannes, auf dessen Grundstück sie – vereinzelt also – leben.

»Nur wenn die Gattin ausschließlich mit ihrem Mann sexuell verkehrt, ist ihr Sohn – wenn auch nicht sichtbar, so doch logisch schlüssig – zugleich der Sohn ihres Mannes. Nur durch deduktiv-logische und so zugleich genealogische Schlüsse können die nachwachsenden Männer ihre Erbberechtigung sich selber klar- und anderen glaubwürdig machen.«[13]

Nach neuen patriarchalischen Gesetzen darf der Patriarch die Gattin töten, wenn sie die Schlüssel entwendet, das heißt zu entlaufen versucht; wenn sie Ehebruch begeht und versucht Geburten selbst zu regeln. Der Mythos vom Heros Herkules, welcher die »Äpfel der Hesperiden« raubt – Pomeranzen, aus deren Schalen das Verhütungsmittel Hesperidin gewonnen werden kann –, läßt nach Heinsohn vermuten, daß man auch bereits danach trachtete, Kontrolle über die Empfängnis zu erlangen, ohne die das Patriarchat möglicherweise nicht einmal in die zweite Generation gegangen wäre.[14]

Gewalt bei der Eroberung und Besetzung von Land, Betrug bei der Einführung des Münzgeldes und sexuelle Unterdrückung bei der Eingliederung der Frau stehen also miteinander Pate an der Wiege des Privateigentums an Grund und Boden, der Geldwirtschaft und des Patriarchats. Sie entstehen »uno actu«, das heißt gemeinsam, und sind demnach auch nur so zu überwinden. Keines der aus dieser Dreierkonstellation hervorgegangenen – aber in den Auswirkungen wesentlich vielfältigeren – Probleme hat uns bis heute verlassen. Man denke nur an die Diskussionen zum sogenannten »Abtreibungsparagraphen« 218, in denen bis heute eine sehr klare Trennung zwischen Männern und Frauen verläuft, die sich durch alle politischen Parteien zieht.

Existenzunsicherheit und Armut prägen am Beginn die Privateigentumsverhältnisse von patriarchalischer Familie und Geldwirtschaft. Um das Privateigentum, Schuldkontrakte sowie die Einehe nach innen und außen zu dokumentieren und zu garantieren und wenn nötig kollektiv zu verteidigen, entsteht als wichtigste Institution der Staat der Antike und mit ihm das »römische Recht«, das später zur Grundlage der Rechtsprechung des Abendlands und darüber hinaus der gesamten westlichen Welt wird. »Ein Staatslenker hat in erster Linie dafür zu sorgen, daß der Privatbesitz keines Staatsbürgers angetastet wird«, sagt Cicero. »Das Recht auf persönliches Eigentum muß einem jeden bleiben.«[15] In anderen Schriften stellt er jedoch auch fest, daß es von Natur aus kein Eigentum an Land gibt und dieses nur durch Inbesitznahme unbewohnter Gebiete, durch gewonnene Kriege, durch Gesetz, Vertrag, Vereinbarung, Losung entsteht: »Ursprünglich gab es nur Gemeinbesitz [...] wer davon etwas für sich hinzuverlangte, also fremdes Eigentum begehrte, verletzte das in der menschlichen Gesellschaft begründete Recht.«[16] Von dieser Rechtsform, die in den matrilinearen Stammesgesellschaften galt, kann Bertha Eckstein Diemer im Vergleich zum patriarchalischen Un-Recht dann sagen: »Ordnung ohne Verordnung ist weibliches Privileg.«[17]

Um die geringe Sicherheit, die der Privatbesitz dem einzelnen Patriarchen bietet, zu stabilisieren, mußte der Staat mit entsprechenden Gesetzen und Macht ausgestattet werden. Außerdem führt die elementare Neuerung des Zinses als Sicherheits- und Liquiditätsprämie bereits nach kurzer Zeit zum Phänomen der »Schuldknechtschaft«, die das entscheidende Kriterium für die Differenz einer Geldwirtschaft von einer Stammes- und/oder Abgabenwirtschaft darstellt.

Im Prozeß der Vermögensumverteilung entsteht nun eine Klasse, die, einer Adelsgesellschaft mit Leibeigenen nicht unähnlich, aber eben nicht aus Feudalherren, sondern aus Gläubigern zusammengesetzt ist. Die ursprüngliche freie und gleiche Schicht der Patriarchen teilt sich sehr bald auf in zwei neue Klassen privilegierter Unabhängiger und besitzloser Abhängiger, da jeder Patriarch, der sein Privateigentum nicht halten kann, seine Privilegien verliert.

Der Privateigentümer ohne Eigentum wird jedoch nicht aus der Gemeinschaft ausgestoßen, wie es den sozial nicht integrierbaren Mitgliedern in Stammesgesellschaften passieren konnte, sondern über verschiedene Stufen der Unterordnung bis hin zur »Sklaverei« als Arbeitskraft genutzt. Der ehemals freie Patriarch wird also selbst »Schuldendeckungsmittel«. In Etrurien hatte es beispielsweise die einheimische Aristokratie im Bund mit den römischen Kapitalisten schon im Jahr 134 vor unserer Zeitrechnung so weit gebracht, daß dort für freie Bauern kein Platz mehr war. Das Imperium gehörte praktisch nur noch zweitausend Familien, denen als Privateigentümern nun selbstverständlich alles das zur Verfügung stand, was ursprünglich nur Großhäuptlinge und echte Feudalherren besaßen.

Im Gegensatz zu Heinsohn, der über die Entstehung des Geldes in Verbindung mit dem Privateigentum im Patriarchat den Zusammenhang zwischen Zinsen und immer höherer Verschuldung den letztlichen Kollaps des Systems am Ende des 4. Jahrhunderts nach Christus anschaulich darstellt, bleibt genau dies in den meisten anderen historischen Analysen offen. In ihrem Buch zum Thema »Geld«, das die Deutsche Bank 1982 herausgab, wird zur Erklärung des Geschehens die fehlende einheitliche Religion herangezogen:

»Der Zusammenbruch der römischen Macht im 4. Jahrhundert n. Chr. wird durch einen galoppierenden Geldwertschwund und den Rückschritt zur immobilen Naturalwirtschaft signalisiert. *Hätten wir alle einen Glauben, Gott und Gerechtigkeit vor Augen, ein Ellen, Gewicht, Maß, Münz und Geld, so stünd es wohl in dieser Welt.* Dieser Spruch aus dem 16. Jahrhundert kann uns dazu helfen, die schwierige Situation besser zu verstehen, die sich aus dem Zusammenbruch des römischen Geldwesens ergab. Einige Voraussetzungen für den Wohlstand in dieser Welt waren ja vorhanden. Nämlich *ein* Maß, *ein* Gewicht und *ein* Geld. Das Weltreich im Mittelmeerraum bildete einen Staat und besaß eine Kultur, aber es fehlte ihm eine Religion. Religion bedingt die Kultur, die Kultur bedingt den Staat, der Staat bedingt das Geld und umgekehrt.«[18]

Sicher sind diese Zusammenhänge wichtig. Doch würde man sich in einem Buch über »Geld« vom größten deutschen Geldinstitut auch einen Hinweis darauf wünschen, daß der Zins rein mathematisch gesehen eine »unmögliche Realität« darstellt. Daß dieses Geld im antiken Patriarchat eine historische Neuheit war und mit der Entstehung des Zinses und Zinseszinses Krisen und wirtschaftliche Zusammenbrüche vorprogrammiert waren, das wird nicht nur in diesem Zusammenhang, sondern im gesamten Buch mit keinem Wort erwähnt. Einige Seiten später steht der Hinweis, daß erst im Mittelalter wieder ein gut funktionierendes Geldwesen entsteht. Weil jedoch die Rolle des Zinses in der Umverteilung von Reichtum und Entstehung von Krisen und Zusammenbrüchen nicht erläutert wird, kann auch die Wirkung eines zinsfreien Systems, wie es die Brakteatenwährung des hohen Mittelalters darstellt, nicht entsprechend gewürdigt werden.

»So schwierig es ist, das praktische Aufhören einer insgesamt gut funktionierenden Geldwirtschaft ab dem 3. Jahrhundert nach ihren tatsächlichen Ursachen und Motiven zu begründen, so schwierig ist es umgekehrt, die Rückkehr zum Geld-, Banken- und Börsenwesen in West- und Zentraleuropa aus dem Geist des Mittelalters zu erklären,«[19] heißt es im selben Buch.

Andere konnten diese Schwierigkeiten überwinden. Sehen wir uns ihre Beschreibung einmal näher an.

Das Brakteatengeld, eine Grundlage der kulturellen Blüte des Hochmittelalters

Im 12. Jahrhundert wurden die Ostgebiete des Deutschen Reiches jenseits der Elbe kolonisiert, und die Städte wurden durch Handel und Gewerbe wohlhabend. Das starke Anwachsen der Bevölkerungszahlen und die zunehmende Nachfrage nach Geld brachten eine weitere Verschlechterung von Gewicht und Feingehalt des Silbergelds, da andere Metalle nicht ausgemünzt wurden. Die tiefgreifendsten Veränderungen vollzogen sich in den Teilen des deutschen Raums, in denen eine nur einseitig geprägte Münze eingeführt wurde: der sogenannte Brakteat. Über dessen Wert und Wirkung gehen die Meinungen sehr auseinander: War es ein schlechtes Geld, das nur Verwirrung stiftete, wie es die Geschichtsbücher fast ausnahmslos darstellen, oder war es ein gutes Geld, das eine der Grundlagen für die wirtschaftliche und kulturelle Blüte des Hochmittelalters bildete, wie Walker, Weitkamp, Wünstel und andere es sehen?

Über den Grund für die Entstehung des Brakteatengelds sind sich beide Lager einig: nämlich Silbermangel. Vielleicht spielte aber auch das allgemeine Zinsverbot eine Rolle, das schon in der keltogermanischen Rechtstradition seinen Ursprung hatte und als christliches Gebot kraft der Autorität der Kirche untermauert wurde. Jedenfalls wurde nun, um mehr Silberpfennige aus einem Pfund Feinsilber zu bekommen, die Münze verkleinert oder deren Dicke verringert. Die dünnen Geldstücke bezeichnete man als Halbbrakteaten. Aus diesen entwickelten sich die nur noch einseitig geprägten eigentlichen Brakteaten, deren Durchmesser zwischen zwei und viereinhalb Zentimeter maß und die ein System der häufigen Münzverrufung (renovationes monetae = Münzerneuerung) bedingten: Wegen ihrer Zerbrechlichkeit mußten sie schon nach sehr kurzer Zeit aus dem Verkehr gezogen werden.

Erzbischof Wichmann von Magdeburg war unter Kaiser Friedrich Barbarossa der erste, der die eigenen Münzen zur Umprägung »widerrief«. Von ihm sind mehr als siebzig Prägungen bekannt. Die Münzverrufung wurde in seinem Gebiet zweimal im Jahr vorgenommen: am vierten Fastensonntag und am 15. August zu Mariä Himmelfahrt. Für zwölf alte Pfennige wurden neun neue ausgegeben. Die Prägesteuer oder der »Schlagschatz« betrug gewöhnlich zwischen zehn und 25 Prozent. Der sogenannte »Münzverruf« konnte bis zu dreimal im Jahr stattfinden und diente somit gleichzeitig als Steuereinzug. Die Benutzung alter Münzen war streng untersagt. Die Belastung des Geldes bewirkte vom Termin der Umprägung an eine fortschreitende Minderbewertung der Münze. Das Geld »alterte« oder »verfiel«, das heißt, es erfuhr das gleiche Schicksal wie die Ware und wurde so zum echten Warenäquivalent.

Die Folge war, daß niemand dieses »schlechte« Geld für längere Zeit zurückhalten konnte, ohne dadurch einen Verlust zu erleiden. Anstatt in Geld investierte man in solide und schöne Möbel, Häuser, Kunstwerke oder all das, was seinen Wert zu behalten oder zu steigern versprach. Da keinerlei Möglichkeit bestand, Geldreichtum zu sammeln, wurden statt dessen reale Vermögenswerte geschaffen. Der Wirtschaftskreislauf florierte, weil der zinsbedingte Aufschuldungseffekt wegfiel und eine stetige Nachfrage durch den Umlaufzwang des Geldes garantiert war. Das Zinsverbot erübrigte sich bald vollständig, denn der Gläubiger war bei einem Kreditvertrag zufrieden, wenn ihm durch das Verleihen die Kosten der Schlagschatzsteuer erspart blieben.

Auch wenn die Prägesteuer, gemessen an der umlaufenden Geldmenge, verhältnismäßig hoch erscheint – bei zweimaliger Verrufung etwa fünfzig Prozent pro Jahr – und somit gehortetes Geld rasch bis zum Nullpunkt verschlungen hätte, ist sie in Relation zum gesamten Geldvolumen (= Geldmenge mal Umlaufgeschwindigkeit) sehr gering. Setzt man zum Beispiel als mittlere Umlaufzeit einen einmaligen Geldumschlag im Monat an (das heißt, daß alles Geld einmal monatlich den Besitzer wechselt), dann ist das Geldvolumen zwölfmal so groß wie die Geldmenge: für eine Geldmenge von 1000 Pfennigen also 12 000 Pfennige. Der Schlagschatz auf diese Summe beträgt aber insgesamt nur fünfzig Prozent von 1000 Pfennigen, also 500 Pfennige. Das bedeutet weniger als fünf Prozent des Gesamtgeldvolumens oder Umsatzes, und bei rascherem Verlauf (in Wörgl lief das Geld 463mal pro Jahr um) noch weniger, während der gesamtwirtschaftliche Gewinn wegen der Umlaufsicherung wesentlich höher liegt. *Durch die Einnahmen aus der Renovatio werden darüber hinaus weitere Steuern überflüssig.*

Der zweite Faktor, der zur Kultur- und Wirtschaftsblüte des Hochmittelalters beitrug, war das Bodenrecht. Es sicherte jedem den freien Zugang zu Land und damit die Möglichkeit, seinen Lebensunterhalt zu verdienen. Wichtigstes Element der Bodenordnung war die Allmende, der gemeinsam benutzte Gemeindebesitz von Wald, Wiese und Feldern. Jedes Gemeindemitglied hatte die Berechtigung, gegen eine Pacht an die Gemeinde den Boden zu nutzen. Die Einnahmen aus dieser Bodensteuer waren oft so hoch, daß mit ihnen sämtliche öffentlichen Ausgaben gedeckt werden konnten, ohne daß zusätzliche Steuern notwendig waren. (Noch um die Jahrhundertwende konnten etwa tausend Gemeinden in Bayern allein aus den Erträgen der Allmende ihre Ausgaben bestreiten.[20])

Da sich der Boden im Gemeindebesitz befand, waren jegliche

Bodenspekulationen und auch unsoziale Mieterhöhungen ausgeschlossen, denn das gleiche galt auch für die Städte. Wer bauen wollte, bekam ein Stück Land zugewiesen, und wenn er das ihm überlassene Grundstück nicht innerhalb einer bestimmten Frist erschloß, wurde ihm das Nutzungsrecht wieder entzogen.

Was aber bedeutete dieses Geld- und Bodenrecht für den einzelnen und die Gesellschaft insgesamt? War dies die Zeit eines »hoffnungslosen Münzwirrwarrs«, und ist es wirklich so »schwierig«, die Rückkehr zum Geld-, Banken- und Börsenwesen in West- und Zentraleuropa aus dem Geist des Mittelalters zu erklären, wie die Publikation der Deutschen Bank zum Thema »Geld« behauptet? Es paßt natürlich nicht in das Bild einer auf einheitliche Reichswährungen fixierten Geldgeschichte, wenn da plötzlich Prägestätten Geld liefern, die weder im Feingehalt noch im Münzbild einheitlich sind, wie zur Zeit Karls des Großen, und sich zu allem Überfluß auch noch »die Königsmünze den Regionalmünzen anpassen muß« und nicht etwa umgekehrt.[21]

Daß möglicherweise gerade die dezentrale Struktur und die Überschaubarkeit der Wirtschaftsräume in Verbindung mit einem vollkommen anderen Geld- und Bodenrecht die Grundlage der wirtschaftlichen und kulturellen Blüte des Hochmittelalters bildeten, kann nur durch eine fundamental andere Sichtweise der Auswirkungen von Geld- und Bodenrecht, wie sie im vorliegenden Buch deutlich wird, erkannt werden. Walker, der diese Wertung geschichtlicher Tatbestände bereits 1959 vornimmt, sieht, daß »das Mittelalter rein intuitiv volkswirtschaftlich klüger gehandelt hat, als unsere Geschichtsforscher einzusehen vermögen«.[22]

Das Verbreitungsgebiet der Brakteaten erstreckte sich in Norddeutschland bis an die Nord- und Ostsee, im Westen bis zur Weser. Nach Süden hatten sie sich bis ins Bodenseegebiet und zu den schweizerischen Städten Basel, Bern sowie Sankt Gallen und zum Osten hin bis nach Wien ausgebreitet.

Die beispiellose Kultur- und Wirtschaftsblüte des Hochmittelalters kann sich mit den sozialen Errungenschaften unserer Tage wohl messen. Michael Wünstel hat sich einmal die Mühe gemacht, das, was sich ein normaler Handwerker damals für seinen Lohn leisten konnte, mit dem, was er heute für sein Geld kaufen kann, über den Getreidepreis zu vergleichen. Danach verdiente der sächsische Maurer ohne freie Kost in heutigem Geldwert etwa 2600 Mark pro Monat.[23] Und da man nicht davon ausgehen kann, daß zur damaligen Zeit eine Massenproduktion von Getreide, wie man sie heute kennt, möglich war, fällt die Schätzung eher konservativ aus. Die Handwerker erhielten in der Regel aber nicht nur ihren Arbeitslohn, sondern noch allerlei zusätzliche Vergünstigungen. In der Landesverordnung von Sachsen wurde die Empfehlung ausgesprochen, den »Werkleuten sollten zu ihrem Mittag- und Abendmahle nur vier Essen, an einem Fleischtag eine Suppe, ein Essen grüne oder dörre Fische, zwei Zugemüse; [...] und hierüber 18 Groschen wöchentlicher Lohn gegeben werden, so aber dieselben Werkleute bei eigner Kost arbeiteten, so solle man dem Polierer über 27 Groschen und dem gemeinen Maurer über 23 Groschen nicht geben.«[24]

Im Jahr 1450 stiftete die Gilde der Sack-, Kohlen- und Kornträger in Danzig – sicher nicht eine der reichsten – sowohl ein gemaltes Kirchenfenster für den Bau der Marienkirche als auch noch 48 000 Silberdenare.

Die Kathedrale war zugleich Ausdruck des religiösen Empfindens der Menschen und einer vollendeten Handwerkskunst, wie man sie – mit Ausnahmen – weder vorher noch danach in Mitteleuropa jemals gekannt hat. Mehrere Generationen mußten im Zeitraum von über zwei Jahrhunderten solch gewaltige Bauten planen und ausführen. Allein daß die Menschen derart langfristig planen konnten, zeugt von der großen Sicherheit, mit der man in die Zukunft blickte. Tausende von Arbeitskräften – die meisten hochspezialisiert – waren notwendig: Baumeister, Maurer, Steinmetze, Zimmerleute, Dachdecker, Schmiede, Bildhauer, Holzschnitzer, Glaser, Glasmaler, Goldschmiede mußten unterhalten und bezahlt werden. Mit Fron- oder Sklavenarbeit waren die vollendeten und aufwendigen Monumente der Gotik nicht zu errichten. Im Gegenteil, die Büsten der Baumeister und die Wappenzeichen von Gilden und Zünften, die entweder an der Errichtung beteiligt waren oder bestimmte Teile gestiftet hatten, wurden in den Umgängen und Kirchenfenstern eingebaut. So ist im Freiburger Münster ein Wappen der Schneidergilde zu sehen, in Bourges das der Wagner und in Chartres das der Steinschneider und Bildhauer. Die Ausbildung der Handwerker war sorgfältig und dauerte lange. Um Glasmaler zu werden, brauchte man fünf Jahre. Eine solche Lehrzeit setzte natürlich später eine angemessene Bezahlung voraus.

Trotz des hohen Lohns war die Arbeitszeit mit normalerweise acht Stunden am Tag und einer Fünfeinhalbtagewoche erstaunlich kurz. Bergwerksknappen in Sachsen schufteten im Jahr 1465 wegen ihrer vergleichsweise schwereren körperlichen Belastung nur sechs Stunden täglich. Erst 1479 wurde ihre Arbeitszeit nach langen Verhandlungen um eine Stunde erhöht. Vielfach hatten die Gesellen am »blauen Montag« frei und konnten den Tag nach ihrem Gutdünken nutzen.

Der Wohlstand unter den »betuchten« Handwerkern führte dazu, daß sie äußerlich nicht mehr von den Adligen zu unterscheiden waren. So mußten sie auf den Reichstagen zu Freiburg (1498) und Augsburg (1500) ermahnt werden, kein Gold, Silber, Perlen, Samt oder Seide zu tragen. Die öftere Wiederholung dieser Aufforderung zeigt, daß die Betroffenen offensichtlich kaum gewillt waren, ihr nachzukommen.

Die zwei- bis dreitausend Städte, die im Mittelalter neu entstanden, wurden zum großen Teil durch abgewanderte

Leibeigene aus ländlichen Gebieten bevölkert. Der Ausspruch »Stadtluft macht frei« stammt aus dieser Zeit. Die Folge war, daß die Löhne der Landarbeiter stiegen. Im Fürstentum Bayreuth verdiente ein landwirtschaftlicher Tagelöhner im Jahr 1464 täglich achtzehn Pfennige, während ein Pfund bestes Rindfleisch zwei Pfennige kostete.[25]

Im Gegensatz zum 19. Jahrhundert, in dem mehr als 1000 Orte mit über 3000 Einwohnern ohne jede öffentliche Warmbadegelegenheit auskommen mußten, gab es im Mittelalter in Basel 15, Nürnberg 12, Ulm 10, Stuttgart 4, Würzburg 7 und Wien gar 29 öffentliche Badestuben. Selbst den fahrenden Gesellen und Handwerksburschen standen »Seelenbäder« zur Verfügung, die für die Armen und zur allgemeinen Wohlfahrt errichtet worden waren.[26]

Frömmigkeit und soziale Fürsorge auf der einen wie auch Lebensfreude und -genuß auf der anderen Seite gingen Hand in Hand. Für Gebrechliche, Alte und Kranke gab es Spitäler und in den Häusern der Reichen Wohnungen, Kleidung und freie Mahlzeiten für die Armen. Doch erwies sich die Fürsorge nur in geringem Umfang als notwendig, da der Wohlstand relativ gleichmäßig auf alle Bevölkerungsschichten verteilt war.

Die neunzig kirchlichen Feiertage im Jahr, die mit zwei arbeitsfreien Wochentagen hundertachtzig Feiertage ergaben, wurden mit Mysterienspielen, Festen, Jahrmärkten und Turnieren begangen. Weil Markttage oft an kirchlichen Festen stattfanden und die Menschen zuvor noch die Messe besuchten, ist uns bis heute der Ausdruck »Messe« für einen Jahrmarkt oder große Ausstellungen erhalten geblieben.

Die historischen Bauten und Stadtanlagen sind Zeugnisse dieser großen Vergangenheit und zählen bis heute zu den Touristenattraktionen in Freiburg, Straßburg, Ulm, Regensburg, Nürnberg, Frankfurt, Köln, Lübeck, Bremen und Hannover. Wer sich die prachtvollen Portale und Fenster ansieht, die in den Himmel ragenden Türme, die kunstvollen Altäre und

Skulpturen und die Konstruktion der Strebepfeiler und -bogen, ahnt vielleicht, daß er einem Symbol der sozialen Verfassung dieser Zeit unmittelbar gegenübersteht: dem kraftvollen Wirken des einzelnen im Einklang mit dem umfassenden Ziel der Gemeinschaft.

Was die weibliche Rolle im Mittelalter anbelangt, so entspricht sie der optimistischen und freiheitlichen Grundhaltung, die vorherrscht: Die Frauen emanzipieren sich. Sie stellen »wie selbstverständlich« Erzieher, betreiben Handwerke und haben in den Innungen als Meisterinnen Sitz und Stimme.

Die Frauen beginnen sich aus der Vor-Munt-Schaft durch den Mann zu lösen und eine größere Eigenständigkeit zu entwickkeln. Die Verfügungsgewalt – althochdeutsch: munt –, die der Mann als Pater familias in den germanischen Stämmen über alles im Haus hatte, schloß mit ein, daß er Frauen, Kinder und Sklaven verkaufen oder verpfänden konnte. Mit dem Aufkommen der Städte im 13. Jahrhundert und dem Aufstieg des Bürgertums fiel diese Form der Macht und Kontrolle langsam in sich zusammen. In Köln wurden 1291 unverheiratete Frauen, die persönlich ein Handwerk ausübten, für »selbstmündig« erklärt.

Besonders im Bereich der Mode, der eine große Rolle spielte, waren die Frauen als Handwerkerinnen führend und konnten als Geschäftsinhaberinnen auch als Zeuginnen oder Klägerinnen vor Gericht auftreten. In München wurde angeordnet, daß »eine Frau, die auf dem Markt steht, kauft und verkauft, alle die Rechte besitzt, die ihr Ehemann hat«.[27] In Köln gab es vom 14. Jahrhundert an Frauenzünfte. Die ersten Ärztinnen und Professorinnen wie Hildegard von Bingen und andere wurden bekannt und waren hochgeachtet.

Allerdings tritt auch die männliche Gegenmacht zum Kampf an: in Form der Inquisition, die in der Zeit zwischen dem 12.

und 17. Jahrhundert Millionen von Frauen auf die unmenschlichste Art und Weise umgebracht hat. Besonders schlimm wütete diese schlimmste aller frauenfeindlichen Institutionen im 15. und 16. Jahrhundert. Ende des 15. Jahrhunderts wurden auch die Grundlagen, auf denen die Blüte des Hochmittelalters beruhte, abgeschafft.

Auf dem Reichstag zu Worms im Jahr 1495 führte Kaiser Maximilian I. das »römische Recht« wieder ein. Hauptsächlich auf Betreiben der Kirche war nun der Besitz von Boden im Privateigentum erlaubt, und an die Stelle der Münzverrufung trat der »ewige Pfennig« oder »Dickpfennig«. Die Fugger und Welser – ehemals tüchtige Kaufleute – konnten so über den Geldverleih mit Zins und Zinseszins – an Könige und Kaiser mit bis zu 270 Prozent pro Jahr – schnell ungeheure Reichtümer anhäufen und ihre Macht und ihren Einfluß ausdehnen. Der deutsche Kaiser hieß im Volksmund bald Fugger.[28]

Im gleichen Maße, in dem einige wenige profitierten, verarmte die Mehrheit der Bauern und Handwerker. Bauernaufstände waren die Folge. 1525 kam es zum »großen Bauernkrieg«. Ein Jahrhundert später brachte der Dreißigjährige Krieg unsägliches Leid über Europa. Hunger und Seuchen wie die Pest, die seit 1348 immer wieder unter der Bevölkerung wütete und diese drastisch dezimierte, besorgten den Rest.

Die Verfolgung von Hexen war, wie Maria Mies zeigt, nicht, wie gewöhnlich angenommen wird, ein Überbleibsel des irrationalen »dunklen Mittelalters«, sondern Ausdruck der sich entwickelnden modernen Gesellschaft:

»Dies kann am deutlichsten an Jean Bodin, dem französischen Theoretiker der neuen merkantilistischen Wirtschaftslehre, gezeigt werden. Jean Bodin war der Begründer der quantitativen Geldtheorie, dem modernen Konzept der Souveränität und der merkantilistischen Bevölkerungstheorie. Er war ein unerschütterlicher Verfechter des modernen Rationalismus und zur gleichen Zeit eine der lautesten Stimmen für eine staatlich verordnete Folter und Abschlachtung der Hexen. Er vertrat die Ansicht, daß der moderne Staat für die Entwicklung neuen Reichtums nach der mittelalterlichen Agrarkrise mit absoluter Souveränität ausgestattet sein sollte. Dieser Staat habe darüber hinaus die Verpflichtung, genug Arbeiter für die neue Wirtschaft bereitzustellen. Um dies zu bewerkstelligen, verlangt er eine strenge Polizei, die vor allem die Hexen und Hebammen bekämpfen sollte, die seiner Ansicht nach für so viele Abtreibungen ohne Empfängnis verantwortlich waren. Jedermann, der die Empfängnis oder die Geburt von Kindern verhütete, betrachtete er als Mörder, der durch den Staat verfolgt werden sollte.«[29]

Ähnlich wie im Fall der ersten Patriarchen in der Antike sollte eine der Folgen eines falschen Geld- und Bodenrechts – die geringen Bevölkerungszahlen – durch mehr Geburten ausgeglichen werden, und deshalb mußten die Frauen zum Kinderkriegen gezwungen werden, indem man die Mittel und das Wissen zur Kontrolle der Fortpflanzung vernichtete. Um dieses Unrecht durchzusetzen und zu legitimieren, mußten wiederum Staat und Recht als gesellschaftliche Eckpfeiler ausgebaut werden. Die Stelle des bis dahin gültigen einfachen Volks- oder Gewohnheitsrechts nahm das römische Recht ein, das sich als höchst kompliziert erwies und deshalb fortan als Studienfach an den meisten Universitäten in Rechtsfakultäten eingeführt wurde.

Der Grund für den Andrang der Söhne aus dem aufsteigenden städtischen Bürgertum bei den Rechtsfakultäten wurde schon von Zeitgenossen richtig eingeschätzt: »Die meisten werden zu diesem Studium angetrieben durch die Gier nach Geld oder durch Ehrgeiz.«[30] Die Hexenprozesse verschafften aber nicht nur einer ganzen Schar von Rechtsgelehrten, Advokaten, Richtern und Räten Bezahlung und Geld, sondern auch den durch Krieg und Massenelend verarmten Königen, Fürsten

147

und Stadtvätern: »Gemäß kanonischem Gesetz mußte der Besitz einer Hexe konfisziert werden, ob es Erben gab oder nicht. Der Großteil des konfiszierten Besitzes, nie weniger als 50 Prozent, wurde von der Regierung angeeignet. In vielen Fällen ging all das, was nach dem Abzug der Prozeßkosten übrigblieb, in den Staatsschatz. Diese Konfiszierung war illegal, wie die ›Constitutio Criminalis‹ von Kaiser Karl V. von 1532 erklärte. Doch hatte *dieses* Gesetz nur Papierwert.«[31]

Maria Mies geht den Zusammenhängen zwischen Geld- und Bodenrecht mit der gewaltsamen Unterwerfung von Frauen und Natur durch Kirche, Staat und Wissenschaft in ihrem Buch »Patriarchat und Kapital« nach und beweist, daß es eine enge Beziehung zwischen der Unterdrückung und Ausbeutung von Frauen und dem Paradigma von unaufhörlicher Akkumulation und »ewigem« Wirtschaftswachstum gibt.

»Heute ist mehr denn je offenbar, daß der Akkumulationsprozeß selbst überall das Innerste des menschlichen Wesens zerstört, weil er auf der Zerstörung der Souveränität der Frauen über ihr Leben und ihre Körper aufbaut. Da Frauen für ihr Menschsein nichts aus der Fortsetzung des Wachstumsmodells gewinnen können, sind sie in der Lage, die Perspektive einer Gesellschaft zu entwickeln, die nicht auf der Ausbeutung von Natur, Frauen und fremden Völkern beruht.«[32]

Sie formuliert in ihrem Buch die ethische Grundlage für einen neuen Gesellschaftsentwurf, der sowohl die Befreiung der Frauen als auch der Männer vorsieht, weil es keine Befreiung auf Kosten anderer geben kann, der eine neue Sicht von Glück und Freiheit einschließt und eine andere Perspektive von menschlichen Bedürfnissen. Es ist ihr ein zentrales Anliegen, begreifbar zu machen, daß unserer Welt und Wirklichkeit Grenzen gesetzt sind: »Die Erde ist begrenzt, unser Körper ist begrenzt, unser Leben ist begrenzt. Innerhalb einer begrenzten Welt kann es keinen *unendlichen Fortschritt, kein unendliches Wachstum geben.«*[33]

Vergleich zweier Geschichtsepochen im Hinblick auf die Auswirkungen ihres Geld- und Bodenrechts

Was können wir nun aus der Betrachtung dieser unterschiedlichen Epochen in bezug auf unser Thema und unsere Zeit lernen? Als erstes kann man wohl davon ausgehen, daß weder den Patriarchen der Antike noch den Menschen im hohen Mittelalter die Auswirkungen ihrer höchst unterschiedlichen Wirtschaftssysteme auf ihr Leben voll bewußt waren. Auch wenn der Aufschuldungseffekt bald zu großer Ungleichheit und damit genau zu dem zurückführte, was sie ursprünglich zu vermeiden versuchten, entwickelte das patriarchalische, kapitalistische System trotz regelmäßiger Krisen und Zusammenbrüche doch Machtstrukturen, welche die Zeit überdauerten und sich immer wieder durchsetzen konnten. Heute haben sie sich nicht nur in den überindustrialisierten, sondern auch in den sogenannten »Entwicklungsländern« durchgesetzt. Dort wurden die ehemaligen Kolonialherren inzwischen gegen internationale Banken (Weltbank, Internationaler Währungsfonds) und multinationale Konzerne ausgetauscht. Es ist aber mit großer Wahrscheinlichkeit so, daß weder den Menschen in der Antike die negativen Aspekte der zinstragenden Schuldverschreibungen bewußt waren, als sie die Vorläufer unseres heutigen Geldsystems schufen, noch den Menschen im Mittelalter die Vorteile des Brakteatengelds. Deshalb wurden die Brakteaten auch abgeschafft.

Man stelle sich vor, wir alle müßten *zweimal im Jahr* von unserem gesamten Bargeld und allem, was wir auf dem Girokonto haben, *zwanzig bis dreißig Prozent* an den Staat abführen und bekämen obendrein keine Zinsen auf unsere Geldanlagen, zahlten dafür aber auch keine weiteren Steuern und keine Zinsen in den Preisen und Dienstleistungen. Also wäre alles halb so teuer bei gleichem Einkommen und Lebensstandard. Das klingt zwar bei näherer Betrachtung gar nicht so schlecht *für uns*, weil wir ja bereits *jeden Monat* etwa zwanzig bis dreißig Prozent Steuern oder mehr aus unserem *Monatseinkommen* und nicht etwa nur auf den verfügbaren Betrag in unserer Tasche und auf dem Girokonto entrichten. Hinzu kommen die fünfzig Prozent Mehrkosten durch Zinsen, die wohlversteckt in den Preisen enthalten sind. Die meisten würden sich heute mit einer solchen Steuer und Geldgebühr also sehr viel besser stellen als mit unserem jetzigen Zins- und Steuersystem.

Aber die Menschen des Hochmittelalters sahen nach dreihundert Jahren Brakteatenwährung nur den Nachteil der ständigen Münzverrufung gegenüber den Vorzügen des »ewigen« oder »Dickpfennigs«, der nicht verrufen wurde und seinen Wert behielt. Damit glaubten sie, wesentlich besser dran zu sein. Und ganz zu Anfang waren sie das ja auch, ebenso wie die Patriarchen von einer gleichen Ausgangsposition ihr System begründeten. Daß die Mängel des »ewigen Pfennigs« nicht erkannt wurden, kann uns eigentlich nicht wundern, da wir trotz unserer Computer, die uns in wenigen Sekunden vor Augen führen, daß das mit den Zinsen nicht gutgehen kann, immer noch mit dem »ewigen Pfennig« rechnen, dessen Wert allerdings – trotz einer der niedrigsten Inflationsraten der Welt – auch ohne Münzverrufung ständig abnimmt.

Was man aus dem Beispiel der Brakteaten lernen kann, ist, daß man die Umlaufgebühr auf Geld *nicht mit einer allgemeinen Steuerabgabe verbinden sollte, weil das in der Tat zur Vermengung zweier unterschiedlicher Rechtsbereiche führt, die strikt auseinandergehalten werden müssen. Die Umlauf-*

gebühr sollte nur der Sicherung des Geldumlaufs dienen und entsprechend niedrig sein.

Bei uns würde heute, wie zuvor gesagt, sicherlich eine Nutzungsgebühr von fünf bis sechs Prozent pro Jahr als Umlaufsicherung genügen. Steuern, auf der anderen Seite, sind dazu da, die öffentlichen Ausgaben zu finanzieren. Daß dies in einem zinslosen Geldsystem einfacher zu bewältigen ist, wurde in Kapitel I deutlich.

Es hat im Laufe der Geschichte mehrere Perioden mit zinsfreiem Geld gegeben. Das älteste bekannte System ist das »Korngiro«-System im ptolemäischen Ägypten (322-30 vor Christus).[34] Ein weiteres war das Tally-System in England, das etwa gleichzeitig wie die mittelalterliche Brakteatenwährung in Deutschland zur Anwendung kam, und ein drittes das umlaufgesicherte Papiergeld, das während der Ming-Zeit 1367 bis 1644 im hochmittelalterlichen China existierte.[35]

In allen Fällen entwickelte sich gleichzeitig eine kulturelle Blüte, die diese Epochen aus der Geschichte der betreffenden Länder heraushob. Leider ist jedoch der Zusammenhang zwischen Geldwesen und kulturellem und sozialem Leben selten genauer erforscht worden. Vielleicht boten jene Zeitabschnitte genau das nicht, worüber unsere Geschichtsbücher in erster Linie berichten: Kriege, Revolutionen und blutige Kämpfe zwischen rivalisierenden patriarchalischen Machtbereichen. Doch auch für derartige geschichtliche Ereignisse steht eine tiefere Gesamtschau in Verbindung mit Geldordnung und kultureller und wirtschaftlicher Entwicklung noch aus.

So wird selbst in der jüngeren Vergangenheit der Zusammenhang zwischen Geldordnung und wirtschaftlicher Krise als einer der Gründe für den Untergang der Weimarer Republik und den Aufstieg Hitlers nur von wenigen erkannt.

Unter dem Eindruck der enormen Inflation 1923 wurde 1924 in der Weimarer Republik die neue Reichsmark eingeführt, die zu vierzig Prozent mit Gold beziehungsweise Devisen gedeckt sein mußte. Das bedeutete die Rückkehr zum Goldstandard. Als Folge des »Schwarzen Freitags« 1929 und der daran anschließenden Weltwirtschaftskrise mußte die Reichsbank Teile ihrer geliehenen Goldreserven an die USA zurückgeben. Weil nun die im Umlauf befindliche Geldmenge nicht mehr ausreichend mit Gold abgesichert war, begann der damalige Reichsbankpräsident Luther die Menge des umlaufenden Geldes langsam zu reduzieren, dessen prompte Verknappung zu steigenden Zinssätzen und zu einem deflationären Preisverfall führte. Infolgedessen verringerten sich die Investitionsmöglichkeiten der Unternehmer, Firmen gingen bankrott, die Arbeitslosenzahlen kletterten nach oben, und es entstand ein guter Nährboden für Radikalismus.

Einige der Notverordnungen der Regierung Brüning verstärkten sogar den deflationären Preisverfall, insbesondere die rigorose Spar- und Kürzungsverordnung vom 8. Dezember 1931, mit der versucht wurde, die öffentlichen Ausgaben den sinkenden Steuereinnahmen und fallenden Preisen anzupassen.

»Die Restriktionspolitik war sinnlos. Formale Vorschriften wurden blind befolgt. Bei einer derartigen wirtschaftlichen Entwicklung hätten die Deckungsvorschriften nicht weiter beachtet werden dürfen. Es wäre relativ einfach gewesen, für die inländische Geldversorgung auf die unnötige Golddeckung zu verzichten, die Geldmenge wieder auszuweiten, die Zinsen zu senken, billige Kredite zu geben, somit die Konjunktur wieder anzukurbeln und die Arbeitslosigkeit abzubauen, ohne daß die so sehr gefürchteten Inflationsgefahren ausgelöst worden wären. England hatte sich im September 1931 aus dem internationalen System des Goldstandards gelöst.«[36]

Hitlers Aufstieg basierte auf politischen, ökonomischen und psychologischen Gründen. Von den ökonomischen Ursachen fand die damalige Geldpolitik bisher die geringste Beachtung.

Sie hat die Massenarbeitslosigkeit verursacht und damit eine entscheidende Voraussetzung für den Sieg der Nazis geschaffen.

Silvio Gesell hatte diese Entwicklung vorausgesehen. Bereits 1918, also kurze Zeit nach dem Ersten Weltkrieg, als jeder über Frieden sprach und viele internationale Organisationen zur Friedenssicherung gegründet wurden, schrieb er den folgenden Brief an den Herausgeber der »Zeitung am Mittag« in Berlin:

»Trotz des heiligen Versprechens der Völker, den Krieg für alle Zeiten zu ächten, trotz dem Ruf der Millionen: ›Nie wieder Krieg‹, entgegen all den Hoffnungen auf eine schönere Zukunft muß ich es sagen: Wenn das heutige Geldsystem die Zinswirtschaft beibehalten wird, so wage ich heute schon zu behaupten, daß es keine 25 Jahre dauern wird, bis wir vor einem neuen, noch furchtbareren Krieg stehen werden. Ich sehe die kommende Entwicklung klar vor mir. Der heutige Stand der Technik läßt die Wirtschaft rasch zu einer Höchstleistung steigern. Die Kapitalbildung wird trotz der großen Kriegsverluste rasch erfolgen und durch ein Überangebot den Zins drücken. Das Geld wird dann gehamstert werden. Der Wirtschaftsraum wird einschrumpfen, und große Heere von Arbeitslosen werden auf der Straße stehen. [...] In den unzufriedenen Massen werden wilde, revolutionäre Strömungen wach werden, und auch die Giftpflanze Übernationalismus wird wieder wuchern. Kein Land wird das andere mehr verstehen, und das Ende kann nur wieder Krieg sein.«[37]

Historisch gesehen wurde das Geld damals durch die Zentralbank verknappt und von den Bürgern – der fallenden Preise wegen – zusätzlich gehortet. Die Auswirkungen waren fatal. Heute stehen die Leiter der Zentralbanken vor dem Problem, die bereits zu groß geratene Geldmenge immer weiter aufblähen zu müssen, um den Aufschuldungsprozeß in Gang zu halten und das Schlimmste, nämlich Deflation und Crash, zu verhindern. Von Kontrolle kann da schon jetzt keine Rede mehr sein. Es sei denn, man könnte sich weltweit entschließen, sich rückhaltlos die Wahrheit vor Augen zu führen, nämlich: Unsere Staatsschulden wachsen schneller als unser Bruttosozialprodukt. Also ist der Staatsbankrott nur noch eine Frage der Zeit. Da jeder Aufschub eigentlich alles nur noch verschlimmern kann, laßt uns ein *Erlaßjahr* einführen, indem wir *alle* Schulden vernichten und von vorn anfangen – mit einem neuen Geldsystem, das auf Dauer bestehen kann. Ist das wirklich der einzige Weg? Ja, das ist er.

Aber um auch jeden Zweifel auszuräumen, sehen wir uns im nächsten Kapitel noch einmal drei alternative Wachstumsmodelle und Wege in die Zukunft an, die diesmal heißen *muß*: Evolution statt Revolution.

Anmerkungen

1 Wilhelm Roepke: *Die Lehre von der Wirtschaft*, Wien 1937; Seite 78; zitiert in Gunnar Heinsohn: *Privateigentum, Patriarchat, Geldwirtschaft* – Eine sozialtheoretische Rekonstruktion zur Antike, Suhrkamp, Frankfurt am Main 1984, Seite 28

2 R. W. Clower: *Monetary Theory – Selected Readings*. Harmondsworth 1969; Seite 7, zitiert in Heinsohn, a. a. O., Seite 29

3 Keizo Nagatani: *Monetary Theory*. Amsterdam, New York, Oxford 1978; Seite 113, zitiert in Heinsohn, a. a. O., Seite 29

4 Gunnar Heinsohn: *Privateigentum, Patriarchat, Geldwirtschaft*. Suhrkamp, Frankfurt am Main 1984, Seite 28-29

5 Ebenda, Seite 70

6 Paul C. Martin, 1986, a. a. O., Seite 184

7 Heinsohn, a. a. O., Seite 72

8 Hans Joachim Funk (Hrsg.): *Geld*. Edition Deutsche Bank AG, Frankfurt am Main 1982, Seite 12

9 Ebenda, Seite 7

10 Ebenda, Seite 129

11 Ebenda, Seite 135

12 Ebenda, Seite 73, 74

13 Ebenda, Seite 92

14 Ebenda, Seite 76

15 Marcus Tullius Cicero: *De Officiis* 2, XXI. In der Übersetzung von Atzert. Limburg/Lahn 1951, Seite 73; zitiert in Heinsohn, a. a. O., Seite 97

16 Cicero: *De Officiis* 1, VII; Seite 21, zitiert in Heinsohn a. a. O., Seite 97/98

17 Sir Galahad: *Mütter und Amazonen*. Ullstein, Frankfurt/Main 1987

18 Funk, a. a. O., Seite 167

19 Funk, a. a. O., Seite 189

20 Michael Wünstel: »Aus der Vergangenheit für unsere Zukunft lernen.« In: *Angebot und Nachfrage*, 3/91, Seite 5

21 Funk, a. a. O., Seite 189

22 Karl Walker: *Das Geld in der Geschichte*, Lauf 1959; zitiert in Hans Weitkamp: *Das Hochmittelalter – ein Geschenk des Geldwesens*. HMZ-Verlag, Hilterfingen 1985, Seite 57

23 Wünstel, a. a. O., Seite 4

24 Adolf Damaschke: *Geschichte der Nationalökonomie*. Gustav Fischer Verlag [4]1910; zitiert in Wünstel, a. a. O., Seite 3

25 Damaschke, zitiert in Wünstel, a. a. O., Seite 3

26 Wünstel, a.a.O., Seite 4

27 Maria Mies: *Patriarchat und Kapital*. Frauen in der internationalen Arbeitsteilung. Rotpunktverlag, Zürich 1989, Seite 97

28 Weitkamp, a.a.O., Seite 62

29 Mies, a.a.O., Seite 104

30 M. Hammes: *Hexenwahn und Hexenprozesse*. Fischer, Frankfurt am Main 1977, Seite 243; zitiert in Mies, a.a.O., Seite 105

31 Mies, a.a.O., Seite 105

32 Ebenda, Seite 9

33 Ebenda, Seite 278

34 F. Preisigke: »Girowesen im griechischen Ägypten«. Straßburg i. E. 1910; zitiert in Hugo T. C. Godschalk: *Die Geldlose Wirtschaft* – vom Tempeltausch bis zum Barter-Club. Basis Verlag, Berlin 1986, Seite 17

35 Weitkamp, a.a.O., Seite 73

36 Josef Hüwe: *Wirtschaft und Krieg*. Flugblatt der KONWO-Initiative, 1000 Berlin 37, Riemeisterstr. 15, 1990, Seite 2

37 Silvio Gesell: Leserbrief. *Zeitung am Mittag*, Berlin 1918

VI. Drei Zukunftsmodelle

Die geschichtliche Analyse der sozialen, ökologischen und wirtschaftlichen Auswirkungen unterschiedlicher Geldsysteme erlaubt Aussagen zu verschiedenen Zukunftsmodellen. Dabei lassen sich drei grundsätzliche Alternativen unterscheiden:

- erstens ein Modell, welches voraussetzt, daß ein unbegrenztes Wachstum nicht nur möglich, sondern wünschenswert sei;
- zweitens ein Modell, das auf einer begrenzten Erde, einem begrenzten Körper und einem begrenzten Leben aufbaut und deshalb eine Begrenzung von Wachstum als notwendig erachtet;
- drittens ein Modell des qualifizierten Wachstums, das unbegrenztes Wachstum im nichtmateriellen mit begrenztem Wachstum im materiellen Bereich verbindet.

Die Kernfragen lauten in diesem Zusammenhang: sind wir bereit uns von der »Geldillusion« zu trennen und unsere Zukunft bewußt zu gestalten? Und können wir uns vom Weg des harten und schmerzvollen Lernens auf den Weg des leichteren und freudigeren Lernens begeben?

Modell 1:
Wachstum ohne Ende

Das heutige Geldsystem erzwingt durch den Zins, wie wir im Kapitel 1 gesehen haben, »ein Wachstum ohne Ende«, einen immer schnelleren und gefährlicheren Wirtschaftsboom. Die gleichzeitig mitwuchernden sozialen und ökologischen Probleme werden von den meisten Menschen nicht mit dem

Urfehler im Geldsystem – dem Zins als Umlaufsicherung – in Verbindung gebracht. Einer der wenigen, die ihn erkannt haben und dennoch gleichzeitig den Kapitalismus verteidigen, ist Paul C. Martin, der auf der Analyse von Gunnar Heinsohn aufbaut. Er hat nachgewiesen, daß es nicht unbedingt der Böswilligkeit und der unersättlichen Gier einzelner bedarf, um unser Geldsystem seit der Antike als eine Hauptursache aller wirtschaftlichen Krisen zu entlarven. Es genügt, Geld als zu verzinsenden Anrechtschein auszugeben, womit im Kapitalismus, den er als »Debitismus« – »Schuldenwirtschaft« – bezeichnet, die Krise und der Crash vorprogrammiert sind.

In seinen Büchern »Der Kapitalismus. Ein System, das funktioniert«[1] und »Aufwärts ohne Ende – Die neue Theorie des Reichtums«[2] beschreibt Martin auf insgesamt fast tausend Seiten anhand einer Fülle von historischen und neuen Beispielen genau das Gegenteil: nämlich wie schlecht der Kapitalismus in Wirklichkeit funktioniert und wie sicher das Ende dieses Wirtschaftssystems vorprogrammiert ist.

Unerbittlich führt der Aufschuldungsprozeß immer wieder zum Zusammenbruch. Dies wird jedoch weder von den »Opfern« noch von den »temporären Nutznießern« des Systems erkannt, ebensowenig – das bemerkt Martin nicht ohne Sarkasmus – von den meisten Ökonomen und Ökonomieprofessoren. Ökonomen, die von Tausch- statt Schuldenwirtschaft sprechen – zu ihnen zählen übrigens in der Mehrheit die Nobelpreisträger des Fachs –, bezeichnet er als »Mikkey-Mouse«-Ökonomen, weil sie den wirklichen Dynamo im Kapitalismus, den Aufschuldungseffekt durch den Zins und Zinseszins, nicht ausgemacht haben.

Er analysiert zwar die verschiedenen »offiziell« anerkannten Alternativen wie den Sozialismus und den islamischen Geldansatz, läßt aber die Zeit der Brakteaten und anderer zinsloser Geldsysteme, die einer Umlaufgebühr oder negativen Zinsen unterlagen und mehrere Jahrhunderte überdauert haben, aus.

Er sieht deshalb in der Geschichte kein anderes Wirtschaftsmodell, das der »unnachahmlichen Dynamik« des Verschuldungsprozesses im kapitalistischen System etwas Überlebensfähiges entgegenzusetzen hatte. Er schließt daraus, daß der Debitismus beziehungsweise die Schuldenwirtschaft mit einem zu verzinsenden Geld das einzige System darstellt, das auf Dauer überleben kann und wird. *Die Konsequenz ist, daß er nicht nur ein endloses exponentielles Wachstum akzeptiert, sondern als positiv propagiert.* Da diese Meinung implizit von allen Ökonomen, Wissenschaftlern, Technikern und Politikern der Welt geteilt wird, die da meinen, ohne ständiges Wirtschaftswachstum im herkömmlichen Sinn gehe es nicht, muß man sich mit ihr auseinandersetzen.

Während Martin in seinem ersten Buch noch den Staat als den Falschspieler Nummer eins entlarvt, der durch seine Zinsversprechungen, die er gar nicht einhalten kann, allen anderen Spielern die Partie verdirbt, bekennt er sich im zweiten Buch »Aufwärts ohne Ende« konsequenterweise zur Notwendigkeit der immer höheren Staatsverschuldung. Sie ist in der Tat die einzige Möglichkeit, den Verschuldungsprozeß anscheinend »endlos« weiterzuführen und das Ende des Systems so lange wie möglich hinauszuzögern.

Daß alle »modernen« Demokratien in ihrem Wunsch, das Schlimmste – nämlich Deflation und Crash – zu verhindern, per offenem Konto aufschulden und somit als Kreditbetrüger gelten, beschreibt Martin ganz offen. Es bereitet ihm aber kein Kopfzerbrechen, solange der Kapitalismus/Debitismus, das einzige System, das nach seiner Meinung funktioniert, sich weiter entfalten kann. Wer das nicht wahrhaben will oder den Zins- und Zinseszinseffekt in seiner ganzen Konsequenz und Brutalität nicht verstanden hat, mit dem wird auf nicht gerade zimperliche Art abgerechnet. Von Moses bis zu Keynes und Friedman – keiner bleibt ungeschoren. Mit Sozialisten und Grünen gibt er sich erst gar nicht ab, weil jeder, der soziale oder

Umweltgesichtspunkte in den Vordergrund stellt, in diesem Geld- oder Wirtschaftssystem schon von vornherein auf der Verliererseite steht. Und auf der möchte Martin ganz sicher nicht sein, obwohl man seinen Zweifel an der Richtigkeit der Strategie ganz nahe unter der Oberfläche des erzwungenen Wachstumsfetischismus spürt. So beginnt das Kapitel »Jubel« in »Aufwärts ohne Ende« mit der Feststellung:

»Wenn Sie dieses Kapitel in Ruhe zu Ende gelesen haben, wird die Welt schon wieder um 50 Millionen Mark reicher geworden sein – selbstverständlich ohne daß da noch irgendwo irgend jemand einen Finger bewegen muß. Außer dem Buchhalter natürlich, der auf die Zinseszinstaste drückt. Nur mit Geld kann man noch richtig Geld verdienen.«[3]

Das klingt fast, als wenn wir alle wie im Märchen ohne Arbeit reicher werden könnten. Doch natürlich weiß Martin (und das beschreibt er auch an anderer Stelle immer wieder im Detail), daß einige nur deshalb um jene fünfzig Millionen reicher geworden sind, weil andere, denen der Betrag weggenommen wurde, ihre »Finger bewegt«, also gearbeitet haben.

Und im krassen Gegensatz zu den Titeln seiner Bücher erkennt er, deutlicher als alle »alternativen« Ökonomen, die Hohlheit des Systems und warum die Zeit im Aufschuldungsprozeß immer knapper werden muß; weshalb Streß und Umweltzerstörung rasant zunehmen; wie traditionelle Werte und Ideologien verschwinden, der Skandalpegel steigt, die Weltwirtschaft verkommt und die Kassen der Großunternehmer zum Bersten gefüllt sind, obwohl die reale Wirtschaft lahmt. Er analysiert, wie das Problem der Schuldensucht mehr und mehr verdrängt wird, die Finanzminister zum Rundumschlag ausholen müssen (noch bevor die Wiedervereinigung und der Golfkrieg mitzufinanzieren waren), der Gegensatz von arm und reich sich verstärkt, die Verschuldung von Staaten, Immobilien, Unternehmen und Privathaushalten ins Unermeßliche steigt, die Aktien knapper und teurer werden und die

»Raubvögel« immer gnadenloser zuschlagen.[4] Aber da er keine andere Alternative sieht, heißt die Konsequenz: weiterwachsen ohne Ende.

Warum aber sollte *uns*, im Gegensatz zu allen anderen Schuldenwirtschaften in der Geschichte, das Ende erspart bleiben? Antwort: Weil nicht sein kann, was nicht sein darf. Weil jeder mit dem Stand seiner Karte im Kartenhaus steht oder fällt. Weil keiner ein Interesse daran haben kann, die Kette im Kettenbriefsystem zu durchbrechen. Deshalb gibt es nur eins: mehr Schulden machen – und zwar durch alle Beteiligten: Staat, Banken, Industrie und Konsumenten. Wer keine Schulden macht, wird schuldig, am vorzeitigen Untergang des Systems mitzuwirken.[5]

Wie die Schulden, so wächst bei Martin auch der Widerspruch ohne Ende. Wenn er davon spricht, daß »uns« das Ende erspart bleibt, meint er im wahrsten Sinne sich selbst und seine eigene Generation. 1984 prognostizierte er noch zusammen mit seinem Kollegen Walter Lüftl in ihrem gemeinsamen Buch »Die Pleite«[6] das Ende des kapitalistischen Systems für dieses oder spätestens nächstes Jahrzehnt. Bei einer Steigerung des Welt-Bruttosozialprodukts 1988 um zwei bis zweieinhalb Prozent und der Welt-Staatsverschuldung um zwölf bis vierzehn Prozent ergibt sich die statistische Wahrscheinlichkeit, daß jede staatliche Zahlungsfähigkeit (die maximal hundert Prozent des vorhandenen Sozialprodukts umfassen kann) *spätestens* in einem Vierteljahrhundert endet. Da sich die Entwicklung aber nicht solange stabil halten läßt, wahrscheinlich sehr viel früher.[7]

1988 meint er in seinem Buch »Aufwärts ohne Ende«, daß sich das Ganze aufgrund eines geschichtlichen Beispiels aus dem mittelalterlichen Frankreich noch um fünfzig bis siebzig Jahre hinausschieben ließe. Während damals für das reale Geschäft die Phase des Niedergangs bereits um 1260 einsetzte, verharrte das fiktive Geschäft mit den Schuldtiteln bis etwa

1320 auf verhältnismäßig hohem Niveau. Bald darauf war jedoch endgültig Schluß. Die führenden Bank- und Börsenzentren Troyes, Provins, Lagny und Bar-sur-Aube verschwanden Mitte des 14. Jahrhunderts schlagartig – eben per Gesamtkonkurs aller,die sich bis zum letztmöglichen Punkt an der Aufschuldung beteiligten. In Übertragung dieser Ereignisse auf unsere heutigen Verhältnisse meint Martin, das wäre »ganz fabelhaft. [...] Dann haben die Weltzentren Tokio, New York, London und Chicago sogar noch bis zum Jahr 2040/2070, bevor sie verschwinden.«[8]

Er macht sich die Mühe, nachzuweisen, daß das Ende »Des Wachstums ohne Ende« jedenfalls erst nach seinem Ende kommt und uns allen wirklich keine andere Wahl bleibt, mit dem Schuldenmachen fortzufahren, um das »beste aller Systeme« vor dem Untergang zu bewahren. Dabei hat er in vieler Hinsicht recht, wie zum Beispiel mit dem Hinweis darauf, daß sich Notenbanken, die jetzt noch irgendwelche Bremsmanöver einleiten, strafbar machen:

»Ihr Verbrechen wäre: das vorzeitige Auslösen des weltwirtschaftlichen Gesamtzusammenbruchs. Denn: *Niemand* kommt zum Schluß mit seinem Geld noch aus. *Überall* steigen zum Schluß die Auszahlungen schneller als die Einnahmen, beim Staat, bei den Unternehmen, in der Renten-, Kranken-, Arbeitsversicherung, beim Millionär und im kleinen Arbeitnehmerhaushalt... Das *muß* so sein. Das System *garantiert* die allumfassende Illiquidität. Den einen erwischt es früher, den anderen später. *Keiner wird entkommen.«[9]*

Auch für die Stärksten und Mächtigsten, meint Martin, »rückt der Zeiger der Uhr unerbittlich gen Mitternacht«. Und er zitiert Stan Salvigsen, Chefökonom von Merrill Lynch, der vom Tag des »final margin call«, der letztmaligen Aufforderung »nachzuschießen«, spricht, an dem es dann aber nichts mehr nachzuschießen gibt, weil die solchermaßen Aufgeforderten selbst am Ende sind. Geld fließt dann überall schneller ab, als es ergänzt werden kann. »Da endet eben auch ein reines ›Buchgeld-System‹, eines, das keine ›knappen‹ Gold- oder Banknotenbestände mehr kennt. Obwohl sie unendlich viel Buchgeld schaffen kann, wird der Hochbuchungs-Industrie zum Schluß unendlich viel Buchgeld fehlen.«[10]

Leider beschäftigt sich Martin hauptsächlich mit dem Ansteigen der Schulden und Zinsen. Über die Verteilung der zinsbedingten eskalierenden Geldvermögen wird zwar auch gesagt, daß sie in erster Linie drei Gruppen zugute kommen: den multinationalen Konzernen, den großen Versicherungsgesellschaften und den Schwarzgeldkonten in der Schweiz[11], doch diese Folgerung bleibt ohne Konsequenzen.

Nun wäre es aber durchaus möglich, daß die eine oder andere Gruppe immer wieder so viel von dem Geld, was ihr zufließt, »nachschießt«, um das System solange wie es eben geht für ihre Zwecke am Leben zu erhalten. Eine bequemere und undurchsichtigere Art von »Sklavenhaltung« und Ausbeutung der Mehrheit der Menschen durch eine kleine Minderheit als über das Zinssystem ist wohl kaum erdacht worden.

Nur die eingeschränkte Sicht auf das Ansteigen der Schulden erklärt auch, wie Martin, der doch in vieler Hinsicht klar erkennt, was im Geldsektor wirklich los ist und wie sich dieser auf alle anderen Bereiche unserer Gesellschaft auswirkt, noch immer bei seinem »Aufwärts ohne Ende« bleiben kann.

Warum muß man Martin – trotz seiner massiven Widersprüchlichkeit – ernst nehmen? Weil er einer der wenigen ist, die am Kapitalismus hängen und gleichzeitig den Mut aufbringen, die Konsequenzen der heutigen Politik der weltumfassenden Wachstumsideologie, die alle Länder und Parteien vereint, und vor allem den Ursprung dieses Wachstumszwangs im heutigen Geldsystem deutlich darzustellen. Dafür sollte man ihm dankbar sein, auch wenn man mit seinen Schlußfolgerungen *nicht* übereinstimmt. Denn was nützt uns die größere Warenfülle, welche der Kreditgewährung und Kreditbedienung einzig und allein ihren Sinn verleiht, wenn die Luft nicht mehr zu atmen, Wasser und Nahrung nicht mehr genießbar sind? Was nützt es uns, daß Brasilien ein paar Jahre länger seine Zinsen zahlen könnte, wenn der Urwald am Amazonas verschwunden ist? Was nützt es uns, daß die Bauern endlich von ihrem Vierzig-Milliarden-Defizit herunterkommen, wenn die Nordsee zur Jauchegrube geworden, die Böden unfruchtbar, das Grundwasser verseucht ist? Was nützt uns die Demokratie, wenn wir zu 95 Prozent zu Geldsklaven der multinationalen Konzerne und der großen Versicherungsgesellschaften geworden sind?

Doch solche Fragen können nur diejenigen stellen, denen der Hoffnungsschimmer erhalten blieb, daß es eine praktische Alternative zur dreitausend Jahre überdauernden Schuldenwirtschaft – das heißt eines zinstragenden Geldsystems – gibt. Daß einige ideale Ansätze vorhanden sind, bestreitet Martin gar nicht, nur sehen sie sich der Dynamik des debitistischen Prozesses nicht gewachsen – und damit, das muß man neidlos anerkennen, hat er den Kern des Problems getroffen. Leider! *Mit der Dynamik dieses Zinssystems kann kein anderes Geld- und somit kein Wirtschaftsgefüge konkurrieren.* Das exponentielle Wachstum ist nicht umsonst Charakteristikum für die dynamischste aller Krankheiten, den Krebs, der infolgedessen auch am signifikantesen das Kranksein in unserer Zeit symbolisiert.

»Vom Standpunkt der Zelle betrachtet ist der Krebs ja ein Triumph ohnegleichen: die gelungene Programmierung der Zelle auf ›Unsterblichkeit‹, die endgültige Herstellung von Ordnung und Vollkommenheit und ihre Reproduktion in immer gleicher Form. Vom Standpunkt des Gesamtorganismus ist er eine einzige Katastrophe: die Überlagerung und Vernichtung der Vielfalt, die Erstickung differenzierter Organfunktionen im einseitigen, unkontrollierten Zellwachstum und schließlich der Tod, das Erliegen lebensnotwendiger Versorgungsfunktionen des Gesamtorganismus. Der unkontrollierte Vermehrungserfolg der Zelle führt, auf der Triumphstraße äußerster ›Tüchtigkeit‹, geradewegs in den Untergang alles am Gesamtorganismus beteiligten Lebendigen – auch der Zelle selbst. Diese feiert den Höhepunkt ihres Sieges im Augenblick des eigenen Untergangs: Sieg und Selbstvernichtung fallen in eins. Welch ein Bild tödlicher Ironie: Der Untergang ist nicht etwa die Folge des Totalerfolges, nein, der Höhepunkt des Erfolgs ist der Untergang.«[12]

Diese Beschreibung Bernd Guggenbergers läßt sich, wie auch Helmut Creutz nachweist (siehe *Abbildung 8*, »Der monetäre Teufelskreis«), ohne große Abänderung auf das heutige Geldsystem übertragen, das ja auch, »ohne dies zu wollen«, die lebenerhaltende Balance der Vielfalt der am Leben teilnehmenden Funktionen zerstört und auf dem Höhepunkt des Erfolgs mit einer nie zuvor dagewesenen Menge an Geldansprüchen und Schulden seinen eigenen Untergang feiert.

Wenn von Schulden die Rede ist, fällt einem automatisch die Dritte Welt ein.

Wie aber *Abbildung 18* verdeutlicht, ist die vieldiskutierte Auslandsverschuldung dieser Länder nur die Spitze eines weltweit wuchernden Schuldeneisbergs, der alle Volkswirtschaften immer mehr erdrückt.

Zwar hat sich die Verschuldung der Entwicklungsländer in den letzten Jahren am schnellsten erhöht. Die Inlandsverschuldung in der Bundesrepublik erreicht jedoch fast das doppelte Ausmaß der gesamten Außenverpflichtungen aller Entwicklungs- und Schwellenländer, in den USA ist sie sogar rund achtmal so hoch!

Deutlicher, als es bei Jesaja im Alten Testament steht, kann es gar nicht gesagt werden: »Darum wird eure Schuld für euch sein wie ein herabfallendes Bruchstück von einer hochaufragenden Mauer, die dann plötzlich, urplötzlich einstürzt.«[13] Die exponentielle Wachstumskurve wird zum Schluß immer stei-

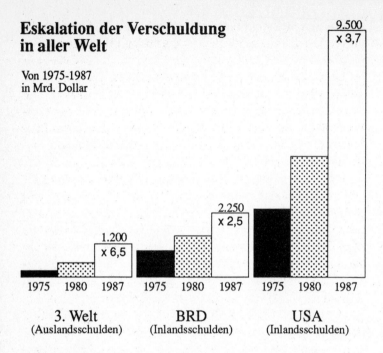

Eskalation der Verschuldung in aller Welt

Von 1975-1987
in Mrd. Dollar

9.500
x 3,7

2.250
x 2,5

1.200
x 6,5

1975 1980 1987   1975 1980 1987   1975 1980 1987

3. Welt
(Auslandsschulden)

BRD
(Inlandsschulden)

USA
(Inlandsschulden)

Abbildung 18

In dieser Grafik werden die Auslandsschulden der Dritten Welt mit den Inlandsschulden der Bundesrepublik und der Vereinigten Staaten von Amerika verglichen, und zwar über den Zeitraum von 1975 bis 1987.

Wie erkennbar sind die Schulden der Entwicklungsländer in den zwei Jahren zwar am stärksten angestiegen, nämlich auf das 6,5fache, während die Inlandsverschuldung in der BRD *nur* auf das 2,5fache und die der USA auf das 3,7fache zunehmen. Vergleicht man aber die absoluten Größen, dann waren die bundesdeutschen Inlandsschulden fast doppelt so hoch wie die Auslandsschulden der Entwicklungs- und Schwellenländer, die USA-Schulden rund achtmal so hoch.

Bezieht man die Schulden auf die Bevölkerung, dann ergibt sich in der Dritten Welt ein Pro-Kopf-Betrag von etwa 650 Mark. In der Bundesrepublik liegt dieser inzwischen bei 60 000, in den USA über 70 000 Mark (Helmut Creutz).

ler und bricht dann jäh ab. Natürlich kann mit der Dynamik dieses Wachstumsprozesses, wenn man ihn zuläßt, kein gesundes Wachstum konkurrieren. Ein solches ist aber nur möglich, wenn wir dem Geld seine Spekulationsfunktion nehmen und es zu einem echten Tauschmittel machen.

Wenn Geld beide Aufgaben – als Tausch- und als Spekulationsmittel – erfüllen soll, gerät die Tauschfunktion regelmäßig ins Hintertreffen, da sich die Spekulationsfunktion als die dynamischere erweist. Das heißt, als Tauschmittel ist der »Zwitter Geld« heute eine grundsätzliche Fehlkonstruktion.

Wer sie nicht durchschaut und trotzdem versucht, den Regenwald zu retten und die Umwelt zu schützen, kann nicht sehr weit kommen und gerät in eine nahezu hoffnungslose Situation. So steht denn auch im Vorwort des »State of the World Report 1990« des »World Watch Institutes« der schöne Satz: »Im großen und ganzen war es ein Jahr zahlreicher Konferenzen und Berichte, aber mit wenig echten Veränderungen.«[14] Und im Jahresbericht 1989/90 des World Widlife Fund, dem sehr viel wohlhabende Firmen und Einzelpersonen angehören, heißt es: »Noch nie wurden in dieser Zeit so viele internationale Konferenzen über die globalen Umweltprobleme wie Abholzung des Tropenwaldes, das Ozonloch und die CO_2-Zunahme abgehalten. Die Medien berichteten intensiv darüber, nur die Beschlüsse der Politiker bleiben bescheiden, und konkretes Handeln fällt schwer.«[15]

Wie diese Fehlkonstruktion im Geldsystem zustande gekommen ist, kann man historisch begründen. Die Problematik, die sie noch immer verursacht, ist – heute besser denn je – analysierbar. Und wenn man erkannt hat, daß die Schaffung eines besseren Tauschmittels möglich ist, das statt eines wuchernden Krebses ein gesundes Wachstum der Wirtschaft erlaubt, wäre es bewußter Selbstmord, nicht wenigstens zu versuchen, dieses System einzuführen.

Modell 2:
Begrenztes oder Nullwachstum

Die Forderung nach einem wirtschaftlichen Nullwachstum wird vor allem von Menschen erhoben, denen es um die Erhaltung unserer begrenzten ökologischen Lebensgrundlagen geht. Sie argumentieren mit dem Begriff »Entropie« als Kürzel für den wissenschaftlichen Beweis, daß grenzenloses Wachstum auf unserem Planeten eben nicht möglich ist. Mit dem ersten Hauptsatz der Thermodynamik – daß Energie weder geschaffen noch vernichtet wird (sie erfährt lediglich eine Umwandlung) – hatte Rudolf Clausius vor mehr als hundert Jahren den Traum vom Perpetuum mobile, der unerschöpflich verfügbaren Energie, abrupt beendet. Mit dem zweiten Hauptsatz – die Energie geht immer vom verfügbaren zum unverfügbaren Zustand über (Holz brennt und gibt Wärme ab; die Wärme geht nicht verloren, aber sie ist für uns nicht mehr verfügbar) – deutet er bereits die Richtung an, die unser Handeln bestimmen muß: Sparsamkeit bei der Nutzung der uns verfügbaren Ressourcen.

Während man die Gesamtheit der Naturvorgänge in ihrer wechselseitigen Ergänzung als geniale Verzögerungstaktik im Abwehrkampf wider die unvermeidliche Entropievermehrung auslegen kann, bedeutet alles menschliche Handeln nichts anderes als die Erweiterung und Beschleunigung jenes Transformationsvorgangs, während dem aus wertvollen natürlichen Stoffen fortlaufend wertloser Abfall wird.[16]

Wo immer über wirkliche Alternativen zur herrschenden Wachstumsideologie der Ökonomie und Politik diskutiert wird, geht es deshalb in erster Linie um Verlangsamung dieser Entwicklung. Von E. F. Schumachers »Small is beautiful«[16] bis zu Hazel Hendersons »Das Ende der Ökonomie – Die ersten Tage des nachindustriellen Zeitalters«[17] wird ein Wachstum gefordert, das sich am menschlichen Maßstab ausrichtet oder an der Beantwortung der Fragen »Wachstum von was und für wen?« Die Richtung – auf einige Stichworte verkürzt – heißt: klein, dezentral, vernetzt, sozialverträglich und ressourcenschonend.

Allerdings, *wie* dies zu bewerkstelligen ist in einem Wirtschafts- und Geldsystem, das auf dem Zins als Umlaufsicherung beruht und somit exponentiell wachsen *muß*, darüber diskutieren nur wenige, weil es in der »alternativen« oder »neuen« Ökonomie kein zentrales Thema darstellt. Paul Ekins schreibt in seinem Buch »The Living Economy« (»Die lebende Ökonomie«)[18]:

»Die Ökonomie steckt in einer Sackgasse. Ihre Instrumente sind stumpf. Ihre Richtung ist verworren. Der breite Nachkriegskonsens ist verflogen, die Experten ergreifen immer verzweifelter Hilfsmittel, und die Öffentlichkeit ist sowohl skeptisch wie bestürzt. Nichts scheint so zu klappen wie zuvor. Investitionen verbessern die Arbeitslosenquote nicht. Wachstum auch nicht. Die Inflation ist chronisch geworden [...] Die Schulden der Dritten Welt drohen das internationale Finanzsystem zum Einsturz zu bringen. Neue Technologien beherrschen die Menschen, statt sie zu befreien. Die Natur [...] und ihre Ressourcen sind in beispielloser Bedrängnis. Der größte Widerspruch ist jedoch das Weiterbestehen der Armut selbst in den reichsten Ländern, trotz der wirtschaftlichen Weiterentwicklung.«[19]

Das umfangreiche Werk faßt die Ergebnisse der »Alternativen Gipfeltreffen« (The Economic Summit = TOES) 1984 und 1985 zusammen, zu denen viele der besten Köpfe, die über eine neue Ökonomie nachdenken, alljährlich zusammenkommen. Die gängigen Methoden der Ökonomie werden scharf angegriffen und neue Modelle entwickelt. Hazel Henderson kritisiert die herkömmlichen Wirtschaftsindikatoren als »ohne wirkliche Bedeutung«, Susan George beschreibt die fatalen Auswirkungen der Schuldenkrise, und James Robertson fragt: »Was kommt eigentlich nach der Vollbeschäftigung für alle?« Es geht um Arbeit, Gesundheit, die wirklichen Bedürfnisse der Menschen, technologischen Fortschritt, die spezielle Beschäftigungslage von Frauen, den Zugang zu Land, Steuern und ein Grundeinkommen für jeden, Lernen von Entwicklungsländern, Welthandel und die Abkoppelung von multinationalen Konzernen.

Kaum ein Thema wird ausgeklammert, nur die Bedeutung unseres Geldsystems hinsichtlich des pathologischen Wachstumszwangs, der Überschuldung der Dritten Welt, dem Verschleiß nicht erneuerbarer Ressourcen, der Ausbeutung von Frauen, der wachsenden Arbeitslosigkeit und sich erweiternden Kluft von arm und reich wird an keiner Stelle klar benannt.

Zwar werden die überdurchschnittlichen Gewinne der Banken kritisiert und einige lokale Geldsysteme beschrieben (Guernsey, Wörgl und das LET-System), aber warum diese Beispiele so wichtig sind – nicht nur für die Orte, an denen sie funktionieren, sondern allgemein deswegen, daß Geld als optimales Tauschmittel ohne Zinsen eine Alternative bildet –, wird nicht gesagt.

Auf der anderen Seite stellen die Freigeldtheoretiker die Lösung des Zinsproblems durch eine andere Umlaufsicherung häufig genug so dar, als wenn sie allein alle sozialen und ökonomischen Probleme lösen könnte. Natürlich wäre die Veränderung des Geldsystems *allein* auch nicht in der Lage, den Entropieprozeß ausreichend zu verlangsamen, wenn unsere Ansprüche und Verhaltensweisen sich nicht ändern und beispielsweise jeder individuell wie auch die Gesellschaft zu einer neuen Definition von »Reichtum« und zu einem neuen »inneren« Verhältnis zum Geld gelangen. Deswegen müssen im Zusammenhang mit der Diskussion eines neuen Geldsystems auch die Vertreter eines begrenzten wirtschaftlichen Wachstums und Kritiker der herkömmlichen Ökonomie zu Wort kommen. Das Ziel besteht darin, ihre Kritik an bestehenden Konzepten und Maßstäben mit derjenigen am Geldsystem zu verbinden, so daß beide glaubwürdiger werden.

Der grüne Politiker Jonathan Porritt hat in seinem Buch »Seeing Green« (»Grün sehen«)[20] bereits 1984 beschrieben, wie der Begriff »Reichtum« dabei ist, sich zu verändern, ja geradezu ins Gegenteil zu verkehren. Während auch heute noch Reichtum allgemein häufig als äußerliches Symbol des Wohlstands gleichgesetzt wird mit Konsumgütern, Kreditkarten und der Möglichkeit, das Bankkonto zu überziehen, dürften nach Porritt in Zukunft die Reichen unabhängig genug sein, die wirkliche Qualität ihres Lebens zu verbessern. Die Armen werden dann auf ein Zeitalter zurückblicken, in dem Glück für Geld zu haben war, aber nie auf befriedigende Weise.

Die Reichen, meint Porritt, werden an Orten wohnen, wo Menschen sich gegenseitig unterstützen, von einer selbstbestimmten Arbeit leben und in ihrer Freizeit den größten Teil ihrer eigenen Lebensmittel und Unterhaltung selbst produzieren, während die Armen in vollgestopften Pendlerzügen in die Stadt zu einer Arbeit fahren müssen, die sie sowieso nicht ausstehen können, viel zuviel Geld für ungesunde Nahrung ausgeben und abends am Schalter ihrer Kabelfernseher und Videogeräte so lange drehen, bis sie die richtige Ablenkung gefunden zu haben meinen.

Daß diese Definition von Reichtum richtig ist, sieht man in Gemeinschaften, wo Menschen, die nach ihren Durchschnittseinkommen in Deutschland als arm bezeichnet werden müßten, ein wesentlich erfüllteres Leben führen als die meisten Leute, die hierzulande als »reich« bezeichnet werden. Wenn Reichtum sich an der Zahl befriedigender sozialer Beziehungen oder enger Freundschaften mißt und der Möglichkeit, individuell und als Gruppe an Konflikten zu wachsen statt sich davor zu verstecken; an der Vielfalt der Talente, die sich in immer neuen Variationen ergänzen und befruchten; an der

Freiheit, die Gelegenheiten, die sich bieten, zu nutzen oder auch nicht – dann sind die Angehörigen jener Gemeinschaften reich.

Reichtum ist jedenfalls nicht mit dem Besitz von Geld identisch. Darauf weist besonders der chilenische Ökonom Manfred Max-Neef hin, der feststellt, daß sogenannte Entwicklungsländer in der Befriedigung fundamentaler menschlicher Bedürfnisse oft weiterentwickelt sind als die hochindustrialisierten Staaten. Eine der engsten Begriffe der Ökonomie ist nach seiner Meinung der von Armut: daß jeder, der eine bestimmte Einkommensgrenze nicht überschreitet, arm ist.

Wenn man die Befriedigung menschlicher Grundbedürfnisse in einer »Ökonomie mit menschlichem Maßstab« hinzunimmt, gibt es eine Armut an Sicherheit, eine Armut an Identität, eine Armut an Freiheit, eine Armut an Verständnis, eine Armut an freundschaftlichen Beziehungen und dergleichen mehr, die zu überwinden für die Qualität des Lebens mindestens so wichtig wäre wie die finanzielle Armut.[21] Gerade in den ärmsten Gebieten findet man oft eine Solidarität und menschliche Hilfsbereitschaft, die in einem sehr hohen Grad die Grundbedürfnisse nach Schutz, Zuneigung und Geborgenheit befriedigen. In sehr wettbewerbsorientierten Gesellschaftsbereichen werden genau jene Ansprüche vernachlässigt, und der arme Reiche, der am Ende Selbstmord begeht, weil ihn niemand liebt, ist keine Seltenheit.

Geld ist auf der anderen Seite ein perfektes Ersatzmittel für alle diese ungestillten Bedürfnisse. Und so boomt in den »reichen« Industrieländern das Waffen- und Versicherungsgeschäft, während man sich in Reichweite von Pershing-Raketen oder in der Nähe eines Atommeilers ruhig zum Schlafen legt. Und so entdeckt der Tourismus die fernsten Winkel der Welt, weil Menschen den Eingang zur abenteuerlichen Reise ins eigene Innere noch nicht gefunden haben. Die Freiheit, von der wir träumen, liegt natürlich in uns selbst. Aber das erfahren viele erst, nachdem sie ihr viele Tausende von Kilometern nachgeflogen sind.

Was weltweit gebraucht wird, ist ein neues Konzept ökonomischer Effizienz, ein Konzept, das weiter geht als Maßstäbe, die sich in Geld ausdrücken lassen, wie zum Beispiel dem Bruttosozialprodukt. Hazel Henderson fordert Maßstäbe und Untersuchungen, in denen sich ausdrückt, ob das, was wir tun, auf Dauer Bestand haben kann: soziale Indikatoren, Zukunftsstudien, Betrachtungen über Wechselwirkungen zwischen den Zielen verschiedener Wirtschaftsbereiche, Umweltbeeinflussungsbilanzen, Energie-, Grün- und Abfallstatistiken, Einschätzungen und Vergleiche verschiedener Technologien im Hinblick auf Beschäftigung und dergleichen.

Darüber hinaus brauchen wir Maßstäbe, in denen sich Komplexität ausdrückt, denn deren Verlust ist zumeist auch ein Verlust an Schönheit, Sicherheit und Lebensqualität. Unsere neuen Städte und Stadtteile, vor allem die aus den sechziger und siebziger Jahren, legen darüber beredtes Zeugnis ab. In der Landwirtschaft nimmt der Trend schon seit einiger Zeit bedrohliche Formen an. Der rapide Artenschwund, ebenso wie viele soziale Probleme, ist eine Folge des Wachstumszwangs in unserem Geldsystem, aber *auch* der Unzulänglichkeit unserer Technologien und wirtschaftlichen Maßstäbe.

Das *Bruttosozialprodukt* (BSP), aus Mangel an besseren Maßstäben auch in diesem Buch zum Vergleich herangezogen, führt weltweit noch immer zu dem Fehlschluß, daß seine Höhe etwas über den wirtschaftlichen Erfolg eines Landes aussagen könne. Dabei bleiben den meisten Menschen zwei grundsätzliche Fehler verborgen: Erstens findet beim Berechnen des BSP immer nur eine der vier Grundrechenarten Anwendung: Es wird nur addiert, nie subtrahiert. Das heißt, alles wird im BSP auf der »Plus«-Seite verbucht – egal ob produktive, unproduktive oder sogar zerstörerische Prozesse stattfinden, ob Wald gepflanzt oder abgeholzt wird, ob Leute arbeiten oder krank sind. Mit anderen Worten: Nutzen und Schaden werden in keiner Weise angezeigt. Das Maß, an dem Politiker aller Länder Erfolge oder Mißerfolge ihrer Politik messen, erweist sich also als mehr als fragwürdig, es ist schlicht irreführend.

Zweitens mißt das BSP nur, was sich auf dem Markt abspielt. Alle Aktivitäten, die keine monetären Transaktionen nach sich ziehen, bleiben unsichtbar und schaffen somit für die offizielle ökonomische Betrachtung keine Werte. Dazu gehören in erster Linie Hausarbeit und Kindererziehung, private Pflege von alten Menschen sowie ehrenamtliche Arbeit, im Grunde alles, was hauptsächlich von Frauen geleistet wird. Mehr als die Hälfte der Menschheit hat also in der konventionellen Ökonomie keine Bedeutung. »Ist es nicht phantastisch«, fragte Max Neef, »daß ein Mann von seiner Frau, die vielleicht 12 bis 14 Stunden täglich im Haus arbeitet, sagen kann, meine Frau arbeitet nicht.«[22] Um die Absurdität des Maßstabs zu verdeutlichen: Jeweils zwei Frauen könnten füreinander den Haushalt führen, sich gegenseitig bezahlen, und schon würde ihre Tätigkeit als »Arbeit« bezeichnet werden und im Bruttosozialprodukt zählen, obwohl sich in Wirklichkeit nichts verändert hat.

Unsere Indikatoren, die ja deutlich die Entwicklung unseres ökonomischen Verständnisses zeigen, sagen uns nicht nur die halbe Wahrheit und messen mit einem viel zu einseitigen Maßstab – dem Geld –, sondern addieren, wo zu subtrahieren wäre, und umfassen nur einen derart kleinen Ausschnitt des Gesamtsystems, daß sie gar nicht verdeutlichen können, was wirklich vor sich geht.

Hazel Henderson, eine der unbefangensten Kritikerinnen herkömmlicher ökonomischer Theorien und Modelle, geht ebenso wie Guy Dauncey in seinem Buch »After the Crash – The Emergence of the Rainbow Economy« (»Nach dem Crash – Die Entstehung der Regenbogen-Ökonomie«)[23] davon aus, daß ein weltweiter Zusammenbruch das derzeitige Weltwirtschaftssystem noch vor Ende dieses Jahrhunderts hinwegfegen wird.

Beide sehen in einem solchen Kollaps jedoch auch die große Chance, endlich zu einer Wirtschaftsform zu finden, die mit dem, was auf dieser Erde möglich ist, in Einklang steht. In vielen Entwicklungen, die zur Zeit schon ablaufen – kleinen dezentralen Netzwerken, lokalen Geldsystemen, neuen Beteiligungsmodellen – entdecken sie die ersten Vorläufer des nachindustriellen Zeitalters und der neuen »Regenbogen-Ökonomie«. Diese wird sich nach ihrer Ansicht im Gegensatz zum »expansionistischen, am Wachstum des Bruttosozialprodukts orientierten, ressourcenintensiven Industriesystem« an der Welt als »organischer Gesamtheit« orientieren und sich neuer Instrumente und Indikatoren bedienen.[24]

Der Gedanke an den Zusammenbruch des Weltwirtschaftssystems schreckt Hazel Henderson nicht, wie sie mir während eines Gesprächs in Findhorn 1987 mitteilte. Ihrer Meinung nach werden wir die zentralen Systeme sehr schnell durch dezentrale ersetzen, und weil für sehr lange Zeit niemand den großen Systemen in Politik und Wirtschaft mehr trauen wird, erfolgt deren Austausch gegen lokale und regionale Entscheidungs- und Versorgungsstrukturen. Dabei wird die Möglichkeit der schnellen Kommunikation über Computer und die Medien eine wesentliche Rolle spielen, denn das ist das eigentlich geschichtlich Neue an der Situation.

Falls der Zusammenbruch des Weltwirtschaftssystems eintritt, gäbe es also diesmal keinen Grund zur Panik oder aus dem Fenster zu springen (wie es viele nach dem Börsen-Crash 1929 taten), sagt Henderson:

»Sie brauchen nichts anderes zu tun, als Ihre Energien ein wenig umzuorientieren und Ihrer eigenen Nachbarschaft mehr Aufmerksamkeit zu schenken. Um das zu tun, müssen Sie das in Angriff nehmen, was im Lauf der Jahrhunderte auch alle anderen Menschen getan haben: Sie werden Geld neu erfinden müssen. Wenn das Geld so manipuliert worden ist und der ›Großcroupier‹ (die Zentralbank) in Washington oder London es total verpfuscht hat, dann schaffen sich vernünftige Menschen ihre eigenen Chips.«[25]

Ihr berühmtes »Kuchenmodell (siehe *Abbildung 19*), mit dem sie die gesamte Wirtschaft als Schichtkuchen darstellt, setzt sie auch ein, um die Angst vor dieser einschneidenden Veränderung abzubauen.[26] Da die untere Hälfte des Kuchens aus der nichtbezahlten Arbeit und der Natur besteht, argumentiert Henderson, bleibt dieser Teil übrig, wenn die Weltwirtschaft – das heißt, der offizielle Geldsektor, in dem Arbeit bezahlt wird – zusammenbricht, und der Subsistenzbereich wird zum Zentrum und Ausgangspunkt einer neuen Wirtschaft, die sich vollkommen anderen Maßstäben und Zielen widmen muß. Daß es in diesem Prozeß den Menschen in Entwicklungsländern – jedenfalls dort, wo noch relativ autonome Selbstversorgungsstrukturen existieren – bessergehen wird als der Bevölkerung in hochindustrialisierten Staaten, findet sie nur fair – nachdem das Verhältnis allzu lange umgekehrt war.

Sicherlich würde ein »reinigender Crash«, in dem der heiße Ballon von »funny money« platzt und mehrere Billionen US-Dollar aus dem Börsenkarussell verschwinden – möglicherweise wie 1987 praktisch ohne Konsequenzen für die Mehrheit der Menschen –, auch einige Vorteile bieten. Nur ist zu befürchten, daß es beim wirklichen »Endspiel« um einen anderen Einsatz geht und Millionen, nein Milliarden Menschen – vor allem in den Großstädten der hochindustrialisierten und Entwicklungsländer gleichermaßen – innerhalb weniger Stunden keine Chance haben, auch nur das Notwendigste zum Überleben aufzutreiben. Für die apokalyptischen Horror-

Entnommen dem Buch *Die neue Ökonomie* von Hazel Henderson, mit freundlicher Genehmigung des Wilhelm Heyne Verlags, München 1989

Das Gesamtproduktionssystem einer Industriegesellschaft
(Kuchen aus drei Schichten mit Zuckerguß)

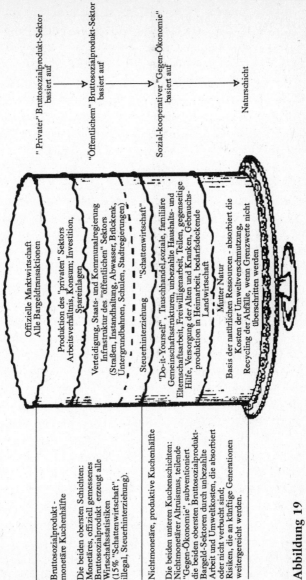

"Privater" Bruttosozialprodukt-Sektor basiert auf

→

"Öffentlichem" Bruttosozialprodukt-Sektor basiert auf

→

Sozial-kooperativer "Gegen-Ökonomie" basiert auf

→

Naturschicht

Offizielle Marktwirtschaft
Alle Bargeldtransaktionen

Produktion des "privaten" Sektors
Arbeitsverhältnis, Konsum; Investition, Spareinlagen

Verteidigung, Staats- und Kommunalregierung
Infrastruktur des "öffentlichen" Sektors
(Straßen, Instandhaltung, Abwasser, Brückenk,
Untergrundbahnen, Schulen, Stadtregierungen)

Steuerhinterziehung   "Schattenwirtschaft"

"Do-it-Yourself", Tauschhandel,soziale, familiäre
Gemeinschaftsstrukturen, unbezahlte Haushalts- und
Elternschaftsarbeit, Freiwilligenarbeit, Teilen, gegenseitige
Hilfe, Versorgung der Alten und Kranken, Gebrauchs-
produktion in Heimarbeit, bedarfsdeckende
Landwirtschaft

Mutter Natur
Basis der natürlichen Ressourcen - absorbiert die
Kosten der Umweltverschmutzung,
Recycling der Abfälle, wenn Grenzwerte nicht
überschritten werden

**Bruttosozialprodukt -
monetäre Kuchenhälfte**

Die beiden obersten Schichten:
Monetäres, offiziell gemessenes
Bruttosozialprodukt erzeugt alle
Wirtschaftsstatistiken
(15% "Schattenwirtschaft",
illegal, Steuerhinterziehung).

Nichtmonetäre, produktive Kuchenhälfte

Die beiden unteren Kuchenschichten:
Nichtmonetärer Altruismus, teilende
"Gegen-Ökonomie" subventioniert
die beiden obersten Bruttosozialprodukt-
Bargeld-Sektoren durch unbezahlte
Arbeit und Umweltkosten, die absorbiert
oder nicht verbucht sind;
Risiken, die an künftige Generationen
weitergereicht werden.

Abbildung 19

visionen von dem, was in den Großstädten passieren wird, wenn die zentralen Ver- und Entsorgungssysteme zusammenbrechen, haben einige Stunden mit Stromausfällen oder Tage, an denen Müllarbeiter streikten, einen schwachen Vorgeschmack gegeben. Aber selbst auf dem Land wird es in den hochindustrialisierten Ländern kaum besser aussehen, denn die kleineren Ortschaften mit ihren spezialisierten Agrarfabriken hängen genauso stark von Öl, Strom und von der zentralen Wasserver- und -entsorgung ab wie die Städte.

Ich meine, es wäre sinnvoller, den Zins als den Urfehler in unserem Geldsystem zu erkennen und abzuschaffen, bevor er uns »abschafft«, und endlich ein gesundes, überlebensfähiges und gerechtes Tauschmittel einzuführen. Wer nicht beides sieht – die Krankheit *und* die Kur – muß bei der Symptombeschreibung und -behandlung stehenbleiben. Das trifft sowohl auf wachstumsorientierte Kritiker der heutigen Ökonomie wie Paul C. Martin als auch auf solche aus den Reihen der »grünen Ökonomie« zu.

So sind Maria Mies' »Konturen einer öko-feministischen Gesellschaft«[27] mit dem Zukunftsmodell »Die lebenswerte Alternative«[28] von James Robertson und wesentlichen Armgumenten der meisten Ökologen und Feministinnen nahezu identisch. Beide gehen davon aus, daß eine ökologische Ökonomie notwendigerweise die Frauenbefreiung fördern muß, was auch das Ende der Ausbeutung der Dritten Welt bedeutet. Beide weisen die Lüge zurück, daß menschliche Bedürfnisse prinzipiell unendlich und unersättlich sind. Maria Mies sagt:

»Dieser faustische Begriff der unersättlichen Bedürfnisse ist das Kernstück des Paradigmas des weißen Mannes [...] Es ist die notwendige Voraussetzung für eine ins Unendliche fortschreitende Kapitalakkumulation und Naturzerstörung. Bedürfnisse, die nie befriedigt werden, sind aber keine Bedürfnisse, sondern *Süchte*. Menschliches Glück besteht jedoch darin, daß wir sagen können: Es war schön, es ist genug! Daß wir LEBENSSATT sterben können.«[29]

Alles das stimmt. Was jedoch fehlt, ist die Erkenntnis, daß wir die fortschreitende Kapitalakkumulation nur dann aufhalten können, wenn wir ein anderes Geldsystem einführen, mit dem auch der Wachstumszwang entfällt. Erst diese Veränderung wird es ermöglichen, daß wir statt in Krieg, Revolution oder Umweltkatastrophen »lebenssatt sterben können«.

Modell 3:
Qualifiziertes Wachstum

Dieses Modell beschreibt unterschiedliche Wachstumsmöglichkeiten, die sich aus einem zins- und inflationsfreien Geldsystem in verschiedenen Bereichen unserer wirtschaftlichen und sozialen Entwicklung ergeben. Es versucht aufzuzeigen, wo unbegrenztes und wo begrenztes Wachstum notwendig und richtig ist.

Wenn wir noch einmal zu *Abbildung 1* zurückgehen, so können wir über das hinaus, was im ersten Kapitel dazu gesagt wurde, folgendes feststellen:

● Während *Kurve a* im materiellen Bereich ein gesundes Wachstum anzeigt, gibt sie *im nichtmateriellen Bereich ein krankhaftes an.*

● Im Gegensatz dazu veranschaulicht *Kurve c* – das exponentielle Wachstum – im materiellen Bereich ein krankhaftes, *im nichtmateriellen Sektor hingegen ein gesundes Wachstum.*

An einem einfachen Beispiel läßt sich das verdeutlichen: Ein Kind, das gerade mal mit dem Abc vertraut ist und danach nicht weiterlernt, sondern auf diesem Wissensstand stehenbleibt, ist krank. Das gleiche trifft auf einen Erwachsenen zu, der bis zum 21. Lebensjahr all das, was ihm an manuellen Fähigkeiten und geistiger Disziplin beigebracht werden kann, gelernt hat und dann meint, auf eine Weiterbildung verzichten zu können.

Während wir es als gesund ansehen, daß wir mit etwa 21 Jahren aufhören, physisch (materiell) zu wachsen, empfinden wir es im psychischen (nichtmateriellen) Bereich als das Gegenteil. Während wir den Verlauf des physischen Wachstums nur minimal bewußt steuern können, sehen wir uns auf psychischem, intellektuellem und emotionalem Gebiet genau der umgekehrten Situation gegenüber. Hier kommt es ganz und gar auf unser Bewußtsein an, ob und wie wir wachsen wollen. Wenn wir uns intellektuell weiterentwickeln wollen, werden wir die dafür erforderlichen Lernprogramme aufstellen. Entscheiden wir uns für manuelle Fähigkeiten, bauen wir die entsprechenden Werkstätten. Wenn wir eine geistige, moralische und ethische Dimension als Grundlage unseres Handelns fordern, müssen wir die entsprechenden Lernmöglichkeiten konzipieren. Lernend können wir ohne Gefahr unbegrenzt »wachsen«.

Sehen wir uns jedoch unseren Lernprozeß im Verlauf der Menschheitsgeschichte an, so haben wir in den letzten zweieinhalbtausend Jahren in intellektueller und technisch-wissenschaftlicher Hinsicht ungeheure Fortschritte gemacht – was uns viel stumpfsinnig manuelle Arbeit erspart –, aber dabei den moralisch-ethischen oder religiösen Bereich fast vollkommen vernachlässigt.

Überall stellt uns nun heute unser rasanter technischer Fortschritt vor *Fragen, die nur durch ein Wachstum in ethischer Hinsicht zu beantworten sind:* von der Gentechnologie bis zur Nutzung des Weltraums, der Meere und der Polarzonen; von der Datenverarbeitung bis zum Umgang mit dem Geld. So wie bisher können wir nicht weitermachen. Wir müssen uns etwas grundsätzlich Neues einfallen lassen. »Es gibt keine

Möglichkeit«, sagt Henderson, »durch diese Art von Systemwandel hindurchzukommen, ohne daß sich jeder Mitspieler verändert. Jeder muß einen kleinen Teil der Verantwortung übernehmen.«[30]

Nachdem wir seit der Einführung unseres zinstragenden Geldsystems vor dreitausend Jahren materiell und technisch-wissenschaftlich exponentiell wachsen mußten (siehe *Abbildung 1*, Kurve c) und uns ethisch-religiös wenig weiterentwikkelt haben, ist (*Abbildung 1*, Kurve a) es jetzt an der Zeit, das Ganze umzukehren und *mit einer neuen Geldordnung die Expansion im materiellen Bereich zu begrenzen und damit ein exponentielles Wachstum in ethischer, sozialer und kultureller Hinsicht zu ermöglichen.*

Wer glaubt, die Abschaffung des Zinses und die Einführung einer »gesünderen« Umlaufsicherung seien nur ein kleines technisches Problem, das sich durch entsprechende Aufklärung und Information aller Beteiligten lösen ließe, sei gewarnt. So einfach ist es – leider – nicht. Ein Geldsystem, das mit dem Grundsatz »Liebe deine Nächsten wie dich selbst« ernst macht, kann nur von Menschen begründet werden, die irgendwo erfahren haben, daß dieser Grundsatz stimmt.

Das beantwortet die schwierigste Frage, die mir andere und ich mir selbst seit Jahren immer wieder stellen: Wenn das so relativ einfach zu verstehen ist, warum haben wir dann nicht längst ein anderes und besseres Geldsystem? Die Antwort lautet: weil es kein einfaches technisches, sondern ein großes menschliches Problem darstellt. Es verlangt, daß wir im wahrsten Sinne des Wortes »über unseren eigenen Schatten springen«. Diejenigen, die das schon geübt haben und die anfänglichen Schwierigkeiten kennen, wissen aber, daß es gelernt werden kann wie alles andere auch, wissen, daß es auch im gesellschaftlichen Bereich passieren kann. Was Mut macht, ist, daß das Lernen und die Zahl der Menschen, die solche Erfahrungen machen, zur Zeit ebenfalls exponentiell zunehmen.

Tauschwirtschaft statt Schuldenwirtschaft bedeutet, das Geld mit einer Nutzungsgebühr zu einer öffentlich-rechtlichen Einrichtung zu machen, statt es als privates Spekulationsmittel zu belassen. Wir erlauben ja heute auch nicht mehr, daß Raubritter auf unseren Autobahnen Sperren errichten, um einen Wegezoll abzukassieren. Das ist aber genau das, was wir im übertragenen Sinne beim Geld zulassen.

Ähnlich, wie andere Dienstleistungen von privaten Firmen im öffentlichen Auftrag und nach staatlichen Vorschriften durchgeführt werden – vom Straßenbau bis zur Paketbeförderung –, können die Banken weiterhin als Dienstleistungsunternehmen fungieren.

Was bei der Umlaufsicherung des Geldes mittels einer Gebühr nicht entfällt, sind die Kreditgewährung und die Schuldenaufnahme, das heißt, daß einzelne Unternehmer auch weiterhin ihre Vorfinanzierungskosten und Risiken mit in die Preise einkalkulieren müssen, noch immer Konkurrenz haben und bei falscher Kalkulation in Konkurs gehen können, also unter dem Druck ihres Existenzrisikos arbeiten müssen.

Was entfällt, ist, daß Schulden (wie auch schuldenfreie Investitionen) über die Zinsen mehrmals zurückgezahlt werden. Das heißt, auch die Preise können sinken. Schulden werden nur einmal zurückerstattet, was zugegebenermaßen den Druck auf den einzelnen Unternehmer und damit die »Dynamik« des Systems etwas verringern wird – möglicherweise um genausoviel, wie es noch braucht, um streßfreier und vernünftiger zu leben.

Was bei der Umlaufsicherung des Geldes mittels einer Gebühr nicht entfällt, ist, daß »vernünftig« für den einen etwas anderes bedeutet als für den anderen und die Menschen ebenso, wie sie über unterschiedliche Talente verfügen, sie auch verschieden große Häuser und Bankkonten haben wollen. Was entfällt, ist, daß die große Mehrheit für die Geldeinkommen einer kleinen Minderheit arbeitet.

Was bei der Umlaufsicherung des Geldes mittels einer Gebühr nicht entfällt, ist, daß der »freie Markt« den Preis bestimmt, hierzu gibt es in der Tat keine Alternative. Was entfällt, ist, daß der Markt durch die Akkumulation von Kapital in den Händen von immer weniger Firmen und Familien derart verzerrt wird, daß von einem freien Markt nicht mehr die Rede sein kann.

Was durch die Umlaufsicherung des Geldes über eine Gebühr nicht entfällt, ist die Notwendigkeit, Umweltschutzmaßnahmen zu ergreifen und für soziale Gerechtigkeit zu sorgen, und zwar *weltweit*.Was entfällt: daß diese Kosten, auf dem freien Kapitalmarkt aufgenommen, den Aufschuldungsdruck auf zukünftige Generationen ausdehnen und vergrößern. Mit anderen Worten: Eine Inangriffnahme dieser Maßnahmen wird erheblich erleichtert.

Das Ziel der meisten Menschen ist die Muße, während die Arbeit getan werden muß, um zu überleben. Wenn die Mehrheit der Menschen über die Preise und Steuern jedoch nicht mehr die Hälfte ihres Einkommens an multinationale Konzerne, Versicherungsgesellschaften und Geldspekulanten abführen muß, hat sie reichlich Zeit für Muße und Lebensqualität statt Streß und Konsumquantität.

In seiner Würdigung der Werke Rudolf Steiners und Silvio Gesells »als Vorboten einer neuen Geschichtsepoche« beschreibt Werner Onken das Verhältnis der beiden visionären Denker zu der Frage der Lenkung der Wirtschaft.[31] »Soll der Mensch den sozialen Organismus nach dem Prinzip des *Laissez-faire* völlig sich selbst überlassen? Oder soll er in die Stoffwechselprozesse des sozialen Organismus *bewußt* eingreifen und einzelne Vorgänge rational planen?«[32] Während nach der Vorstellung Steiners der Mensch in Zukunft die Wirtschaft *bewußt lenken* soll[33], hielt Silvio Gesell weder das eine noch das andere den Erkenntniskräften des Menschen für angemessen. Das »bewußte Lenken« würde seine Fähigkeiten übersteigen – das *Laissez-faire* seine Fähigkeiten nicht ausschöpfen. Statt dessen hat der Mensch, Gesell zufolge – als bewußte und gewollte Tat – einen Rahmen zu schaffen mit einer naturgemäßen Bodenrechts- und Geldordnung.[34] »Über diese eigenschöpferische, aktiv-ordnende Rolle hinaus soll er jedoch die Fähigkeit aller Formen des Lebens zur dezentralen Selbstordnung und Selbstheilung respektieren und sich lenkender Eingriffe in die Lebensvorgänge im sozialen Organismus enthalten.«[35]

Gesell wollte – wie Onken herausstellt – die soziale Frage in Freiheit lösen, um dem Kommunismus seine Attraktivität als Alternative zum Kapitalismus zu nehmen. Er hatte bereits klar erkannt, daß die kommunistische Produktionsweise den Menschen in eine neue Form der Sklaverei stürzen würde, während er als das höchste Ziel aller sozialen Reformen die Freiheit des Menschen und seiner persönlichen Entfaltung ansah.

»Den freien Menschen dachte sich Silvio Gesell nicht als Teil eines riesigen Uhrwerks wie der von Isaac Newtons Mechanik faszinierte Adam Smith [...], sondern ganzheitlich. Die Wirtschaft war für ihn ein lebendiger Organismus und keine Maschine [...] Dementsprechend wollte Gesell die kranke Wirtschaft auch nicht wie die Wirtschaftspolitik unserer Zeit durch punktuelle Symptomkuren reparieren, sondern er wollte der Gesamtsymptomatik auf ihren monetären Grund gehen und dann analog zur Homöopathie den sozialen Organismus mit einem Mittel heilen, das seine Gleichgewichtsstörungen reguliert und die verschiedenen Krankheitssymptome dadurch wieder zum Verschwinden bringt.«[36]

Diese Analogie Onkens ist insofern besonders glücklich, als sie mehrere Verständnisschwierigkeiten überwinden hilft: Ein Grundsatz der Homöopathie besteht ja darin, gleiches mit gleichem zu heilen. Bei Vergiftungen kann zum Beispiel eine »homöopathische Dosis« von Arsen gegeben werden, was oft zu einer sogenannten »Erstverschlimmerung« führt. Genauso kann auch bei einer Geldreform das krankhafte krebsartige Wachstum unserer Wirtschaft durch ein anfängliches Wirtschaftswachstum mit Neutralem Geld geheilt werden. Dies wird jedoch ohne den Aufschuldungseffekt und mit entsprechenden Ökosteuern ab einer optimalen Menge an Geld, mit der alle Tauschvorgänge bewältigt werden können, zu einem gesunden qualitativen statt quantitativen Wachstum führen.

Ein zweiter Grundsatz der Homöopathie lautet, daß sie die Selbstheilungskräfte des Menschen anregt. So ähnlich kann man sich auch die Selbstregeneration der Wirtschaft mit einem neuen Geld- und Bodenrecht vorstellen.

Und drittens wirken homöopathische Mittel normalerweise sanfter als allopathische (etwa »Antibiotika«, »gegen das Leben« gerichtete) Medikamente. So würden auch eine Geld-, Boden- und Steuerreform, wie sie in diesem Buch beschrieben werden, den Übergang zu einer Gesellschaft, die »für das Leben« ist, »sanft« erleichtern helfen. Auch wenn wir allein mit einem neuen Geld- und Bodenrecht als Ordnungsrahmen in Anbetracht unserer globalen Probleme heute nicht mehr auskommen würden, sind sie die Grundlage für eine wirklich qualitative Veränderung und Beschränkung des quantitativen Wachstums.

Anmerkungen

1 Paul C. Martin: *Der Kapitalismus*. Ein System, das funktioniert. Langen-Müller/Herbich, München 1986
2 Paul C. Martin: *Aufwärts ohne Ende*. Die neue Theorie des Reichtums. Ullstein 1991
3 Ebenda, Seite 335
4 Ebenda, Seite 363-416
5 Ebenda, Seite 473-476
6 Paul C. Martin, Walter Lüftl: *Die Pleite*. München 1984
7 Ebenda, Seite 370
8 Martin, 1991, a.a.O., Seite 461
9 Ebenda, Seite 474
10 Ebenda, Seite 474
11 Ebenda, Seite 402
12 Bernd Guggenberger: »Zwischen Ordnung und Chaos«. *Frankfurter Allgemeine Zeitung*, Nr. 28, 2. Februar 1991
13 Jesaja, 30, 13
14 Christoph Pfluger (Hrsg.): *Die neue Wirtschaft*, Bellach/ Schweiz, Nr. 10, 1990, Seite 4
15 Ebenda, Seite 6
16 E. F. Schumacher: *Small is Beautiful: A Study of Economics as if People Mattered*. Blond and Briggs, London 1973
17 Hazel Henderson: *Das Ende der Ökonomie* – Die ersten Tage des nachindustriellen Zeitalters. Dianus-Trikont, München 1985
18 Paul Ekins: *The Living Economy* – A New Economics in the Making. Rontledge, London & New York 1986
19 Ebenda, Seite 2
20 Jonathan Porritt: *Seeing Green*: The Politics of Ecology Explained. Blackwell, Oxford & New York 1984
21 Manfred Max Neef: »Reflections on Paradigm Shift«; in: Mary Inglis and Sandra Kramer (Eds.), *The New Economic Agenda*. The Findhorn Press 1984, Seite 143-154
22 Ebenda, Seite 151
23 Guy Dauncey: *After the Crash* – The Emergence of the Rainbow Economy. Marshall Pickering, Hants 1988
24 Henderson, 1985, a.a.O., Seite 428 und 432
25 Hazel Henderson: *Die Neue Ökonomie*. Heyne 1989, Seite 81
26 Hazel Henderson: »Living Earth's Lessons Co-Creatively«; in: Roger Benson (Ed.), *From Organization to Organism* – A New View of Business and Management. Findhorn Foundation 1988, Seite 37-59

27 Maria Mies: *Patriarchat und Kapital*. Frauen in der internationalen Arbeitsteilung. Rotpunkt Verlag, Zürich 1989, Seite 286 ff.

28 James Robertson: *Die lebenswerte Alternative*. Wegweiser für
eine andere Zukunft. Fischer Alternativ 1979

29 Mies, a. a. O., Seite 277

30 Henderson, 1989, a. a. O., Seite 82

31 Werner Onken: »Silvio Gesell – Persönlichkeit und Werk«. Vortrag
zur Gemeinschaftstagung des »Seminars für freiheitliche Ordnung« und der »Internationalen Vereinigung für natürliche Wirtschaftsordnung« über *Rudolf Steiner und Silvio Gesell als Wegbereiter einer sozialen Zukunft*. Bad Boll, 28. 10. 1989, Seite 30.

32 Werner Onken, ebenda, Seite 32

33 Rudolf Steiner: Aufruf »An das deutsche Volk und an die Kultur-
welt« in: *Kernpunkte der sozialen Frage* (1919), Dornach 1973/
1980, Seite 125 ff.

34 Silvio Gesell: *Die natürliche Wirtschaftsordnung*. A. a. O., Seite 12

35 Werner Onken, a. a. O., Seite 32

36 Ebenda, Seite 14-15.

VII. Praktische Beispiele heute: Embryos einer neuen Ökonomie

Zwei Hindernisse stehen einer praktischen Umwandlung unseres zinstragenden Geldes in ein Tauschmittel, das allen dient, entgegen. Erstens: daß wenige Leute das Problem verstehen, und zweitens: daß erfolgreich erprobte Beispiele im Verhältnis zum Umfang des »normalen« Geldverkehrs in allen Ländern außerodentlich dünn gesät und zudem über die ganze Welt verteilt sind. Zusammengenommen ergeben sie jedoch ein Bild darüber, wie eine Transformation »von unten her« aussehen könnte. Sie erlauben die ermutigende Feststellung, daß jede/r sofort etwas tun kann. Wenn genügend Leute erkannt haben, worum es geht, und sich darauf einigen, gemeinsam etwas zu unternehmen, sind Veränderungen auch ohne staatliche Unterstützung möglich. Die folgenden Modelle unterscheiden sich voneinander sowohl in den Funktionen – Sparen und Leihen von Geld auf der einen Seite, Austausch und Verrechnung von Leistungen über Geld auf der anderen Seite – als auch im Umfang oder der Reichweite des Modells von der lokalen bis zur nationalen Ebene.

Auf lokaler Basis bietet das kanadische LET-System ein zinsfreies Geldmodell für Gruppen, Gemeinschaften, Dörfer oder Stadtteile mit einer Untergrenze von etwa zwanzig und einer Obergrenze von ungefähr fünftausend Mitgliedern.

Die Schweizer Wirtschaftsring-Genossenschaft (WIR) zeigt, wie sich die mittelständische Wirtschaft eines ganzen Landes mit einem eigenen, praktisch zinslosen Verrechnungssystem wesentliche Vorteile schaffen kann.

Das dänische und schwedische J.A.K.-System bietet – ebenfalls landesweit – die Möglichkeit des zinsfreien Sparens und

Leihens zu Konditionen, die wesentlich günstiger sind als das, was die Banken anbieten.

Die verschiedenen Ansätze zeigen, daß zinslose Geldsysteme auch heute möglich sind und denjenigen, die sie benutzen, Vorteile bieten – sonst gäbe es sie nicht.

Das LET-System

In jedem Dorf, jeder Stadt und jeder Region leben ebenso Menschen mit Fähigkeiten und Gütern, die im herkömmlichen Wirtschaftssystem nicht genutzt werden, wie auf der anderen Seite Menschen, die ebendieser Dinge bedürfen. Dadurch daß sowohl Angebot wie auch Nachfrage veröffentlicht werden (beispielsweise über Informationstafeln, Zeitschriften, Computer-Informations-Systeme, Radio) und eine Zahlungsmöglichkeit außerhalb des herkömmlichen Geldsystems besteht, können beide Gruppen zusammenfinden und das lokale Leben im wahrsten Sinne bereichern.

Von allen Modellen, Güter und Dienstleistungen zinsfrei auszutauschen, ist heute das LET-System (Local Employment and Trade) das am weitesten verbreitete mit inzwischen etwa hundert LET-»Vertretungen« in Nordamerika, Europa, Australien und Neuseeland. Der erste Versuch erfolgte auf Initiative von Michael Linton im Januar 1983 in Comox Valley auf Vancouver Island, Kanada. 1990 umfaßte die Organisation ungefähr 600 Mitglieder, die im Jahr 325 000 »green« (grüne) Dollars umsetzten. Dies ist die Verrechnungseinheit, die sich am Wert der offiziellen Währung orientiert, aber nur als »Buch-« beziehungsweise »Computergeld« existiert. Der Zweck des LET-Systems liegt darin, den Austausch oder die Nutzung lokaler Ressourcen zu mobilisieren und aktivieren. *Abb. 20* zeigt die Vereinbarung über eine LETS-Mitgliedschaft in Courtney, Kanada, die jeder Teilnehmer unterschreibt.

Vereinbarung für die LETS-Mitgliedschaft

in Courtney, Kanada (Oktober 1984)

1. LETS ist ein gemeinnütziger Verein, dessen Rechte und Pflichten ein/e Bevollmächtigte/r wahrnimmt, welche/r die Mitglieder vertritt. LETS bietet eine Dienstleistung an, die den Mitgliedern erlaubt, Informationen auszutauschen und miteinander zu handeln, indem es darüber auf Wunsch der Mitglieder Buch führt.

2. Die Mitglieder müssen willens sein, ihren Handel in »grünen Dollars« abzuwickeln.

3. Der/die dazu Bevollmächtigte transferiert grüne Dollars von einem Mitgliedskonto nur dann auf ein anderes, wenn er/sie von dem Mitglied, das bezahlt, dazu autorisiert wurde.

4. Der/die Bevollmächtigte kann eine als nicht angemessen erscheinende Eintragung verweigern.

5. Ein »grüner Dollar« soll so angesehen werden, daß er einen normalen Dollar repräsentiert.

6. Jedes Mitglied ist berechtigt, in die Kontoauszüge und den Umsatz eines anderen Mitglieds Einsicht zu nehmen.

7. a) Die Verantwortung, Steuern zu zahlen, liegt bei denjenigen, die einen steuerpflichtigen Handel treiben, und LETS hat keine Verpflichtung oder Haftbarkeit für die Mitglieder bezüglich der Angabe solcher Vorgänge gegenüber dem Finanzamt oder anderen Behörden.
   b) Obwohl Mitglieder über LETS geschäftliche Verbindungen eingehen können, übernimmt LETS keine Garantie oder Zusicherung für den Wert, Zustand oder die Qualität der Waren, die gehandelt werden.
   c) Während alle Informationen über Konten der Mitglieder als persönlich und geheim gehandelt werden – mit Ausnahme der Kontoauszüge und des Umsatzes –, kann LETS nicht für die Geheimhaltung garantieren oder auf Schadenersatz verklagt werden, falls dieses Prinzip durchbrochen wird.

8. Dem/der Bevollmächtigten wird der Auftrag erteilt, die Konten der Mitglieder mit den Kosten für die Kontoführung in »grünen Dollar« zu belasten. Die Gebühren werden von ihm/ihr in Zusammenarbeit mit dem Beirat des Vereins festgelegt.

Abbildung 20

Rechtlich gesehen verstößt das System in Kanada, den USA und anderen Ländern nicht gegen das staatliche Geldmonopol, weil es nichts anderes als eine zentrale Buchhaltung beinhaltet, über die verschiedene Leistungen verrechnet werden.

Das LET-System füllt dort, wo es eingeführt wurde, zuerst einmal die Marktlücken, die ein Wirtschaftssystem hinterläßt, das global immer nur nach dem billigsten Produktionsort sucht und dabei das ehemals vorhandene lokale autonome Wirtschaftsgefüge zerstört hat. Es hat sicher seine Richtigkeit, daß der freie Weltmarkt (soweit er frei ist) einige bemerkenswerte Vorteile bietet und zum Wohlstand in vielen Teilen der Welt beigetragen hat. Es ist aber ebenso klar, daß dies auf Kosten der Menschen, in den sogenannten »Billiglohnländern« auf Kosten nicht erneuerbarer Energiequellen und der Stabilität regionaler Wirtschaftsstrukturen ging und geht. Deshalb ist es wichtig, die lokale und regionale Wirtschaft neu zu beleben. Nur zusammen mit der internen Wirtschaft einer Region oder eines Ortes können die ökonomischen Schwankungen des Weltmarkts ausgeglichen werden und langfristig – zusammen mit dem globalen Güteraustausch – eine gefestigte, sich ergänzende Konstruktion bilden. Je stabiler das Ganze ist, desto stärker müssen auch die Teile werden. In diesem Sinne ist das LET-System eine erste Antwort auf die Übermacht der Großkonzerne und staatlichen Geldsysteme, die durch ihre Monopolstellung, verbunden mit dem Zinseffekt und einer daraus resultierenden wachsenden nationalen sowie internationalen Verschuldung, für kleinere politische und wirtschaftliche Strukturen immer problematischer werden.

Das LET-System erweist sich als immun gegen nationale oder internationale Rezessionen, Schuldzinsen, Diebstahl und Geldmangel. Das Weltwährungsgefüge kann zusammenbrechen, der Dollar oder die Mark im Portemonnaie so gut wie wertlos werden und die Arbeitslosigkeit weit stärker als bisher zunehmen – das »neue Geld« funktioniert, weil es immer zu hundert Prozent auf Leistungen und Gütern abgesichert ist und nur entsteht, wenn Leute miteinander in einen direkten wirtschaftlichen Austausch treten. Es wird infolgedessen nie der Spekulation und einseitigen Bereicherung einzelner dienen. Darin liegt seine Stärke.

Mit den ersten Guthaben entstehen gleichzeitig auch die ersten Schulden. Was der eine für eine Leistung zu zahlen bereit ist, wird dem, der sie erbringt, auf dessen Konto gutgeschrieben, und dem, der sie kauft, als Schuld verbucht. Die Geldschöpfung erfolgt also beim Austausch. Doch weder für Guthaben noch für Schulden werden Zinsen gezahlt. Wer jedoch seine Guthaben zu lange ruhen läßt, verlier parallel zur Inflation des umliegenden Wirtschaftsraums, da die Verrechnungseinheit sich an der offiziellen Währung orientiert. Somit wirkt die Inflation hier sozusagen als Umlaufsicherung, was besagt, daß das Guthaben sich im Laufe der Zeit im Wert etwas verringert.

Da alle in dem System draufzahlen, wenn beispielsweise ein Mitglied seinen Schuldverpflichtungen nicht nachkommt, ist es wichtig, daß man einander kennt und gegenseitiges Vertrauen lernt. Deswegen erweist sich eine örtliche Begrenzung zu Anfang als sinnvoll – bis mehr Menschen gelernt haben, mit der Verantwortung umzugehen. Leider ist es bisher nicht gelungen, daß die Verpflichtung, Steuern aus Transaktionen in grünen Dollars zu zahlen, auch für das Finanzamt Gültigkeit besitzt. Auf diese Weise würde die Gemeinde oder der Landkreis nämlich Partner im LET-System und könnte öffentliche Ausgaben in »grünen Dollars« beziehungsweise der entsprechenden »Lokalwährung« finanzieren. Der positive Aspekt liegt auf der Hand: Die Liquidität aller Beteiligten wird erhöht, und es entsteht für den Staat oder die Gemeinde ein außerordentlich billiges Arbeitsbeschaffungsprogramm.

Der Vorteil des Systems liegt darin, daß es praktisch nur dadurch begrenzt wird, wieviel Zeit und Energie jeder einzubringen bereit ist. Gerade dann, wenn im staatlichen Geldsystem das Geld knapp wird und die Zinsen steigen, kann sich dies als entscheidendes Kriterium für die Einführung und umfassende Nutzung des Systems erweisen.

Interessanterweise scheinen *genau die Leute, die vom normalen Wirtschaftsleben ausgeschlossen sind,* im LET-System ungewöhnliche Talente zu entwickeln. Vor allem Teilzeit- und stundenweise Betätigungen – vom Babysitting über Bäume- und Heckenschneiden bis zur Hilfe beim Verfassen von Liebesbriefen, vom Fensterputzen bis zum Obsteinwecken und Frühjahrsputz – sind gefragt. Jeder Mensch verfügt über Fähigkeiten, die anderen nicht gegeben sind und die heute im traditionellen Wirtschaftsbereich keinen Platz haben.

Am Anfang sah sich das LET-System einer breiten Opposition gegenüber. Die Linken nahmen an, es sei eine Sache von rechts, während die Rechten glaubten, daß dies ein Schritt zur kommunistischen Machtübernahme sei. Einige Geschäftsleute vermuteten hinter ihm einen Trick, ihnen das Geld aus der Tasche zu ziehen.[1] Während die meisten Männer äußerst argwöhnisch waren, stellten sich die Frauen als wesentlich pragmatischer heraus. Sie schienen eher den Standpunkt zu vertreten: »Mal sehen, wie es für mich funktioniert, und wenn es klappt, warum sollten wir es nicht benutzen?«

Was die meisten Teilnehmer so fasziniert, ist, wie einfach man das System verstehen und benutzen kann. *Es reguliert sich selbst,* da es nur mit der Menge wirtschaftlicher Transaktionen wächst. Es läßt sich problemlos mit dem bestehenden Geldsystem kombinieren. Da sie »materiell« nicht existieren, können »grüne« Dollars weder nachgemacht noch entwertet, gehortet, gestohlen oder verloren werden. Niemand kann sie ansammeln und gegen hohe Zinsen ausleihen. Das heißt, daß Geld hier kein Eigenleben entfaltet und für spekulative Zwecke zur Verfügung steht. Seine Entstehung geschieht tatsächlich vollkommen dezentral, und es ist damit direkt mit seiner Quelle, der Kreativität von Menschen, verbunden.

Weil der »grüne« Dollar den lokalen Wirtschaftsraum nicht verlassen kann, um Autos aus Japan oder Kleider aus Hongkong zu kaufen, und so die Kaufkraft, die er repräsentiert, weit weg zu investieren, fördert jede Transaktion die Entwicklung örtlicher Ressourcen. Eine arbeitslose Mutter in Courtney drückte das so aus: »Es gibt mir ein Gefühl, etwas für die Gemeinschaft zu tun, weil ich jedesmal, wenn ich etwas in ›grünen‹ Dollars einkaufe, weiß, daß ich einem anderen helfe, seine materielle Situation zu verbessern.«[2]

Guthaben in »grünen« Dollars sind zwar auch »Privateigentum«, stehen jedoch in viel direkterem Bezug zu der sozialen Gruppe, die sie erzeugt. Insofern verbindet sich ihr Gebrauch mit einer sozialen Botschaft, die dem Geld, das zur Zeit die Welt regiert, fehlt. Dem »grünen« Dollar ist der Warencharakter genommen, und damit kann er seine Funktion als Tauschmittel unbehindert erfüllen. Wenn am Ende des Jahres sämtliche Konten verrechnet werden und das Plus und Minus zusammen Null ergibt, alle Transaktionen zusammen aber eine halbe Million »grüner« Dollars betragen, hat das »Bruttosozialprodukt« der LETS-Gemeinschaft um das Äquivalent von 500 000 Dollar zugenommen, und die Mitglieder sind in dem Maße reicher geworden, wie sie am Austausch teilgenommen haben.

Um die Funktion des LET-Systems für Menschen, die noch keine Erfahrung mit alternativen Geld- und Tauschsystemen haben, zu verdeutlichen, hat Michael Linton ein Handbuch für die Gründung eines LET-Systems herausgegeben und ein Spiel erfunden, das ebensoviel Spaß macht wie Monopoly.

LETS PLAY wird als ein Spiel bezeichnet, »das die Welt zeigt, wie sie ist, und wie sie sein könnte«.[3] Es macht den Effekt von LET-Systemen für jeden einzelnen erst einmal spielerisch verständlich. Man kann es mit vier oder fünf, aber auch mit bis zu tausend Teilnehmern spielen. Die Regeln sind so einfach, daß schon größere Kinder mitspielen können.

Es gewinnen die Spieler, die alle Einkäufe innerhalb ihres Budgets tätigen können und ein hohes »Handelsvolumen« aufweisen. Es kann also genauso viele Gewinner geben wie Spieler. Das Spiel verdeutlicht im Prinzip das genaue Gegenteil von Monopoly; statt daß immer nur einer als Sieger hervorgeht, können hier alle gewinnen – eine perfekte Analogie zu einem Geldsystem ohne Zinsen.

Der WIR-Ring

Seit 1934 gibt es in der Schweiz einen landesweiten Tauschring, mit dem Zweck, die mittelständische Wirtschaft mit günstigen Krediten zu versorgen und den Teilnehmern höhere Umsätze und bessere Erträge zu verschaffen. Der WIR (Abkürzung von WIRtschaftsring-Genossenschaft) wurde von Freigeldanhängern gegründet und verfolgte in der Absatzkrise der dreißiger Jahre auch die geldreformerischen Ziele der sogenannten »Gesellianer« oder »Freiwirte«. Als Tauschring arbeitet der WIR nach den gleichen Grundsätzen wie das LET-System und alle Barter-Clubs: bargeldlose Verrechnung zwischen den Teilnehmern über eine zentrale Kontenführungsstelle, keine Barabhebung der Guthaben und dadurch eine zinslose oder sehr niedrig belastete Kreditvergabe.

Weil er im Laufe der Zeit immer mehr von der ideologischen Grundlage der Freigeldtheorie abrückte und beschloß, die Genossenschaftsanteile zu verzinsen und einen – zwar wesentlich niedrigeren als marktüblichen – Sollzins für WIR-Verrechnungskredite und WIR-Hypotheken einzuführen, verließen orthodoxe Freigeldanhänger den WIR. Sie gründeten eine neue Ringgenossenschaft, die allerdings bald scheiterte.

Obwohl sich auch in der Schweiz Widerstand gegen solche Tauschringe formierte (neben der Bekämpfung der Freigeldlehre spielte auch die Furcht vor einem potentiellen Konkurrenten im Kreditgewerbe eine Rolle), kam es hier im Gegensatz zu Deutschland nicht zu einem Gesetz gegen den angeblichen »Mißbrauch« des bargeldlosen Zahlungsverkehrs. Allerdings wurde der Wirtschaftsring 1936 der kredit- und geldpolitischen Aufsicht nach schweizerischem Bundesgesetz unterstellt. Im ersten Halbjahr 1990 hatte der Wirtschaftsring 53 730 Teilnehmer, 16 788 offizielle Konten und einen Halbjahresumsatz von etwa 0,8 Milliarden WIR, eine Verrechnungseinheit, die dem Wert des Schweizer Franken entspricht.

Da das WIR-Geld ein »informationsbedürftiges« Geld ist, das heißt der Austausch unter den Teilnehmern nur funktioniert, wenn Angebot und Nachfrage schnell an die richtige Adresse kommen, gibt es eine monatlich erscheinende Zeitschrift sowie drei Verzeichnisse, die Branchen, Orte und Gaststätten erfassen, welche zum Wirtschaftsring gehören.

Der Wirtschaftsring versteht sich ganz eindeutig als ein Mittel zur Selbsthilfe des Mittelstands im Konkurrenzkampf mit markt- und kapitalstarken Großunternehmen sowie einem immer mächtigeren und »eingriffigeren« Staat.[4]

Aufgebaut ist die Organisation wie ein Bankinstitut mit Hauptsitz in Basel und sieben Regionalbüros.

Bezahlt wird mit Buchungsaufträgen, die sich kaum von normalen Bankschecks unterscheiden, über Kreditkarten und entsprechende Formulare beziehungsweise als Direkterstattung, wenn WIR-Teilnehmer auf elektronische Kassenterminals umgestellt haben. Alle Vorgänge werden in der Zentrale dem jeweiligen Konto belastet oder gutgeschrieben. Guthaben werden nicht verzinst, Schulden je nach Umfang mit geringen Gebühren belastet. Die »Geldschöpfung« erfolgt beim Kreditvorgang.

Wer die Geschäftsbedingungen übertritt, wird ausgeschlossen. Dies war in der Vergangenheit häufiger der Fall, da insofern gegen die Geschäftsbedingung verstoßen wurde, als WIR-Guthaben nicht in normale Schweizer Franken umgewandelt werden können, sondern den Mitgliedern als günstige Kredite zur Verfügung stehen müssen.

Da sich der WIR-Umsatz auf die Möglichkeiten des Austauschs unter den Mitgliedern beschränken muß, gibt es sehr unterschiedliche Anteile, mit denen man in WIR bezahlen kann: Der WIR-Annahmesatz für offizielle Teilnehmer liegt zwischen dreißig und hundert Prozent bis zweitausend Schweizer Franken. Im Gaststätten- und Hotelgewerbe scheint die hundertprozentige Akzeptanz ohne Obergrenze am verbreitetsten, bei anderen Waren variieren die Anteile stark nach oben und unten.

Die Kosten der WIR-Organisation wurden 1990 durch die Teilnahmegebühr von acht Schweizer Franken pro Quartal oder 32 Schweizer Franken im Jahr plus Transaktionskosten von 0,6 bis 0,8 Prozent für jede gutgeschriebene Summe gedeckt. Jeder Teilnehmer verfügt uneingeschränkt über die Verrechnungseinheiten auf seinem Konto.

Trotz seines mittlerweile fast sechzigjährigen Erfolgs in der Schweiz hat sich das Tauschring-System auf genossenschaftlicher Basis in diesem Umfang bis heute in keinem anderen Land wiederholen lassen. Die Gründe sind vielfältig und für Deutschland besonders interessant, da sie ein unbewältigtes Kapitel unserer Geldgeschichte berühren.

Eine WIR-Initiative, der »Berliner Wirtschaftsring GmbH«, scheiterte hier im Jahr 1950 an der Gewerbezulassung durch das Bankenaufsichtsamt ebenso wie ein zweiter Versuch, der anfänglich als »Bayerischer Wirtschaftsring GmbH« und später als »Wirtschaftsring GmbH« bezeichnet wurde.[5] Eine Nachahmung des Schweizer WIR-Wirtschaftsrings ist bis heute bei uns nicht möglich wegen des Kreditwirtschaftsgesetzes (§3), das verbietet, daß Verrechnungsguthaben nicht bar eingelöst werden können.

Zu diesem Gesetz kam es 1933, nachdem sich in Deutschland zahlreiche sogenannte »Ausgleichskassen«, »Verrechnungsgesellschaften«, »Tauschbanken« und »Warenclearingstellen« gebildet hatten, die alle im Prinzip ähnlich organisiert waren wie der WIR-Ring und eine typische Krisenerscheinung darstellten. Absatzstockungen, unausgenutzte Kapazitäten, Warenlager, hohe Zinsen und mangelnde Geldversorgung machten die Teilnahme attraktiv.[6] Ein Untersuchungsausschuß unter dem Vorsitz von Reichsbankpräsident Schacht befaßte sich im Jahr 1933 mit diesen bankähnlichen Organisationen und bereitete das »Gesetz gegen Mißbrauch des bargeldlosen Zahlungsverkehrs« vor, welches 1934 erlassen wurde und in Paragraph drei die erschwerte Barabhebung von Guthaben verbot. Das traf den Lebensnerv der Tauschringe. Professor Hannes Linhardt meint dazu: »Das unverkennbare Ziel dieses Gesetzes war die Entrechtung der Kreditwirtschaft und ihre Bevormundung durch den Staat, die Erfassung und Lenkung der Spargelder des Volkes und ihre Verwendung für Aufrüstung und Kriegsführung.«[7]

Die ersten Barter-Clubs haben 1924 mit dem Bundesaufsichtsamt für Kreditwesen über jenen ominösen Paragraphen des Kreditwirtschaftsgesetzes gestritten. Nach einer intensiven Auseinandersetzung genehmigte das Amt schließlich die derzeit praktizierte Form der Einlagen, die unter bestimmten Bedingungen in bar abgehoben werden können. Godschalk kommt dennoch zu dem Schluß, daß heute auch im Hinblick auf bessere Steuerungsinstrumente der Zentralbanken sowie sich ändernden Zahlungssitten eine Novellierung des Gesetzes dringend angebracht wäre.[8]

Daß es trotz dieser Schwierigkeiten ausgerechnet in Frankfurt, dem Finanzplatz Nummer eins der Bundesrepublik, gelingen würde, einen kommerziell arbeitenden Barter-Club zu etablieren, hätte nach dieser Rechtslage kaum jemand erwartet. Der »Barter Clearing & Information« (BCI), Vermittlung von Kompensationsgeschäften GmbH & Co. Beteiligungs KG hatte Anfang des Jahres 1991 knapp achttausend Teilnehmer und siebzig Geschäftsstellen in Deutschland und Österreich.

Daß die neueröffneten Büros des BCI in Ostberlin und Freiberg (Sachsen) einen geradezu stürmischen Andrang verzeichnen, wundert nicht. Denn nichts wird in den neuen Bundesländern dringender gebraucht als zinslose Darlehen.

Auch der BCI bietet wie der WIR-Ring den doppelten Vorteil neuer Absatzmöglichkeiten und billiger Kredite. Allerdings mit höheren Kosten: Statt 32 Schweizer Franken Jahresbeitrag sind im BCI 480 Mark Mitgliedsbeitrag im ersten Jahr zu entrichten, während statt 0,6 bis 0,8 Prozent die Transaktionskosten mit einem bis zwei Prozent zu Buche schlagen.

Im Unterschied zum WIR-Ring werden jedoch die Tauschgeschäfte auch in Mark verrechnet und vom Hersteller bis zum Importeur, vom Einzelhändler und gewerblichen Endverbraucher, von großen und kleinen Firmen aufgenommen. Während der Wirtschaftsring horizontal strukturiert ist (wie übrigens die meisten kommerziellen Tauschringe in den USA auch) hat der BCI ein vertikales Gefüge. Er wird vom Bundesaufsichtsamt nicht als Bank betrachtet, weil er keine Geldgeschäfte eingeht, sondern nur Leistungen und Waren vermitteln und verrechnen hilft. Sein Geschäftsvolumen betrug im Jahr 1990 102 000 000 Mark, wovon 30 000 000 Mark über Barter verrechnet wurden.

Im Gegensatz zum Wirtschaftsring werden die Firmen »betreut«, das heißt, man achtet darauf, daß Salden sich nicht verfestigen. Nach zwölf Monaten müssen Konten, die ein Minus aufweisen, in Mark ausgeglichen werden. Damit besteht für andere, die ein zu hohes Guthaben ansammeln, auch die Möglichkeit des Ausgleichs in Mark, womit das Problem der Nichtkonvertierbarkeit in die Landeswährung wie beim WIR-Wirtschaftsring entfällt. Außerdem werden die Bestimmungen des §3 KGW eingehalten.

Das J.A.K.-System in Schweden

Die Initialen J.A.K. stehen für Jord, Arbete, Kapital = Land, Arbeit, Kapital (im Sinne von Häusern, Maschinen und dergleichen) und für eine Bewegung, die sich während der dreißiger Jahre in Dänemark gründete. Die meisten Bauern dort waren zu dieser Zeit hoch verschuldet – trotz produktiver Höfe – und konnten ihren Besitz nicht halten. So schlossen sie sich mit Händlern und Produzenten zusammen und entwickelten eine eigene – zinslose – Währung, die nach relativ kurzer Zeit wieder ein gewinnbringendes Arbeiten ermöglichte. Aus der Sorge, dieses Beispiel könnte Schule machen, verfügte die Regierung ein Verbot der neuen Währung von 1934 bis 1938.

Trotz mancher Niederlagen nahm die Bewegung in den fünfziger Jahren in Dänemark und in den sechziger Jahren in Schweden die Arbeit wieder auf. Die Organisationen sind sich im wesentlichen ähnlich und bieten beide den Vorteil eines außerordentlich günstigen Spardarlehens, obwohl sie sich in der Form unterscheiden. In Dänemark gibt es eine Sparkasse, bei der die normalen Dienstleistungen angeboten werden, in Schweden läuft der gesamte Zahlungsverkehr über den Postgirodienst.

Das langfristige gesellschaftspolitische Ziel der J.A.K.-Genossenschaft besteht darin, den Zins auf Kredite überflüssig zu machen, um eine Wirtschaft ohne Inflation und Arbeitslosigkeit zu ermöglichen, die im Gleichgewicht mit der Natur steht.[9] Die Mitglieder sind über das ganze Land verteilt. Anfang 1991 betrug ihre Zahl 3900 und der Gesamtumsatz 34 Millionen Schwedische Kronen (etwas über acht Millionen Mark). Das dänische J.A.K.-System setzt sogar das Zehnfache um, obwohl die Gesamtbevölkerungszahl wesentlich geringer ist als die schwedische.

Wer einen Kredit erhalten will, muß etwa ein Zehntel der

beantragten Summe angespart haben, und während man das Darlehen zurückzahlt, wird auch schon wieder angespart. Im Endeffekt muß jeder genausoviel »Geld mal Monate« sparen, wie er ausleiht. Auf diese Art und Weise ist das gesamte System ständig in einer Balance von »geben und nehmen« und funktioniert nicht nur (wie unsere Bausparkassen) bei wachsenden Mitgliedszahlen, sondern auch, wenn es einmal schrumpft.

Nun klingt es für die meisten Leute zuerst einmal absurd oder widersinnig, wenn man ihnen sagt, daß sie, während sie einen Kredit zurückzahlen, gleichzeitig sparen müssen. An zwei Beispielen für Darlehen über verschiedene Laufzeiten, die Bankkrediten vergleichbarer Laufzeit gegenübergestellt werden, läßt sich jedoch veranschaulichen, daß es sich als durchaus vorteilhaft erweist, in diesem System gleichzeitig zu sparen und zu leihen, (siehe *Abb. 21 und 22*). Die Erklärung ist sehr einfach: Natürlich stehen sich alle besser, wenn sie ihr Geld »auf Gegenseitigkeit« ohne Zinsen sparen und ausleihen. Selbst wenn man die Zinsen, die man normalerweise auf der Bank für das Geld, was man spart, abzieht, werden diese niemals durch jene aufgewogen, die für ein Darlehen fällig sind.

Die Beteiligung im J.A.K.-System ist bis zur vollen Höhe dessen, was man sich leihen muß, auf alle Fälle sinnvoll. Viele Menschen sparen jedoch freiwillig über ihr erforderliches Maß hinaus und verschaffen so anderen, die zuerst leihen müssen, bevor sie sparen können, die Chance, an Geld zu kommen.

Leute, die für ihr Geld Zinsen bekommen möchten oder nur Schulden haben, sind ausgeschlossen, doch das »Mittelmaß« ist im allgemeinen die Regel. Die meisten verfügen zu verschiedenen Zeiten mal über mehr Geld, als sie gerade brauchen, dann mal über weniger –, aber jeder möchte im Alter »etwas auf der hohen Kante« haben. *Genau für diese Mehrheit ist das J.A.K.-System hervorragend geeignet, weil sich praktisch nachweisbar alle besserstehen.* Anstatt ihr Geld zur

Vergleich für Darlehen im J.A.K.-System zum Banksystem

Erstes Beispiel	J.A.K.-System	Bank
1. monatlicher Sparbetrag	500	500
2. Ansparzeit in Monaten	12	12
3. angesparter Gesamtbetrag in SEK	6000	6000
4. Zinseinkommen (10 Prozent bei Banken)	0	325
5. Steuerersparnisse	0	−97
6. verfügbare Mittel	6000	6228
7. Höhe des Darlehens	12000	11336
8. Kosten des Darlehens	−636	−200
9. ausbezahlter Betrag (6+7-8)	17364	17364
10. Zinszahlung (14 Prozent bei Banken)	0	2741
11. Nettokosten nach allen Abzügen	445	1919
12. Betreuungskosten für Darlehen	0	380
13. Gesamtkosten für Darlehen	445	2299
14. effektiver Darlehenszins in Prozent	3,4	16,1
15. vierteljährliche Rückzahlungen	1000	776-1133*)
16. Sparguthaben	834	0
17. vierteljährliche Zahlungen (611,33 monatlich bei J.A.K.)	1834	1188
18. vierteljährliche Zahlungen (abzüglich Steuersparnisse)	1818	1120
19. Laufzeit in Monaten	36	36
20. Auszahlung an den »Schuldner« 39 Monate später (12×834 SEK)	10008	0

* Die Tilgungsrate variiert während der Rückzahlung des Darlehens (alle Beträge in SEK = Schwedische Kronen entsprachen Anfang 1991 4 SEK = 1 Mark)

Abb. 21

Vergleich für Darlehen im J.A.K.-System zum Banksystem

Zweites Beispiel	J.A.K.-System	Bank
1. monatlicher Sparbetrag	2 000	2 000
2. Ansparzeit in Monaten	72	72
3. angesparter Gesamtbetrag in SEK	144 000	144 000
4. Zinseinkommen (10 Prozent bei Banken)	0	48 840
5. Steuerersparnisse	0	−14 651
6. verfügbare Mittel	144 000	178 189
7. Höhe des Darlehens	308 000	221 651
8. Kosten des Darlehens	−52 360	−200
9. ausbezahlter Betrag (6+7-8)	399 640	399 640
10. Zinszahlung (14 Prozent bei Banken)	0	465 319
11. Nettokosten nach allen Abzügen	36 652	325 723
12. Betreuungsgebühren für Darlehen	0	1 550
13. Gesamtkosten für Darlehen	36 652	327 273
14. effektiver Darlehenszins in Prozent	1,9	13,1
15. vierteljährliche Rückzahlungen	3 423	429–7376*)
16. Sparguthaben	2 995	0
17. vierteljährliche Zahlungen (611,33 monatlich bei J.A.K.)	6 418	7 648
18. vierteljährliche Zahlungen (abzüglich Steuerersparnisse)	6 011	6 114
19. Laufzeit in Monaten	270	270
20. Auszahlung an den »Schuldner« (273 Monate später [90 × 2995])	269 550	0

Übersetzt aus: Per Almgren, »J.A.K. – An Interest Free Savings and Loan Association in Sweden«, S-14743, Tumba, Schweden, 1990

Abb. 22

Bank zu bringen, Zinsen zu bekommen und zu erstatten, bilden sie selbst eine Spar- und Leihgemeinschaft. Daß sogar eine Reihe von Bankangestellten an ihr beteiligt sind, beweist, daß sie handfeste Vorteile bietet.

Wie die zwei Beispiele zeigen, sind kleine und kurzfristige Darlehen (Beispiel 1 : 17 000 Schwedische Kronen [SEK] über drei Jahre) kostenmäßig am ungünstigsten. Sie liegen aber trotzdem mit 3,4 Prozent effektiven Kosten wesentlich günstiger als Bankdarlehen mit 16,1 Prozent für denselben Betrag im selben Zeitraum.[10] Über zwanzig Jahre hingegen und für höhere Kredite (etwa 400 000 SEK) betragen die Kosten bei der J.A.K.-Bank 1,7 Prozent, während sie bei durchschnittlichen Bankdarlehen inklusive Zins 13,1 Prozent ausmachen. Der Grund liegt darin, daß der Arbeitsaufwand, etwa Überprüfung der Sicherheiten und Einrichtung des Kontos und dergleichen, bei größeren Krediten über längere Laufzeiten nicht so ins Gewicht fällt. In beiden Fällen haben die Kreditnehmer nicht nur die günstigeren Konditionen, sondern zusätzlich noch ein beachtliches Guthaben von etwa sechzig Prozent des Kredits, das am Ende der entsprechenden Laufzeit des Spardarlehens ausgezahlt werden kann.

Im Januar 1990 bestätigte das Ministerium für islamische Angelegenheiten in Kuweit, daß sich das J.A.K.-System mit den Grundsätzen des Islams vereinbaren lasse. Dies hat zu einem beträchtlichen Zuwachs an Mitgliedern aus der arabischen Welt geführt. Rechtlich gesehen wird die J.A.K.-Bewegung in Schweden insofern möglich, weil ein eingetragener gemeinnütziger Verein die Transaktionen abwickelt und auf diese Weise das Monopol der Banken, Geldeinlagen zu erhalten und zu verwalten, umgangen wird.

Vor- und Nachteile alternativer Geld- und Kreditsysteme

Tauschringe, Barter-Clubs, Spar- und Leihgemeinschaften sind deswegen die Basis einer neuen Ökonomie, weil sie – trotz höherer Informationskosten als im normalen Geldsystem – Vorteile bieten. Sonst würden sie ja nicht genutzt.

Waren und Dienstleistungen im Wert von zwei Milliarden Dollar werden in den USA jährlich »gebartert.« Nimmt man die wachsende Zahl direkter oder indirekter Tauschgeschäfte besonders im Ost-West-Geschäft, aber auch zwischen westlichen Industrienationen und Schwellen- und Entwicklungsländern hinzu – Schätzungen variieren zwischen zehn und dreißig Prozent des Welthandelsvolumens –, so kristallisiert sich überall das gleiche heraus: Barter-Geschäfte ermöglichen einen zusätzlichen Absatz, der sonst im monetären Kreislauf nicht zustande gekommen wäre.

Das Grundschema und die Gründungsmotive sind einander meist sehr ähnlich:

- Sämtliche Teilnehmer führen bei einer Zentrale ein Verrechnungskonto.
- Die Konten können in fiktiven Verrechnungseinheiten (»grünen« Dollars, WIR, Barter-Units und dergleichen) geführt werden, deren Wert identisch ist mit der jeweiligen Landeswährung.
- Eine Kontoüberziehung ist bis zu einer bestimmten Höhe gestattet; dabei treten Teilnehmer mit positiven Guthaben de facto als Kreditgeber auf.
- Die Guthaben werden nicht verzinst; die Kreditvergabe erfolgt ebenfalls zinslos oder gegen – im Vergleich zum Marktzins – sehr niedrige Zinsen.
- Eine Bareinzahlung zur Guthabenbildung ist in manchen Fällen gestattet, eine Barabhebung dagegen grundsätzlich

nicht erlaubt oder, soweit vom Gesetzgeber vorgeschrieben, beschränkt möglich.

- Teilnehmer informieren die Zentrale telefonisch, schriftlich oder per elektronischer Datenübertragung über alle Transaktionen. Daraufhin führt die Zentrale die Verrechnung durch.

- Bezahlt wird der Vermittlungsdienst über Jahresbeiträge und/oder Gebühren pro Transaktion beim Käufer und/oder Verkäufer.

- Die Teilnehmer bestimmen den Annahmesatz der Verrechnungseinheiten selbst.

- Die Zentrale kann einen Reservefonds zur Absicherung gegen Kreditausfälle, Auszahlung von Guthaben bei Kündigung oder Mißbrauch einrichten oder eine externe Kreditversicherung abschließen.

- Zur Aufgabe der Zentrale gehört außer der Kontenführung die Information der Teilnehmer über Angebot und Nachfrage, welche so zu organisieren ist, daß der Aufwand, den gewünschten Käufer oder Verkäufer zu finden, minimiert wird.[11]

Natürlich profitieren Barter-Systeme und die Unternehmer, welche sich die Vermittlertätigkeit auf lokaler, nationaler oder internationaler Ebene zum Ziel gesetzt haben, von der Verbreitung neuer Informationstechnologien. Die Idee eines freien Tausches von Gütern und Dienstleistungen, wie sie Gesell und Proudhon entwickelten, sind im Zeitalter des Computers keine ökonomischen Spinnereien, sondern normale Realität geworden. Bröckers sagt:

»Barter-Clubs kehren das Prinzip der Banken um: Sie belohnen den, der Geld investiert (mit zinslosem Kredit), und bestrafen den, der es hortet – es rentiert sich nicht, erbrachte Leistungen auf dem Barter-Konto stehenzulassen, es gibt keinen Zins dafür. Wenn der Barter-Ausschnitt annähernd repräsentativ für den Gesamtmarkt ist [...] muß dieser Mikrokosmos funktionieren. Ein aus Hunderten dezentralen Barter-Clubs bestehendes Wirtschaftssystem hätte statt der bleischweren Last der Zinsen nur die Kosten für Clearing und Information zu zahlen.«[12]

Die Erfahrung zeigt, daß sich eine übermäßige Kreditvergabe als ebenso gefährlich erweisen kann wie zu hohe Guthabenstände, die nicht abgebaut werden können. Deshalb sind entweder Fristen für den Ausgleich von extremen Negativ- und Positivsalden und Tilgung beziehungsweise Guthabenauszahlung in der Landeswährung zur Gewährleistung des Gleichgewichts notwendig, oder man verbindet den Tauschring mit einem Bankservice.

Um den Inhabern größerer Guthaben das Anbieten ihrer Tauschsicherheit und die Vermittlung zu Kreditsuchenden zu erleichtern, wäre es möglich, eine Bank für »grüne« Dollars beziehungsweise die jeweils benutzten Barter-Einheiten einzurichten, die ähnlich wie ein normales Geldinstitut funktioniert. Größere Risiken müssen entsprechend bewertet und durch Sicherheiten und Risikoprämien abgedeckt werden und mit den Guthaben in einem bestimmten Verhältnis in Ausgleich gebracht werden.

Damit sich die Besitzer von ihren Guthaben trennen, müßte darüber hinaus eine Nutzungsgebühr eingeführt werden. Weil es das bisher nicht gibt, tendieren die meisten Tauschringsysteme wegen zu vieler Leute mit zu großen Guthaben zur Stagnation. Die LET-Systeme in Comox Valley und andernorts wachsen bis zu einem bestimmten Punkt und stagnieren dann plötzlich, wenn sich keine Möglichkeit mehr bietet, Guthaben sinnvoll anzulegen beziehungsweise wieder auszugeben. Durch die Umlaufsicherung über eine »Nutzungsgebühr« könnte dieser Mangel behoben werden. Dadurch, daß Kredite möglich werden, die zu neuen wirtschaftlichen Aktivitäten führen, wird das System als Ganzes belebt. Das heißt, die

Belohnung der einzelnen Guthabenbesitzer liegt nicht darin, daß sie mehr Geld für ihre Einlagen bekommen – also Zinsen –, sondern daß sie ein größeres und vielfältigeres Angebot für alle ermöglichen.

Insofern hält die Umlaufsicherung über eine Nutzungsgebühr das System ebenso »in Schwung« wie der Zins. Was dabei entfällt: erstens die mehrfache Rückzahlung von Krediten und damit das krankhafte Wachstum des wirtschaftlichen Systems; zweitens die einseitigen Vorteile für die Geldbesitzer, wie sie heute durch die Zinsen auf Guthaben entstehen. Die Kombination eines Tauschrings mit einer Spar- und Leihgemeinschaft auf der Basis eines umlaufgesicherten Verrechnungsmittels gibt es heute noch nicht. Es wäre jedoch kein Problem, die bestehenden Systeme um die jeweils fehlende Komponente zu ergänzen.

Unterschiedliche Versuche mit alternativem Geld sind politisch sinnvoll, damit wir besser verstehen lernen, wie Geld funktioniert und welchen Zwecken es zu dienen hat. Praktische Erfahrungen sind wichtig, denn sie machen Mut, Veränderungen im notwendigen größeren Umfang durchzuführen. Keiner dieser kleineren Versuche ändert jedoch etwas an den großen weltweiten Problemen, die das heutige Geldsystem verursacht. Deswegen darf das Ziel, diesbezüglich Veränderungen auf nationaler und internationaler Ebene herbeizuführen, nicht aus den Augen verloren werden.

Auf zwei wichtige Probleme soll hier jedoch noch hingewiesen werden, deren erstes die Steuerhinterziehung betrifft. Sie war besonders in den USA in kommerziellen Barter-Clubs lange Zeit so verbreitet, daß heute eine gesetzliche Regelung den zuständigen Finanzbehörden offizielle Einsicht in die Kontenführung aller Mitglieder von Barter-Clubs gestattet. Dies führt auch zum zweiten Problem, nämlich daß ein lückenloses Verrechnungssystem (dem, falls es einmal Wirklichkeit werden würde, schon jetzt technisch nichts mehr im Wege stände) ein ideales Instrument nicht nur für volkswirtschaftliche Gesamtrechnungen wäre, sondern auch für die vollkommene Überwachung in einem totalitären Staat.

Ein solch quantitativ und qualitativ hochkarätiges Informationsgefüge entspräche dem Traumziel der Planer in Ost und West. Schon 1897 schlägt Solvay ein gesamtwirtschaftliches Verrechnungssystem ohne Bargeld vor und betont das zusätzliche Informationspotential, die wirkliche Funktion der Hauptbuchführung, die darin besteht, »den Stand der beweglichen sozialen Situation eines jeden zu registrieren, das Diagramm seines aktiven Lebens, seiner tatsächlichen Beziehungen zu zeichnen«.[13]

Damals war das technisch noch nicht durchführbar. Doch die Situation hat sich grundlegend geändert. Auch deswegen müssen wir uns – gerade im Hinblick auf die durch den Zinseffekt immer größer werdende Geldmenge und damit Machtfülle in den Händen einer Minderheit – der Möglichkeit, über ein bargeldloses Geldsystem (auch ohne Zinsen und Inflation) ein totalitäres System einzuführen, bewußt sein. Ein solches Regime bräuchte heute nicht mehr die Brutalität eines Hitler oder Stalin, sondern nur das Instrument der Kredit- oder Debitkarten – über die alle Transaktionen von Kassenterminals direkt auf die Bankkonten übertragen werden können –, um das »Diagramm eines jeden aktiven Lebens« überprüfen und damit auch steuern zu können. Deshalb bedeutet staatliches Geldmonopol in Kombination mit einem rein bargeldlosen Geldverkehr eine große Gefahr für die persönliche Freiheit eines jeden einzelnen. Darüber muß man sich im klaren sein.

Anmerkungen

1 Guy Dauncey: *After the Crash* – The Emergence of the Rainbow Economy. Marshall Pickering, Hants 1988, Seite 49

2 Ebenda, Seite 63

3 Telefongespräch mit Michael Linton (Kanada) am 30. Januar 1991

4 *WIR-Magazin*, Basel, Juni 1990, Seite 24

5 Karl Walker: *Wirtschaftsring* – Moderne Absatzwege. Rudolf Zitzmann Verlag, Lauf bei Nürnberg 1959

6 Hugo Godschalk: *Die geldlose Wirtschaft*. Vom Tempeltausch bis zum Barter-Club. Basis Verlag, Berlin 1986, Seite 30 ff.

7 Hannes Linhardt: »Kreditinstitute im Wettbewerb: Das Verhältnis von Landesaufsicht und Bundesrecht«; in: E. Dürr (Hrsg.), *Geld- und Bankpolitik*, Neue Wissenschaftliche Bibliothek, Band 28, 2. Auflage, Köln, Berlin 1971, Seite 438

8 Godschalk, a. a. O., Seite 47

9 Per Almgren: J.A.K. – *An Interest Free Savings and Loan Association in Sweden*. S-14743 Tumba, Schweden, 1990, Seite 1

10 Die Errechnung der effektiven Darlehenskosten ist in der Praxis ein iterativer Prozeß, der in der Tabelle nicht dargestellt werden kann und unter anderem auch davon abhängt, wie die Spargelder eingezahlt werden. Die angegebenen Zahlen sind eine vereinfachte Darstellung konkreter Fälle.

11 Vgl. Godschalk, a. a. O., Seite 44

12 Mathias Bröckers: »Tauschen wird wieder aktuell«, in: *Pflasterstrand*, September 1990, Seite 22

13 E. Solvay: *Gesellschaftlicher Compatibilismus*. Brüssel 1897, Seite 18; zitiert in Godschalk, a. a. O., Seite 27

VIII. Wie kann jeder
an der Veränderung des Geldsystems
mitwirken?

Informationen weitergeben

Der wichtigste Schritt: Informieren Sie sich und tragen Sie dazu bei, daß anderen ebenfalls die Problematik unseres Geldsystems bewußt wird und wie eine Alternative aussehen könnte.

Das größte Hindernis für eine Umwandlung des gegenwärtigen Geldwesens liegt darin, daß so wenige Leute das Problem verstehen und noch weniger wissen, daß eine Lösung vorhanden ist. George Orwell schreibt in seinem Buch »1984«:

»Es gibt keinen heimtückischeren und sichereren Weg, das Fundament der Gesellschaft zu zerstören, als ihre Währungen zu entwerten. Dieser Vorgang stellte alle verborgenen Kräfte der wirtschaftlichen Gesetze in den Dienst der Zerstörung, und dies in einer Weise, die nicht einer unter einer Million erkennen kann.«[1]

Der erste Schritt in Richtung einer Veränderung sollte deshalb darin bestehen, sich genauestens über die Funktionsweise von Zins und Zinseszins zu informieren und anschließend zu lernen, die Lösung mit allen sich daraus ergebenden Folgen diskutieren zu können.

Probieren Sie anfangs im Familien- und Freundeskreis aus, inwieweit Sie den Sachverhalt vermitteln können. Dann sollten Sie Leute ansprechen, die Sie weniger gut kennen; zögern Sie nicht, mit Angestellten Ihrer Bank, Ihrem Versicherungsagenten, Ihren örtlichen Politikern, Journalisten und Presseleuten darüber zu reden. Viele Diskussionen mit Bankleuten und Wirtschaftswissenschaftlern haben mich überzeugt, daß es keine wirklichen Schwierigkeiten gibt, außer den geistigen Blockaden, die sich durch Erziehung und begrenzende Vorstellungen über die Funktionsweise des Geldes aufgebaut haben.

Machen Sie sich bewußt, daß Geld eines der zentralen Probleme im Leben vieler Menschen darstellt. Es ist zutiefst mit dem Bild der Menschen von sich selbst und ihrer Beziehung zur Welt verbunden. Großzügigkeit oder Geiz, Offenheit oder Verschlossenheit, Wärme oder Kälte spiegeln sich im Verhalten zum Geld wider. *Es erweist sich gewöhnlich als schwierig, Geld getrennt von anderen Dingen zu betrachten.*

Zuerst müssen Sie jedoch erklären können, daß der kontinuierliche Bezug von Zinsen mathematisch nachweisbar unmöglich ist, und auf welche Weise durch Zinsen Einkommen umverteilt wird (*siehe Abbildungen 1–6*). Erst dann können Sie die sozialen und politischen Folgen ansprechen.

Machen Sie auch klar, daß das Gelddilemma aufs engste mit einer Vielzahl anderer Probleme verbunden ist, die durch eine Reform *nicht* alle automatisch zu lösen sind. Die Geldreform wird nicht von selbst für Arme, Alte, Kranke oder andere sozial Bedürftige sorgen, sondern lediglich Hilfe für sozial Benachteiligte erleichtern. Das heißt aber nicht, daß wir ohne spezielle Programme und besonderes Engagement soziale und ökologische Probleme lösen können, wie das von allzu begeisterten Geldreform-Anhängern in der Vergangenheit manchmal behauptet wurde.

Wenn Sie das Geschehen in der Welt über die Medien verfolgen, werden Sie mehr und mehr die Dringlichkeit und Machbarkeit dieser Veränderung erkennen und gleichzeitig die Verantwortung sehen, die ein jeder, der eine Lösung kennt, für die Verbreitung dieses Wissens trägt. Wir müssen dafür sorgen, daß heute niemand mehr die Schule verläßt, ohne über die fundamentale Bedeutung des Geldes und unterschiedlicher

Mechanismen zur Umlaufsicherung und ihre wirtschaftlichen und sozialen Konsequenzen informiert zu sein.

Bewußter mit Geld umgehen

Als eine mögliche Sofortmaßnahme kann man als Investor und Kosument im heutigen Geldsystem bewußter mit Geld umgehen und darauf achten, daß das eigene Geld in ethisch vertretbare Produkte und Projekte investiert wird. Mehr und mehr Menschen werden sich heute der sozialen und moralischen Seiten ihrer Geldausgaben und -investitionen bewußt. Als Käufer kann man sich darüber informieren, ob die Produkte, die man erwirbt, umweltfreundlich und sozialverträglich hergestellt wurden. Die direkteste und einfachste Art, »ethisch« zu investieren, ist jene, soziale oder ökologische Projekte, denen es an Geld mangelt, durch zinsverbilligte oder zinsfreie Kredite zu unterstützen.

Wem das nicht möglich ist, der kann auch Institutionen wie die Ökobank oder die TRION-Geldberatungsgenossenschaft in Hamburg als Vermittler einsetzen beziehungsweise kommerzielle Investmentfonds. Auf diese Weise hat sich in den USA inzwischen ein Geschäft in der Größenordnung von einigen Milliarden Dollar entwickelt. Nach den Worten von Hazel Henderson »wittert eine wachsende Menge von ganz normalen Menschen den Modergeruch des verrottenden Systems an ihrer Hausschwelle und kann nicht länger zulassen, daß ihr Geld genau dem entgegenwirkt, was sie für ihr eigenes Leben wünschen«.[2]

Auch hierzulande öffnet die Zauberformel »ethisches Investment« seit kurzem Türen und Geldbeutel. Vor allem Frauen scheinen von der Idee fasziniert, für ihre Ersparnisse in Projekte zu investieren, über die weder Rüstungsproduktion noch Kernkraftwerke, noch Chemie – eben nichts, was auch nur entfernt als ökologisch bedenklich erscheint – finanziert werden.[3] Probleme hat nur das Bundesaufsichtsamt für das Kreditwesen mit der Bezeichnung »ethisches Investment«: einmal weil es die Ansicht vertritt, daß sich die Ethik von Kapitalanlagen weder definieren noch überprüfen lasse, und zum zweiten, weil man die Konkurrenz nicht einfach als »unethisch« ins Abseits stellen kann.

Einige Anlageberater haben sich inzwischen von dem Begriff »ethische« Geldanlagen getrennt, weil sie der Meinung sind, daß hier unter einem Deckmäntelchen nach profitablen Marktlücken gesucht werde, die sich letztendlich als knallharte Geschäfte herausstellen. Daß diese Argumente durchaus stichhaltig sind, beweist beispielsweise der von der französischen Paribas-Bank angebotene »Grüne Korb« mit Aktien des bundesdeutschen Atomriesen RWE – eines Unternehmens, »dem in der ökologischen Energiepolitik etwa eine Rolle zukommt, wie sie der ›Jäger 90‹ für die Friedensbewegung spielt«.[4]

»Wer es mit seinem Gewissen ernst meint«, so Mathias Bröckers in seinem Artikel *Drum prüfe, wer sich ethisch bindet...*, »kommt um detailliertes Wissen und genaue Information nicht herum. Dabei muß die goldene Finanzregel ›Time is money‹ zwangsläufig umgekehrt werden. Das erste Gebot der Zurückverwandlung von Geld in ein lebensförderndes Medium ist ein anderer Umgang mit Zeit.«[5]

Sowohl die Ökobank als auch die TRION-Geldberatungsgenossenschaft bieten Sparbriefe an, die gezielt dem Umwelt-, Frauen- oder Bildungsbereich zugute kommen und sich je nach Wunsch der Anleger zwischen einer Null- und einer marktüblichen Verzinsung bewegen. Die Prüfung der »ethischen Bindung« ist hier in jedem Fall möglich, und es wird deutlich, daß »die Bereitschaft zum Zinsverzicht steigt, je geringer die Anonymität ist, das heißt, je stärker ein Anleger sich mit den Inhalten eines Projekts identifizieren kann«.[6]

Diese Angebote durchbrechen eine wichtige Marktregel, die immer noch für die meisten ethischen Investmentfonds gilt: daß Geld dort angelegt werden muß, wo die höchste Rendite zu erwarten ist. Obwohl das, eng »ökonomisch« gesehen, eher unvernünftig scheint, wollen jedoch immer mehr Menschen lieber etwas weniger Zinsen bekommen, dafür aber wissen, daß ihr Geld in die richtigen Hände gelangte.

So wurde durch TRION der enger werdende Kontakt zwischen einem biologisch wirtschaftenden Bauern und seinem Kundenkreis von etwa vierzig Familien dazu genutzt, daß der Landwirt bei einer genaueren Kenntnis des Bedarfs und einer Vorausfinanzierung der Kosten billiger und effektiver produzieren konnte. Man stellte die Wunschliste der Kunden für seine Produkte zusammen, er bekam über die Genossenschaft einen Kredit und stellte bereits im Oktober voller Überraschung fest, daß er einen Überschuß von 50 000 Mark erzielt hatte. Üblicherweise wäre dieses Geld wieder allen Mitgliedern anteilig zugeflossen. Statt dessen wurde einstimmig beschlossen, den gesamten Betrag einem gemeinnützigen Träger zu schenken.[7]

Anhand dieses Beispiels wird deutlich, wie Geld als kreatives und soziales Gestaltungsmittel genutzt werden kann: Für den Landwirt ergibt sich ein risikogeminderter Anbau; die Familien in der Stadt kommen in den Genuß vollwertiger, gesunder und bezahlbarer Nahrungsmittel, und alle Beteiligten hatten den sichtbaren Beweis, daß sich Probleme gemeinsam besser meistern lassen. Statt daß Geld in einem undurchschaubaren Apparat verschwindet, werden seine Auswirkungen erkenn- und erfahrbar.

Gemeinsam mit Partnerbanken im In- und Ausland, die sich ebenfalls sozialen und ökologischen Gesichtspunkten verpflichtet fühlen, konzipiert die Geldberatungsgenossenschaft individuell angepaßte Lösungen für ihre Kunden und ist seit

Ende 1990 auch dabei, das J.A.K.-Spar- und Leihmodell (siehe Kapitel VII) in Deutschland einzuführen.

Bewußte Geldanleger wählen ihre Anlagemöglichkeit nach ökonomischen *und* sozialen Gesichtspunkten aus. Sie streichen von der Liste ihrer potentiellen Investitionen als erstes Firmen der Rüstungsindustrie und weiterhin solche, die durch inhumane Arbeitsbedingungen bekannt oder notorische Umweltverschmutzer sind. Sie investieren weder in Atomkraftwerksbetreiber noch solche Firmen, die mit repressiven Regierungssystemen wie Südafrika zusammenarbeiten.

Langfristig können sie auch mehr Renditen erwirtschaften. So hat sich die Nuklearindustrie der USA mit ihren Milliarden verschlingenden Folgekosten und Unfällen für dortige Investoren schon heute als äußerst unrentabel erwiesen. Investitionen in alternative Energien hingegen sind immer häufiger lohnend.[8]

Ein bewußter Umgang mit Geld ist sofort durchführbar, ganz gleich, ob wir das Geldsystem früher oder später ändern. Als ein gutes Konzept erweist sich eine sozial und ökologisch orientierte Investition, *wenn sie kritisch und gut informiert getätigt wird*, in jedem Geldsystem.

Modellversuche fördern

Zu den wichtigsten Voraussetzungen für ein verteilungsneutrales Geldsystem gehört, dieses im realen Leben zu erproben, um eine Vorstellung seiner Auswirkungen zu erhalten, wenn es in größerem Maßstab in Angriff genommen werden soll.

Im Kapitel VII wurden drei Möglichkeiten beschrieben, um neue Geldsysteme und Spar- und Leihgemeinschaften zu erproben: das in Kanada entstandene LET-System, der Schweizer WIR-Ring und das schwedische J.A.K.-System. Sie könnten auf lokaler, regionaler und nationaler Ebene miteinander kombiniert und durch die Einführung einer Nutzungsgebühr im Umlauf gesichert werden.

Es wäre wünschenswert, daß Regionen oder Länder, die an der Durchführung solcher Experimente interessiert sind, sich miteinander abstimmen, um eine größere Zuverlässigkeit der Ergebnisse unter verschiedenen sozialen, kulturellen und ökonomischen Bedingungen zu erzielen. Die Gebiete, in denen ein neues Geldsystem eingeführt werden soll, müßten von ausreichender Größe sein, um für das ganze Land aussagekräftige Resultate zu liefern. Außerdem wäre ein hoher Selbstversorgungsgrad wünschenswert –, daß also viele der benötigten Güter und Dienstleistungen regional dem Handel und wirtschaftlichen Austausch zur Verfügung stehen.

In einem strukturschwachen Gebiet kann das Neutrale Geld hingegen als ein sicheres Arbeitsbeschaffungsprogramm und als Anstoß für die Entwicklung einer vielfältigeren und stabileren Wirtschaft eingesetzt werden. Wahrscheinlich wäre der letztere Fall verlockender, da Regionen mit schlechter wirtschaftlicher Situation offener für einen Wandel sind, besonders wenn die Chance besteht – wie im Fall Wörgl (siehe Kapitel II) –, dabei zu gewinnen und nichts zu verlieren.

In seinem Artikel »Eine Strategie für eine konvertible Währung« plädiert Bernard Lietaer (ehemals Leiter der Abteilung für elektronische Datenverarbeitung der Belgischen Nationalbank) für die Einführung eines umlaufgesicherten Geldes in den ehemaligen Ostblockstaaten.[9] Statt den Grundfehler unseres Geldsystems zu übernehmen, sollten sich diese Länder gleich bei der Einführung einer konvertiblen Währung den Geldumlauf durch Nutzungsgebühr sichern. Um den Übergang zur internationalen Akzeptanz zu erleichtern, schlägt er darüber hinaus vor, die neuen Währungen am Anfang über einen »Warenkorb« exportierbarer Güter abzusichern. Eine solche Maßnahme würde das Vertrauen in die Stabilität der

Währung stärken und könnte, wenn dies erreicht ist, nach einiger Zeit ebenso entfallen wie die Golddeckung des Geldes bei anderen konvertiblen Währungen.

Um zuverlässige Ergebnisse zu erhalten, wäre es wichtig, Experimente nicht auf die eine oder andere Situation zu beschränken. Die Vielfalt der Erfahrungen und eine solide Begleitforschung können dann nachweisen, was ein zinsfreies Geld unter verschiedenen gesellschaftlichen Voraussetzungen bewirkt.

Politik verändern

Die im vorliegenden Buch vorgeschlagenen Reformen könnten die Vorteile einer wirklich freien Marktwirtschaft bieten, die frei ist von den negativen Begleiterscheinungen des heutigen Kapitalismus. Sie führen zu einer neuen Lösung, die Freiheit des einzelnen und individuelles Wachstum mit einer freien Marktwirtschaft und mit einem höheren Grad an sozialer Gerechtigkeit koppelt. Die Reformen würden die Ausbeutung der Mehrheit von Menschen durch Geld- und Bodenprivilegien unterbinden, und zwar ohne eine ineffiziente Planwirtschaft oder eine allmächtige Bürokratie. Sie könnten die Voraussetzungen für eine ökologische Marktwirtschaft schaffen, in der Waren und Dienstleistungen in optimaler Menge und Vielfalt produziert werden.

Wenn man sich hierzulande nach potentiellen, aktiven Förderern einer neuen Geldordnung umschaut, so müßten dies etwa 95 Prozent der Bevölkerung sein: die neuen Ökonomen, die Ökologen, die Frauen, die Pazifisten, die Grünen, die Grauen Panther, die enttäuschten Sozialisten, darüber hinaus jene 85 bis 90 Prozent, die im jetzigen Geldsystem ständig draufzahlen, und die Weitblickenden unter den zehn bis fünfzehn Prozent, die von den derzeitigen Bedingungen zwar profitieren, aber begriffen haben, daß ein gesundes System im Endeffekt auch ihnen zugute kommt. Es wird höchste Zeit, daß sie alle sich zusammenschließen und über jegliche Parteigrenzen hinweg eine Geld-, Boden- und Steuerreform durchsetzen, die diesen Namen verdient.

Der Weg zum Neutralen Geld führt also über die politischen Instanzen und verspricht nur dann Erfolg, wenn man parlamentarische Mehrheiten für das Konzept gewinnen kann.

»Zwar erscheint es nicht ganz aussichtslos, eines Tages solche Mehrheiten zu mobilisieren. Aber einstweilen besteht die größte Schwierigkeit darin, daß die Fachökonomen nicht begreifen können oder wollen, worum es geht, so daß sie den Politikern falsche Auskünfte geben, wenn sie um Rat gefragt werden. Man hat es mit einem Dilemma zu tun, das Keynes auf die Formel gebracht hat: Schwierig sind nicht die neuen Gedanken, schwierig ist vielmehr, von den alten loszukommen.«[10]

In seinem neuesten Buch »Das Kartenhaus unseres Wohlstands«, in dem er die heutige Geld- und Zinspolitik scharf kritisiert, macht der ehemalige Frankfurter Bankier Philipp von Bethmann jedem Sparer, der damit auch Geldverleiher, also Gläubiger ist, Mut, endlich mitzureden und mitzubestimmen:

»Das geht nämlich. Millionen von Sparern, die mit Milliarden dabei sind, die können ganz schön mitreden. Sie können wählen. Sie können Druck ausüben, sie können streiken, protestieren und demonstrieren. Sie können noch viel mehr. Sie tun es kaum, das ist wahr. Sie lassen sich noch zuviel gefallen. Sie wissen zuwenig von ihrer Macht. Sie sind zu schüchtern. Das Kapitalistsein ist neu und ungewohnt. Man muß es erst lernen.«[11]

Was das heißt und bewirkt, protestieren und demonstrieren, haben uns unsere eigenen Landsleute im November 1990 gezeigt. Vielleicht ist es jetzt an der Zeit für uns – oder jene, die das Kapitalistsein schon länger praktizieren –, aufzuwachen und unser Recht auf ein Geld durchzusetzen, das als wertstabiles Zahlungsmittel, verläßlicher und gerechter Bewertungsmaßstab und wertbeständige Vermögensanlage dient. Geldpolitik ist eben nicht – wie die meisten annehmen – nur etwas für Experten. Geldpolitik geht uns alle an und kann von allen verstanden werden ebenso wie das kleine Einmaleins.

Während in den hochindustrialisierten Ländern das Ausmaß der Umverteilung des Reichtums durch Geld- und Bodenrecht aufgrund der Ausbeutung der Entwicklungsländer nicht so deutlich zutage tritt, zahlen letztere den wirklichen Preis für die beiden Unrechtssysteme, welche die Kolonialmächte eingeführt haben und die sie heute, gestützt auf internationale Arbeitsteilung und Lohndifferenzen, brutaler ausbeuten als zu schlimmsten Kolonialzeiten. Obwohl die Menschen in Entwicklungsländern am meisten darunter leiden, besteht nur geringe Hoffnung, daß die notwendigen Veränderungen im Geldsystem zuerst in der Dritten Welt verwirklicht werden. Die politische Macht liegt in den Händen einer winzigen »Elite«, die sich ihre Pfründen ohne Waffengewalt kaum nehmen lassen wird.

Dagegen bestehen durchaus die Möglichkeiten für eine solch fundamentale Umwandlung in den kleineren demokratischen Staaten Europas und in den osteuropäischen Ländern, die sich der kommunistischen Zentraldiktatur entledigt haben. Skandinavien mit einer großen Zahl von relativ reichen und gut ausgebildeten Menschen zeigt sich vergleichsweise offen für einen sozialen Wandel. Alle osteuropäischen Staaten suchen nach neuen Wegen, eine freie Marktwirtschaft mit größerer sozialer Gerechtigkeit zu verbinden.

In einer öffentlichen Anhörung der UN-Weltkommission in Moskau sagte A.S. Timoschenko vom Staatlichen Rechtsinstitut der Akademie der Wissenschaften der UdSSR bereits am 11. Dezember 1986:

»Wir können heute die Sicherheit eines Staates auf Kosten eines anderen nicht mehr unterstützen. Sicherheit kann nur universell sein, aber sie kann nicht auf politische und militärische Belange beschränkt werden, sondern muß ökologische, wirtschaftliche und soziale Aspekte miteinbeziehen. Sie muß den Wunsch nach Frieden, den die gesamte Menschheit hat, endlich verwirklichen.«[12]

Der Kampf der Menschheit um soziale und wirtschaftliche Gerechtigkeit war lang und heftig. Im Laufe dieser Auseinandersetzungen wurden scharfe Trennungen aus politischer und religiöser Überzeugung geschaffen. Zahllose Menschenleben wurden dafür bedenkenlos geopfert. Es ist dringend erforderlich, daß wir einzusehen lernen, daß niemand seine Sicherheit auf Kosten anderer gewinnen kann, geschweige denn zu Lasten der Umwelt, von der unser aller Überleben abhängt. Um diese Erkenntnis in die Tat umzusetzen, benötigen wir einige tiefgreifende und praktikable Veränderungen in unseren sozialen Rahmenbedingungen. Die Frage, ob wir unser Geldsystem, Boden- und Steuerrecht vor oder erst nach der nächsten großen Wirtschaftskrise oder ökologischen Katastrophe verändern werden, bleibt vorerst noch offen. In jedem Fall wird es nützlich sein, dann zu wissen, wie man ein Tauschmittel schafft, das allen dient.

Anmerkungen

1 George Orwell: *1984*, Erstauflage 1949, Ullstein 1990; zitiert in: W. Scheuerbrandt, »Unsere fehlerhafte Währungsverfassung als Ursache sozialer Ungerechtigkeit, politischer Fehlentwicklungen und Wirtschaften«. Vortrag gehalten am 16. November 1981 vor dem Verein für kulturelle und soziale Öffentlichkeitsarbeit e. V.

2 Hazel Henderson, quoted in: Jennifer Fletcher, »Ethical Investment« in: *International Permaculture Journal*. Permaculture International Ltd., Sydney, Australia 1988, Seite 38

3 Curt L. Schmitt: »Vertraulicher Brief« vom 13. Januar 1991

4 Mathias Bröckers: »Drum prüfe, wer sich ethisch bindet...«. *Natur*, Oktober 1990, Seite 32

5 Bröckers, a. a. O., Seite 33

6 Prospekt der TRION-Geldberatungsgenossenschaft, Gerberstraße 9a, 2000 Hamburg 50

7 Brigitte Voss: Trion. Brief vom 10. März 1991

8 Robert Schwartz, quoted in: *International Permaculture Journal*, a. a. O., Seite 39

9 Bernard Lietaer: »A Strategy for a Convertible Currency«. ICIS FORUM, Vol. 20, No. 3, July 1990, Seite 59-72. International Center for Integrative Studies, 121 Avenue of the Americas, New York, N. Y. 10013

10 Suhr: *Alterndes Geld*, a. a. O, Seite 85

11 Johann Philipp von Bethmann: *Das Kartenhaus unseres Wohlstands*. Warum der Kapitalismus noch nicht triumphieren kann. Econ, Düsseldorf 1991, Seite 189

12 A. S. Timoschenko, quoted in: UN World Commission on Environment and Development, a. a. O., Seite 294

Anhang:

Kontroverse zweier Ökonomen über Zins und Wachstumszwang

Zusammenfassung der Diskussion über M. Kennedys »Interest and Inflation Free Money« (Permaculture Publications 1988; entspricht in etwa Teil 1, Kapitel I–III dieses Buches) zwischen Dr. Hugo T. C. Godschalk und Ronald Paping

Die ursprünglich englische Fassung des obengenannten Buches löste in der niederländischen Zeitschrift *t kan anders* (Publikation der gleichnamigen sozialistischen Organisation) eine Diskussion zwischen den Ökonomen Ronald Paping und Hugo Godschalk aus. Da das Für und Wider dieser Auseinandersetzung teilweise exemplarischen Charakter hat, werden die wesentlichen Argumente und Stellungnahmen in einer – manchmal sinngemäßen – Übersetzung hier noch mal zusammengefaßt. Für die ausführlichere Gesamtfassung dieser Diskussion wird auf die Hefte Nr. 3 und 4 (1989) sowie Heft 1 (1990) der Zeitschrift *t kan anders* verwiesen.

Paping: Die wichtigsten Ausgangspunkte für M. Kennedy sind das Verringern der nationalen und internationalen Einkommensungleichheit und eine ökologische Entwicklung der Ökonomie. Dies kann nur erreicht werden, indem das exponentielle, ökonomische Wachstum gebremst wird. Als wichtigste Ursache des Zwanges zum Wachstum sieht Kennedy den Faktor »Zins«. Sie schlägt als Lösung eine zinsfreie Wirtschaft vor.

Der berühmte Ökonom der Jahrhundertwende, Böhm-Bawerk, unterscheidet drei Gründe für den Zins als Belohnung für das zur »Verfügungstellen von Geld«:

1. Den heutigen Wünschen wird mehr Bedeutung zugeordnet als in der Zukunft, während die *zukünftigen* Möglichkeiten größer sind.

2. Als Folge von Unsicherheit und der Begrenztheit der Existenz wird die Zukunft unterschätzt.

3. Heutige Güter sind zukünftigen überlegen, weil mit den heutigen Gütern die Möglichkeit gegeben ist, in der Zukunft mehr Güter anzubieten.

Nur wenn die Einkommen konstant bleiben (kein ökonomisches Wachstum), die Zeitpräferenz keine Rolle spielt und die Produktion durch Nichtkonsum nicht wächst, kommt ein Zins von Null in Frage.

Der *Zinsmechanismus* erfüllt also eine Funktion für die Allokation von Mitteln zwischen dem Heute und der Zukunft, zwischen Konsum und Investitionen und zwischen verschiedenen alternativen Investitionsmöglichkeiten. Wer diese Früchte ernten kann – aber das ist eine politische Sache.

Durch ein üppiges oder knappes Angebot von Geld kann der Zins heruntergehen oder steigen. Dennoch muß es eine Verbindung mit der Gütersphäre geben, weil diese die eigentlichen Gründe für Nachfrage und Angebot von Kapital bilden.

Klar ist, daß Zins keine treibende Kraft im System ist. Ein positiver Zinssatz ist eher eine *Folge* von ökonomischem und technischem Wachstum und eine Präferenz für das Heutige gegenüber der Zukunft.

Godschalk: Kennedy konzentriert sich auf den positiven Zins als eine der primären Ursachen einer Ökonomie, die unter Wachstumszwang steht. Sie begründet diese These mit einer Anzahl von einfachen, aber zielgerichteten mikro- und makroökonomischen Argumenten, worauf Paping in seiner

Reaktion leider nicht eingeht. Für ihn ist es deutlich, daß »Zins keine treibende Kraft im System ist«. Aber er ist, laut Paping, eine Folge des ökonomischen Wachstums. Vermutlich besteht tatsächlich eine makroökonomische Wechselwirkung zwischen Zinsstand und ökonomischem Wachstum. Der Kern von Kennedys Buch dreht sich aber um den Zusammenhang von Zins und Wachstums*zwang*. Was nicht beinhaltet, daß eine positive Zinshöhe dann auch tatsächlich zum Wachstum führt. In Zeiten von ökonomischem Wachstum kann der Produktionsfaktor »Kapital« ohne Probleme bedient werden durch den produzierten Mehrwert, der teilweise in Form von Zins an die Geldbesitzer abgetragen wird. Seit der Ölkrise Anfang der siebziger Jahre wissen indessen auch Ökonomen, daß ökonomisches Wachstum nicht »gemacht« werden kann. (Die Konstruktion komplizierter, aber für die Praxis meist ungeeigneter ökonometrischer Wachstumsmodelle war ein Fehlschlag.)

Wenn das ökonomische Wachstum ausbleibt, bekommen aber die Schuldner Probleme. Sie geben in diesem Fall keinen Teil ihrer Gewinne ab, sondern müssen ein reelles Zins-»Opfer« an den Gläubiger erbringen. Das Vermögen des Schuldners wird netto weniger, und damit verringert sich die Chance auf den zukünftigen Extragewinn. Der für viele Schuldner typische zerstörerische Kreislauf beginnt. Um die laufenden Zinsverpflichtungen erfüllen zu können, kommen zwar neue Kredite als vorübergehendes betäubendes Mittel in Betracht, sie beschleunigen den Prozeß aber nur. Der Schuldner wird abhängig von seinem Gläubiger, und in früheren Zeiten war er sogar gezwungen, sich selbst und seine Familie als Sklaven zu verkaufen.

Das heutige Geld- und Kreditsystem, das auf Zins basiert, kann nur in einer Ökonomie funktionieren, die fortdauernd einen Mehrwert produziert. Wenn wir den ökonomischen Kreislauf als einen Güterstrom sehen, dem ein Geldstrom gegenübersteht, dann ist über das Zinsprinzip ein automatischer Wachstumsfaktor im Geldkreislauf eingebaut. Wenn wir uns weiterhin verdeutlichen, daß das Geld in unserer Ökonomie nicht als Manna vom Himmel fällt, sondern von der Notenbank in Umlauf gebracht und größtenteils via Bankersparnisse und -kredite vermittelt wird, dann fordert das kursierende Geld seinen periodisch wiederkehrenden Zinszoll. Die Existenz dieser Abgabe im übergeordneten Geldkreislauf übt auf den Marktteilnehmenden (die eigentliche Ökonomie) den Druck aus, immer mehr produzieren zu müssen.

Wir sehen das in der Praxis: Der investierende Unternehmer, der mit Krediten seine Maschinen anschafft, wird mit diesen einen Mehrwert produzieren müssen, um die periodischen Zinsen bezahlen zu können. Die Standardlösung des IMF und des internationalen Bankwesens für die Schuldnerländer in der Dritten Welt heißt dann ökonomisches Wachstum – koste es, was es wolle, es muß produziert werden. Auf diese Art wird ein Wachstum forciert, das dem Land selbst nicht zugute kommt, sondern als Zins zum Geldgeber zurückfließt. Im Vergleich zu diesem Kapitalimport ist der Kapitalexport in Form von Entwicklungshilfe ein Tropfen auf den heißen Stein. In vielen Fällen wird dieses Wachstum durch das protektionistische Welthandelssystem im Schuldnerland nicht erreicht. Als einziger Ausweg bleibt dann der Raubbau am Land und an seinen natürlichen Grundstoffen. Die Verwüstungen der grünen Lungen in den Amazonasgebieten, die Platz machen müssen für fleischproduzierende Exportrinder, sind ein klares Beispiel für das Wucher- und Ausbeutungssystem Zins. Die Aussage des deutschen Reformers Martin Luther: »Wer etwas leiht und drüber oder Besseres nimmt, der ist ein Wucherer und verdammt als ein Dieb, Räuber und Mörder«, ist noch immer aktuell.

Zins ist also eine wichtige Triebfeder für das ökonomische Wachstum. An diesem Punkt kann ich die Auffassung Papings, der die Bedeutung vom Zins meines Erachtens unterschätzt, nicht teilen. Das heißt nicht, daß wir in einer Ökonomie mit zinsfreiem Geld, so wie die Freigeldbewegung dies propagiert, kein ökonomisches Wachstum haben würden. Doch jeder, der sich, beispielsweise in der Umweltbewegung, mit dem zwangsläufigen Charakter des Wachstumsdogmas in unserer Gesellschaft beschäftigt, kommt wohl nicht um das Strukturphänomen »Zins« herum.

Paping: Das Buch von Kennedy macht auf mich einen sehr spekulativen und unlogischen Eindruck. Es fängt schon an mit der Annahme, daß Wachstum direkt zusammenhängt mit exponentiellem Wachstum des verzinsten Geldes und daß dies als Krebs in unserer sozialen Struktur wuchert. Die Idee, daß exponentielles Wachstum der Produktion nicht möglich ist, wird nicht untermauert.

Tatsächlich findet schon jahrhundertelang ein exponentielles Wachstum statt, ohne daß dies zu einem großen Zusammenbruch führte. Kennedy gibt auch nicht an, wie ein exponentielles Wachstum des Geldsystems die Ursache des exponentiellen Produktionswachstums ist. Ich vermute sogar, daß sie, wenn sie von einer Akzelerationsphase der exponentiellen Wachstumskurve spricht, die Essenz des exponentiellen Wachstums nicht ganz durchschaut. Exponentielles Wachstum bedeutet eine gleiche jährliche Wachstumsrate, wobei von Akzeleration keine Rede ist.

Godschalk: Kennedy bringt in ihrem Buch auch das bekannte Argument der Zinskritiker: Ein Pfennig, im Jahr Null unseres Jahrhunderts mit fünf Prozent reellem Zins auf ein Sparkonto gelegt, ist bis zum Jahr 1990 zu einem Betrag in einem Gegenwert von 134 Milliarden goldenen Kugeln vom Gewicht der Erde angewachsen. Dieses Beispiel zeigt, daß »the continual payment of interest and compound interest is arithmetically, as well as practically, impossible« (Kennedy, »Interest and Inflation Free Money«, Seite 13). Obwohl dieses Argument nicht neu ist, ist mir hierzu keine Meinung von Ökonomen bekannt, die keine Probleme mit der Zinserscheinung haben. Auch Paping bleibt die Antwort schuldig. Er schreibt nur, daß exponentielles Wachstum von Produktion möglich ist. Darin hat er natürlich recht. Kennedy behauptet auch nicht das Gegenteil. Es geht ihr nur um die Frage, ob das ökonomische Wachstum langfristig mit dem exponentiellen Wachstum des Geldes samt Zins mithalten kann. Das obengenannte Beispiel zeigt das Gegenteil. Ein positiver Zins funktioniert nur mittelfristig. Bäume können nicht bis in den Himmel wachsen.

Ein anderes Beispiel: Jeder Holländer schafft »nur« 10 000 Gulden beiseite und legt dieses Geld auf einem Termingeldkonto in Amerika an – gegen einen reellen Zins von fünf Prozent. Unsere Enkel verfügen schon nach hundert Jahren jeder über eine Million Gulden. Mit fünfzehn Millionen Millionären wäre dann im Jahr 2089 das soziale Problem in Holland gelöst, und wir können uns in die Hängematten legen. Wir leben von den Zinsen, die der Rest der Welt durch Arbeit aufbringen muß. Wir können dies leider nicht ausprobieren, weil die Geschichte uns lehrt, daß der monetäre Ballon regelmäßig platzt durch Perioden hoher Inflation, Geldsanierung, Crash, Kriege und dergleichen mehr. Wir beginnen historisch gesehen immer wieder bei »Null«, und der Ballon kann wieder aufgeblasen werden. Die These wird pervers, wenn wir das Argument umdrehen. Das Zinsprinzip funktioniert nur, weil wir regelmäßig einen schmerzlichen Nullpunkt haben. Das Zinssystem braucht regelmäßig Krieg, Finanz-Crash oder als aktuelle Gefahr einen Crash unseres Ökosystems. »The economic necessity and the mathematical impossibility create a contradiction which – in order to be resolved – has led to innumerable feuds, wars and revolutions in the past« (Kennedy, »Interest and Inflation Free Money«, Seite 13). Es ist die Frage, ob wir beim folgenden Crash wieder neu anfangen können. Ein in sich zerstörendes System? Zins ist wie eine Escher-Zeichnung: eine unmögliche Realität.

Paping: Die »Freigeld«-Ideen stammen vom Ökonomen Silvio Gesell (1862-1930). Als Referenz an die Bedeutung von Gesell weist M. Kennedy auf den berühmten Ökonomen Keynes hin. Es ist schon schade, daß sie aus der Arbeit Keynes sehr selektiv zitiert. Keynes war bestimmt kein Anhänger von Marx, so daß seine höhere Anerkennung von Gesell über den Wert von Marx nicht sehr viel aussagt. Keynes schätzte Gesell wegen seiner Beobachtungen über die effektive Nachfrage und die mit Geld zusammenhängende Liquiditätsprämie. Aber Keynes sah auch große Mängel in der Theorie von Gesell. Dieser konnte nicht erklären, warum der nominale Zinssatz positiv ist, und warum er nicht durch die Einkommen aus Kapital bestimmt wird. Außerdem hat nicht nur Bargeld eine Liquiditätsprämie, sondern es gibt viele Substitute (Giral-Geld, Schmuck, Devisen), die diese Funktion übernehmen können.

Das Problem der Substituten ist aber noch viel größer. Jemand mit einem Vermögen kann dies in einer Zahl von Aktiva anlegen. Indem das Anlegen in zinstragende Aktiva durch eine Benutzungsgebühr oder das Abschaffen von Zins unattraktiv gemacht wird, kann eine Person ihr Geld auch in Aktien anlegen, die Dividenden liefern. Im Hinblick auf den Liquiditätsvorteil ist eine Aktie dem Geld gleichwertig. Wertpapiere können leicht gekauft und verkauft werden. Ökonomisch besteht der einzige Unterschied darin, daß Betriebe mit eigenem statt fremdem Vermögen finanziert werden. Es ist also sehr merkwürdig, daß sich Kennedy in ihrem Beitrag nur auf den Zins konzentriert, ohne Gewinne aus anderen Aktiva, etwa Aktien, zu berücksichtigen. Bei einem niedrigen Zinssatz wird die Sparneigung wahrscheinlich gering sein. Die Erträge sind ja minimal. Wenn man die jetzigen Bedürfnisse höherschätzt als die zukünftigen, werden Menschen eher geneigt sein, ihr Einkommen sofort für Konsumzwecke auszugeben.

Dadurch, daß man Ersatzmöglichkeiten findet, die wohl einen Ertrag bringen und weniger sparen, kann das Geldangebot minimal bleiben. Entscheidend ist aber, daß die Geldnachfrage bei Geld ohne Zins gleichzeitig besonders hoch sein wird. Die Kosten für das In-Vorrat-Haltens von Geld sind dann nämlich zu vernachlässigen. Die Kreditnachfrage für Konsum- und Investitionszwecke wird gigantisch zunehmen. Bei einem negativen oder Null-Zins entsteht also eine übergroße Nachfrage nach Darlehen.

Der Unterschied zwischen der hohen Geldnachfrage und dem niedrigen Angebot kann durch Rationalisierung überbrückt werden. Dies steht aber in Widerspruch zu Kennedys Wunsch, Nachfrage und Angebot frei wirken zu lassen. Eine andere Möglichkeit ist, den Unterschied zwischen Angebot und Nachfrage durch staatliche Geldschöpfung auszugleichen. Dies würde aber einen beträchtlichen Inflationsschub zur Folge haben. Denn die kontinuierliche Erhöhung der Geldmenge führt bei gleicher Produktion zu Preissteigerungen.

In dem von Kennedy vorgeschlagenen System ist sogar Inflation eingeschlossen. Kennedy möchte ein- oder zweimal jährlich neue Bankscheine drucken lassen, wobei die alten einen niedrigeren Wert haben als die neuen. Dies ist genau das, was wir Inflation nennen, nämlich: daß die Kaufkraft des Geldes mit der Zeit abnimmt dadurch, daß das Geld seinen Wert verliert. Das von Kennedy dargestellte System sorgt lediglich dafür, daß die Abwertung des Geldes auf eine umständliche und komplizierte Weise stattfindet.

Der Hintergrund für die Überlegungen von Gesell war die Problematik, daß bei einer Depression der Zins zu hoch ist, um Investitionen rentabel zu machen. Für Betriebe ist der Zins immer ein wichtiger Kostenpunkt bei der Anschaffung von dauerhaften Investitionsgütern. Indem man den Zins künstlich niedrig hält und eine Abgabe auf Bargeld erhebt, werden Investitionen rentabler, und die Geldzirkulation wird beschleunigt. Im Experiment der Stadt Wörgl kam dies auch zum Tragen. Dort entstand eine ökonomische Belebung dadurch, daß Menschen so schnell wie möglich ihr Geld loswerden wollten, und dadurch, daß Investitionen stark zunahmen. Das heißt, es wird durch die Steigerung von Konsum und Investitionsausgaben ein enormes Wachstum entstehen.

Kennedy erwartet nach dieser Belebung eine stabile Ökonomie. Dies ist aber sehr fragwürdig. Wenn es gelingen sollte, den Zinssatz künstlich niedrig zu halten, dann wird die Geldnachfrage bei diesem geringen Zinssatz enorm hoch sein. In der Keynesschen Theorie reagiert die Nachfrage nach Geld auf den Zinssatz. Der niedrigere Zins wird für ein höheres Investitionsniveau sorgen, was durch den Multiplikatoreffekt ein entsprechendes Volkseinkommen und ökonomisches Wachstum auslöst. Auf der anderen Seite wird ein höheres Einkommen auch zu einer größeren Nachfrage nach Geld führen, unter anderem für Transaktionszwecke, was einen höheren Zins bewirkt. Wie bereits gesagt, wird bei einem Zinssatz von Null die Nachfrage nach Geld größer sein als das Angebot. Diese Lücke muß ausgefüllt werden. Wie sich das langfristig auswirkt, hängt davon ab, ob Maßnahmen getroffen werden, um die Geldnachfrage einzuschränken oder um das Geldangebot zu fördern. Dadurch, daß Betriebe über eigene Ersparnisse verfügen und Aktienkapital anziehen können, brauchen die Ersparnisse nicht zurückgehen. Auf der anderen Seite werden Investitionsprojekte für Betriebe eher rentabel sein, weil die Zinskosten entfallen. Zusätzliche Investitionen bedeuten zukünftiges Wachstum.

Auch die Triebfeder des ökonomischen Wachstums wird nicht weggenommen. Noch immer werden Betriebe Gewinnmaximierung anstreben. Um dies zu erreichen, werden sie auf Wachstum setzen und neue Bedürfnisse schaffen.

Durch das Abschaffen des Zinses werden laut Kennedy umweltfreundliche Projekte, wie etwa Investitionen in Sonnenkollektoren, eher rentabel sein. Umweltfreundliche Investitionen mit einer Rentabilität von zwei Prozent können nicht getätigt werden, wenn der Zins, den die Bank gibt, für Geldanlagen beispielsweise sieben Prozent beträgt. Wenn der Zins abgeschafft worden ist, werden sie, trotz der im Vergleich zu anderen Investitionen niedrigeren Rentabilität, wohl rentabel sein.

Dies ist aber ein großes Mißverständnis. Solange man lieber einen höheren als einen niedrigen Ertrag hat und solange die Ersparnisse gering sind, wird es nicht möglich sein, die obengenannten umweltfreundlichen Investitionen zu finanzieren. Geldanleger werden dann noch immer überlegen, welche Investition sich für sie am meisten lohnt. Wenn es genügend Investitionsalternativen mit einer höheren »Rendite« als zwei Prozent gibt, wird die Investition in Sonnenkollektoren nicht stattfinden.

Godschalk: Im Beitrag von Paping lebt die alte Diskussion zwischen den utopischen Prä-Sozialisten Proudhon und Marx wieder auf. Für Marx ist die Zinserscheinung nur eine Folge des Mehrwerts, der in der Produktionssphäre entsteht. Zins antizipiert den Mehrwert des Kapitals. Laut Marx müssen wir in der Produktionssphäre nach der eigentlichen Ursache suchen. Ein positiver Zins ist aus dieser Sichtweise eine Folge des Mehrwerts in der Produktion. Paping schließt sich dieser Argumentation an.

Proudhon dagegen sieht die Ursache des »Surplus« im ökonomischen Tauschsystem: in der Zirkulationssphäre, wo Geld als allgemein akzeptiertes Tauschmittel seinem Besitzer im Vergleich zum Güteranbieter eine bessere Position verleiht. Im

Tauschprozeß »Geld gegen Güter« ist der Geldanbieter durch die höhere Liquidität im Vorteil. Er hat den »Joker« in den Händen. Der Güteranbieter steht (ausgenommen in einem monopolistischen Markt) unter Druck, weil sein Angebot schnell altern oder verderben kann. Für den liquiden Geldbesitzer entsteht ein Bonus.

Proudhon wollte das Gleichgewicht im Tauschsystem dadurch wiederherstellen, daß er den Waren in einer Art Tauschbanksystem eine dem Geld ähnliche Liquidität zu verleihen versuchte.

Gesell, der Gründer der Freigeldidee, kam zu einer besseren Lösung: »rostendes Geld«, das im Wert abnimmt, wenn es nicht im Umlauf ist. So verliert das Geld seine bevorzugte Position. Es entsteht ein Anreiz für den Geldbesitzer, das Geld zu »recyclen«, ohne daß der ökonomische Kreislauf mit Zins belastet wird.

Laut Proudhon, Gesell und später auch Keynes müssen wir die Ursache der Zinserscheinung also nicht in der Produktions-, sondern primär in der monetären Sphäre suchen. Das Wesentliche am Geld als allgemeines Tauschmittel ist seine hohe Liquidität: der Joker. Wenn der Geldbesitzer keine ökonomischen Bedürfnisse hat, kann er den Joker aus dem Spiel halten. Der Spielverderber bringt heute das Geld erst dann wieder in Umlauf, wenn er dafür eine Zinsbelohnung erhält. Wenn wir einmal vom Bonitätsrisiko und einer eventuellen Inflationsvergütung absehen, ist Zins eine Vergütung für diejenigen, die auf den Vorteil verzichten, liquide zu sein. Je nach Grad und Dauer seines Nicht-liquide-Seins empfängt der Anleger Zinsen per Zeiteinheit (wie beispielsweise bei Sichteinlagen oder Termineinlagen). Bei einem zu niedrigen Zins ist der Geldbesitzer nicht bereit, seine liquide Position und die Vorteile, die daraus entstehen, aufzugeben. Das Geld rollt nicht mehr, wird aber als Kassenvorrat festgehalten. Das Geld wandelt sich vom Öl zum Sand im Motor der Ökonomie. Keynes hat sich intensiv mit diesem Problem beschäftigt. Er nannte das strukturelle Manko des Geldsystems »Liquiditätsfalle«. Seine Diagnose erwies sich als richtig.

Zins als Preis für Liquidität entsteht in der monetären Sphäre und ist eine wichtige Bedingung für die Rentabilität von Investitionen in der Produktionssphäre. Eine Investition lohnt sich nicht, wenn der Zins höher ist als die »Rendite« auf die Investition. Die Rentabilität einer Investition ist ein relativer Begriff, weil sie vom Zinsstand abhängt. Bei einem Null-Zinsstand ist also eine Umweltinvestition, die den Wert des Umweltbestands wiederherstellt, im Gegensatz zur heutigen Situation ökonomisch durchaus rentabel. Durch das Einführen von einem zinsfreien Geldsystem würden nach Kennedy ökologische Projekte (etwa Investitionen in Sonnenkollektoren), die bei einem positiven Zinsstand noch unrentabel wären, auch rein ökonomisch gesehen sinnvoll werden. Das ist meines Erachtens nach richtig.

Wenn das Angebot an Spargeldern sich nicht ändert, meint Paping, hätten die umweltfreundlichen Investitionen keine größeren Chancen als im Zinssystem. Das stimmt allerdings nur unter der Bedingung, daß das Angebot von Sparmitteln gering bleibt. Er geht nämlich zu Recht davon aus, daß der Preismechanismus zwischen Nachfrage und Geld durch einen künstlich niedrigen oder durch das Abschaffen des Zinses nicht mehr funktioniert. Die Nachfrage nach Geld wird enorm hoch sein, das Angebot entsprechend sehr gering. Es ist wichtig, daß Paping diesen Punkt anschneidet. Die Frage ist, muß in einem zinsfreien Geldsystem eine Knappheit an Liquidität, das heißt hohe Nachfrage nach Geldmitteln bei geringem Angebot, entstehen? Die Antwort hängt von der Methode ab, mit der ein zinsfreies Geld geschaffen wird. Ein primitives Zinsverbot, so wie das im Mittelalter praktiziert wurde und im heutigen orthodoxen Islam propagiert wird, würde tatsächlich zu einem Liquiditätsmangel führen. Die Freigeldidee, die Kennedy als Konzept für ein umweltfreundliches Geldsystem in ihrem Buch vorstellt, geht aber weder von einem Zinsverbot oder einer künstlichen Senkung des Zinssatzes aus, noch von einer Kontrolle der Preise, sondern weiterhin von einem Preismechanismus, der zum Ausgleich zwischen Angebot und Nachfrage führt.

Durch die Einführung einer periodischen Liquiditätsabgabe entsteht ein Regulativ zwischen Nachfrage und Angebot von Liquidität. Die ökonomisch relevante Geldmenge (Bankscheine, Giral-Geld und kurzfristige Bankeinlagen) wird in einem Freigeldsystem mit einem negativen Zins belastet. Der Liquiditätsvorteil, der für den Geldbesitzer durch die Kassenhaltung entsteht, wird dann quasi wieder abgeschöpft. Die Liquiditätsabgabe kann dadurch vermieden werden, daß das Geld auf einem Sparkonto angelegt wird, auf dem kein Zins vergütet wird. Sparen wird nur belohnt mit dem »Nichtbezahlen« der Liquiditätsabgabe. Die Spargelder stehen für die Investoren damit ohne Zins zur Verfügung. Die Bank kann gleichwohl für ihre Tätigkeit bei der Kreditvergabe ein Disagio verlangen für das Bonitäts- und Inflationsrisiko. Solange ein Kreditnehmer über die Liquidität verfügt, bezahlt er die Liquiditätsabgabe. Sobald er investiert oder konsumiert, trägt der folgende Marktteilnehmer, der die Liquidität in Anspruch nimmt, die periodischen Kosten.

Das heutige System mit dem Zins als Preismechanismus führt zu einer Belohnung für die Marktteilnehmer, die mit einem Liquiditätsüberschuß momentan keine Investitions- oder Konsumwünsche haben. Um vorzubeugen, daß sie die Liquidität zurückhalten, werden diese potentiellen Spielverderber heute belohnt, wenn sie das Geld wieder in Umlauf bringen. Diejenigen mit Ausgabenwünschen (Investoren oder Konsumenten) und infolgedessen mit einem Bedarf an Liquidität müssen heute nicht nur für die Zeit, die sie über das Geld verfügen, Zins zahlen, sondern während der ganzen Kreditlaufzeit.

Für den Kreditnehmer ist der Zins augenscheinlich der Preis für das geliehene Kapital. In Wirklichkeit ist der Zins der Preis für das »Liquidesein« der Kreditnehmer. Diese Liquiditätskosten bleiben aber im heutigen System an dem Kreditnehmer hängen, auch wenn er seine Liquidität verliert, nachdem er investiert oder konsumiert hat. Beim Zins-Preis-Mechanismus bezahlt der Kreditnehmer den Preis für das Liquidesein auch, wenn er schon lange nicht mehr liquide ist, und der, der liquide ist, profitiert, ohne daß er auch etwas dafür leistet. Denn wodurch entsteht Liquidität als wesentliche Eigenschaft vom Geld? Etwas ist liquide, wenn es im Tauschsystem als allgemeines Tauschmittel gebraucht und akzeptiert wird. Jokereigenschaft des Geldes entsteht also dadurch, daß die Marktteilnehmer dieses als Tauschmittel akzeptieren. Diejenigen, die durch Geldbesitz liquide sind, tragen dazu nichts bei, sondern fügen dem System eher Schaden zu, wenn sie das Geld funktionswidrig als Kassenvorrat behalten und es nicht als Tauschmittel einsetzen. Der Zinsmechanismus wirkt gerade verkehrt herum und verhindert die optimale Allokation von Liquidität in einer Volkswirtschaft.

In einem Freigeldsystem wird der Preismechanismus also nicht abgeschafft, aber quasi umgedreht und in Hinblick auf die Allokation der Liquidität verbessert. Die Liquiditätsabgabe führt daher zu einem zusätzlichen Angebot auf dem Geldmarkt, womit die Nachfrage nach Krediten befriedigt werden kann. Papings Befürchtung eines strukturellen Mangels auf dem Geldmarkt trifft in einem Freigeldsystem, so wie es hier beschrieben ist, nicht zu.

Jetzt wird deutlich, daß »rostendes« Geld nicht mit Inflation gleichgestellt werden kann. Inflation bedeutet eine Steigerung des Preisniveaus. Die Einführung einer Liquiditätsbelastung hat aber auf dieses keinen Einfluß. Auch verliert das Geld seine Kaufkraft nicht: Ein Liter Milch wird immer noch einen Gulden kosten. Nur auf die Liquiditätshaltung eines Guldens in der Kasse muß periodisch eine Abgabe bezahlt werden. Der Gulden behält aber seine Kaufkraft. Es würde das gleiche Mißverständnis sein, wenn wir das heutige Zinssystem, in dem die Geldvermögen durch Zinsen wachsen, mit Deflation gleichsetzen.

Paping: Im vorhergehenden habe ich versucht, aufzuzeigen, daß ein zinsfreies System nicht den Zwang zum Wachstum durchbrechen und eine ökologische Entwicklung fördern würde. Eher ist ein Ungleichgewicht auf dem Geld- und Kapitalmarkt, eine zunehmende Inflation und ein ökonomisches Wachstum sowie eine kapitalintensive und rohstoffverbrauchende Entwicklung zu erwarten. Wenn es funktionsfähig wäre, würde es aber wohl zu einer gerechteren Einkommensverteilung führen können.

Ein zinsfreies System behebt meines Erachtens die wirklichen Ursachen eines unkontrollierbaren und umweltzerstörenden Wachstums nicht. Meiner Ansicht nach sollte man sich lieber mit der Auswirkung des Gewinnstrebens im heutigen ökonomischen System beschäftigen. Eine Änderung im Denken ist ebenfalls keine hinreichende Bedingung für eine bessere Ordnung. Solange das große Interesse an ökonomischem Wachstum besteht und die gesellschaftlichen Auswirkungen nicht in tatsächliches Handeln umgesetzt werden, wird das System in der heutigen Art und Weise weiterbestehen.

Godschalk: Kennedys Buch ist eine deutlich geschriebene Warnung an die Menschheit, die im kapitalistischen Zinssystem auf einen »Crash« zueilt. Wahrscheinlich braucht das System einen reinigenden »Crash«. Die Verwüstung unserer Umwelt ist ein Menetekel. Kennedy behauptet nicht, daß mit einem zinsfreien Geldsystem der Konflikt zwischen Ökonomie und Ökologie vollständig gelöst wird. Es ist in jedem Fall ein sehr wichtiger Schritt in die richtige Richtung, wodurch eine fundamentale Veränderung unseres ökonomischen Systems erreicht werden kann.

Von Autokönig Henry Ford stammt die Aussage: »Der Mann, der das Geldproblem gelöst hat, wird mehr für die Menschheit getan haben als alle Feldherren aller Zeiten.« Vielleicht ist es schon zu spät. Pessimistische Vordenker beschäftigen sich bereits mit Konzepten zur Umformung unseres Geldsystems für »the day after«.

Es gab tatsächlich wenige Ökonomen, die die Weltkrise und den Crash von 1929 kommen sahen. Ich fürchte, daß wir als Ökonomen diesen Vorwurf nach dem kommenden wieder zu hören bekommen – und zu Recht.

Begriffe zum Begreifen (von Helmut Creutz)

»Wenn die Begriffe nicht richtig sind, so stimmen auch die Worte nicht, und stimmen die Worte nicht, so kommen auch die Werke nicht zustande.«

Konfuzius

Da sich in unserer Umgangssprache bestimmte Gewohnheiten durchgesetzt haben, die einer Klärung der Geldproblematik und der Lösung im Wege stehen, möchte ich einige Begriffe und ihren Gebrauch in diesem Buch erläutern:

Als **Geld** (derselbe Wortstamm wie »gelten«) werden Banknoten und Münzen bezeichnet, die das einzige staatlich anerkannte Zahlungsmittel sind.

Die **Geldmenge** ist die Summe aller Banknoten und Münzen außerhalb der Notenbank. Sie kann nur durch den Staat beziehungsweise die Notenbank vermehrt werden. Dabei führt eine zu starke Vermehrung zur **Inflation**. Der Begriff »Geldmenge« wird heute irreführend auch für Mengenangaben benutzt, bei denen man das Geld mit Geldguthaben zusammenfaßt.

Guthaben sind der Anspruch auf Rückerhalt von Geld. Sie entstehen durch eine zeitlich begrenzte Überlassung überschüssiger Geldbestände an Dritte oder Banken.

Geld und Guthaben ist nicht dasselbe

● Im Gegensatz zum Geld können Guthaben nur durch Marktteilnehmer vermehrt werden. Wenn jemand eine Leistung erbringt, vermehrt er damit sein Guthaben oder sein (Bar-)Geld.

- Beides – Geld und Guthaben – dokumentiert sein Anrecht auf die Gegenleistung anderer Marktteilnehmer, und weil Guthaben auf der Bank auch in Bargeld ausgezahlt werden und umgekehrt Bargeld ohne Probleme in Guthaben umgewandelt werden kann, macht sich kaum jemand den Unterschied zwischen den beiden Begriffen klar.

- Deswegen sei hier noch ein Vergleich angebracht: Geld verhält sich zu Guthaben wie die Sprache zur Schrift. Mit Geld und Sprache kann man etwas direkt mitteilen oder begleichen; über Guthaben und Schrift nur etwas verzögert – und mit technischen Hilfsmitteln. Sprache ist ohne Schrift, Geld ohne Guthaben möglich. Aber Schrift orientiert sich an der Sprache und Guthaben am Wert des Geldes. Sprache ist nur bedingt erweiterbar, Geld nur durch den Staat vermehrbar; während Schrift im Sinne von Gedrucktem durch jedermann vermehrbar ist, ebenso wie Guthaben. Angesichts der wesentlichen Unterschiede ist es besser, Geld und Guthaben nicht unter dem Begriff »Geld« zusammenzufassen, ebenso wie sich Sprache und Schrift allein unter der Bezeichnung »Sprache« nicht ausdrücken läßt.

Geldvermögen bezeichnen die Summe von Geld *und* Guthaben, bezogen auf Einzelpersonen, Unternehmen, staatliche Stellen oder ganze Volkswirtschaften.

Geldschulden sind die Verpflichtung zur Rückgabe von Geld. Sie entstehen durch die zeitlich begrenzte Ausleihung von Geld und stellen die Gegenseite der Geldguthaben dar.

Zins (von lateinisch »census« = Steuer) ist der auf eine bestimmte Zeit bezogene Leihpreis für Geld, dessen Höhe durch Angebot und Nachfrage reguliert wird. Die Höhe des Zinses wiederum bestimmt die Sachkapitalverzinsung und ist Schwelle vor jeder Investition. Zins kann nur durch Abzug vom Arbeitsertrag aufgebracht werden. Eine andere Wertschöpfung gibt es nicht.

Geldkreislauf heißt die stetige Weitergabe von Geld. Sie ist die Voraussetzung für eine störungsfreie Funktion der Wirtschaft. Geld, das sich durch den Zins zur Spekulation eignet, kann diese Bedingung nicht erfüllen. Dagegen ist ein stetiger Kreislauf nur über eine konstruktive Geldumlaufsicherung durch eine Nutzungsgebühr zu erreichen.

Die **Nutzungsgebühr** (in dem neuen System) ersetzt den Zins als Umlaufsicherung, indem sie das Zurückhalten von Geld mit Kosten verbindet, die entfallen, wenn das Geld ausgegeben oder auf einem Sparkonto angelegt wird. Dort vermehrt es sich nicht durch Zinsen, doch es behält seinen stabilen Wert, weil ohne das Entstehen von Zinsen auch eine Hauptursache für die Inflation entfällt.

Neutrales Geld unterliegt einer Nutzungsgebühr als Umlaufsicherung und ist deshalb im Gegensatz zum zinstragenden Geld heute »verteilungsneutral«.

Liquiditätsabgabe ist ein anderes Wort für Nutzungsgebühr und steht im Gegensatz zur Liquiditätsprämie. Die Liquiditätsabgabe stellt eine öffentliche Einnahme dar, die letztlich allen Marktteilnehmern zugute kommt. Sie entlastet hauptsächlich die achtzig Prozent der Bevölkerung, die heute die Liquiditätsprämien der Geldbesitzer erarbeiten.

Liquiditätsprämie ist ein Begriff, den Ökonomen für den Zins benutzen, um genauer auszudrücken, was Zins darstellt: eine

Belohnung oder Prämie für die Aufgabe von Geldliquidität, Geldflüssigkeit, oder Kassehaltung von Geld oder Guthaben. Die Liquiditätsprämie stellt eine private Geldbenutzungsgebühr dar, die an die Geldbesitzer abzuführen ist. Davon profitieren bei uns etwa zehn Prozent der Bevölkerung.

Adressen, Vereinigungen, Zeitschriften

Adressen:

BCI (Barter Clearing und Information), Vermittlung von Kompensationsgeschäften, Dingolfinger Straße 2, DW-8000 München 80

J.A.K. Interest-Free Economy, Fjällgatan 23A, S-11628 Stockholm, Schweden

J.A.K. Sekretariat, Rosengade 1, DK-8766 Snede, Dänemark

LET-System, Landsman Community Services Ltd., 2nd fl. 479-4th Street, Courtenay, B.C. VGN 1GP, Kanada

Ökobank, Bornheimer Landstraße 22, DW-6000 Frankfurt 1

TRION-Geldberatungsgenossenschaft eG., Gerberstraße 9, DW-2000 Hamburg 50

WIR-Wirtschaftsring, Auberg 1, CH-4002 Basel, Schweiz

Arbeitskreise:

AK Wirtschaft und Finanzen / Bund LV BW, c/o Reiner Bischoff, Brühlstraße 13, DW-7070 Täferrot

Christen für gerechte Wirtschaftsordnung/CGW, M.-Bucer-Straße 6, DW-7640 Kehl

Hamburger Geld- und Bodenrechtsschule e. V., c/o Gesima Vogel, Mathildenstraße 7, DW-2000 Hamburg 6

Internationale Vereinigung für natürliche Wirtschaftsordnung / INWO: Deutschland: Jakobstraße 54, DW-7750 Konstanz; England: Exeleigh South, Starcross, Devon EXP 8PD; Mexiko: Jesús Ponce 902, Esquina Rubén Dario, Colina, Col. 28010; Österreich: Wallseer Straße 45, A-4020 Linz; Schweiz: Nussbaumweg 1, CH-8353 Elgg

Sozialwissenschaftliche Ge-sellschaft 1950 e. V., Postfach 1150, DW-3410 Northeim 1

Stiftung für persönliche Frei-heit und soziale Sicherheit, Redderblock 58, DW-2000 Hamburg

Zeitschriften

Der dritte Weg – Zeitschrift für natürliche Wirtschafts-ordnung – Erftstraße 57, DW-4300 Essen 18

Fragen der Freiheit – Seminar für freiheitliche Ordnung –, Badstraße 35, DW-7325 Boll

Zeitschrift für Sozialökono-mie, Fachverlag für Sozial-ökonomie, Postfach 1230, DW-2322 Lütjenburg

Evolution, Zeitschrift der INWO-Schweiz, Oberwiesen-str. 430, CH-8213 Neukirch

Literaturhinweise

Almgren, Per: *J.A.K. – An Interest-Free Savings and Loan Association in Sweden.* S-14743 Tumba, Schweden, 1990

Appell an das ökumenische Konzil, Dokumentation zur Eingabe katholischer Laien an die Kommission für das Laienapostolat betreffend Fragen der religiösen und sozialen Aktion zur Vorbereitung des von S. H. Papst Johannes XXIII. einberufenen ökumenischen Konzils zu Rom 1962. III. Teil: »Verdammter Wucher – Damnata Usura«; Abschnitt 1: Der Zins im Urteil der Bibel und der Jahrtausende, Seite 2

Batra, Dr. Ravi: *The Great Depression of 1990.* Dell, New York 1985

Bethmann, Johann Philipp von: *Das Kartenhaus unseres Wohlstands.* Warum der Kapitalismus noch nicht triumphieren kann. Econ, Düsseldorf 1991

Binn, Felix G.: *Arbeit, Geldordnung, Staatsfinanzen – Reorganisation der Volkswirtschaft.* Gauke Fachverlag für Sozialökonomie, Hannoversch-Münden 1983

Boff, Leonardo, Bruno Kern, Andreas Müller: *Werkbuch Theologie der Befreiung. Anliegen, Streitpunkte, Personen.* Patmos Verlag, Düsseldorf 1988

Boris, Dieter, Nico Biver, Peter Imbusch, Ute Kampmann: *Schuldenkrise und Dritte Welt – Stimmen aus der Peripherie.* Pahl-Rugenstein Verlag, Köln 1987

Bröckers, Mathias: »Drum prüfe, wer sich ethisch bindet...«. *Natur*, Oktober 1990 · »Tauschen wird wieder aktuell«. *Pflasterstrand*, September 1990

Bund für Umwelt und Naturschutz Deutschland: *Wie Weltbankmacht die Welt krank macht.* Kölner Volksblatt Verlag 1988

Cicero Marcus Tullius: *De Officiis* 1, VII · *De Officiis* 2, XXI

Clower, R. W.: *Monetary Theory – Selected Readings.* Harmondsworth 1969

Coray, Richard: *Quantitätstheorie, Preisniveau, Währung des Geldes,* Lenenberger Druck, Chur 1977

Creutz, Helmut: *Bauen, Wohnen, Mieten – Welche Rolle spielt das Geld?* Fachverlag für Sozialökonomie, Hannoversch-Münden 1987 · »Einkünfte aus Bodenbesitz und ihre Verwendung als Lohn für Erziehungsarbeit«. *Schriftenreihe zum Thema Geld und Boden* · »Ökologie und Ökonomie«; in: Margrit Kennedy, *Öko-Stadt, Band 1,* Fischer Alternativ 1984, Seite 61-75 · »Wachstum bis zum Crash«. *Schriftenreihe zum Thema Geld und Boden*

Creutz, Helmut, Dieter Suhr, Werner Onken: *Wachstum bis zur Krise? – Drei Aufsätze.* Basis Verlag, Berlin 1988

Damaschke, Adolf: *Geschichte der Nationalökonomie.* Gustav Fischer Verlag, [4]1910

Dauncey, Guy: *After the Crash – The Emergence of the Rainbow Economy.* Marshall Pickering, Basingstocke, UK, 1988

Diehl, Emil Georg: *Zwei Berufs-Ökonomen und ein Außenseiter.* Emil Georg Diehl, Villingen 1977

Diener, Bertha Eckstein (unter dem Pseudonym Sir Galahad): *Mütter und Amazonen.* Wien 1929

Dohnanyi, Klaus von (Hrsg.): *Notenbankkredite an den Staat?* Beiträge und Stellungnahmen zu dem Vorschlag, öffentliche Investitionen mit zins- und tilgungsfreien Notenbankkrediten zu finanzieren, Nomos, Baden-Baden 1986

Ekins, Paul: *The Living Economy – A New Economics in the Making.* Rontledge, London & New York 1986

Fabig, Kai: »Auch das Geld soll im Dorf bleiben«, *TAZ*, Hamburg, 28. September 1990

Fabiunke, Günter: *Martin Luther als Nationalökonom.* 1963

Fisher, Irving: *Stamp Scrip*, New York 1933

Fletcher, Jennifer: »Ethical Investment«; in: *International Permaculture Journal.* Permaculture International Ltd., Sydney, Australia, 1988

Fornallaz, Pierre: *Die ökologische Wirtschaft.* AT Verlag, Stuttgart 1986

Führer, Hans-Joachim: *Friedensfalken – Die Zukunft zwischen Grauen und Verheißung.* Gauke Verlag, Hannoversch-Münden 1985

Funk, Hans Joachim (Hrsg.): *Geld.* Edition Deutsche Bank AG, Frankfurt am Main 1982

Geitmann, Roland: »Bibel, Kirchen und Zinswirtschaft«. *Zeitschrift für Sozialökonomie*, Nr. 80, 1989

George, Henry: *Progress and Poverty.* San Francisco, 1879. Centenary Edition of a Great Classic. Hogarth Press, London W.C. 2, 1979

George, Susan: *A Fate Worse Than Debt.* 1987. Deutsch: *Sie sterben an unserem Geld – Die Verschuldung der Dritten Welt.* rororo Aktuell, Reinbek bei Hamburg 1988

Gesell, Silvio: *Die natürliche Wirtschaftsordnung.* Rudolf Zitzmann Verlag, Lauf bei Nürnberg 1949 · *Gesammelte Werke*, Band 1-7 (1891-1913). Fachverlag für Sozialökonomie, Hannoversch-Münden 1988-1990 · Leserbrief. *Zeitung am Mittag*, Berlin 1918

Godschalk, Hugo: *Die geldlose Wirtschaft.* Vom Tempeltausch bis zum Barter-Club. Basis Verlag, Berlin 1986

Grubiak, Olive und Jan: *The Guernsey Experiment.* Monetary Science Publications, Ohio, Neuauflage 1975

Guggenberger, Bernd: »Zwischen Ordnung und Chaos«. *Frankfurter Allgemeine Zeitung*, Nr. 28, vom 2. Februar 1991

Hammes, M.: *Hexenwahn und Hexenprozesse.* Fischer, Frankfurt am Main 1977

Heidt, Wilfried: *Der dritte Weg – Die Alternative zu Kapitalismus und Kommunismus – Anregungen zur Theorie und Strategie,* Verlag edition dritter weg, Achberg 1973

Heinsohn, Gunnar: *Privateigentum, Patriarchat, Geldwirtschaft – Eine sozialtheoretische Rekonstruktion zur Antike.* Suhrkamp, Frankfurt am Main 1984

Henderson, Hazel: *Creating Alternative Futures.* Perigee Books, New York 1978 · *Das Ende der Ökonomie – Die ersten Tage des nachindustriellen Zeitalters.* Dianus-Trikont, München 1985 · »Living Earth's Lessons Co-Creatively«; in: Roger Benson (Ed.), *From Organization to Organism – A New View of Business and Management.* Findhorn Foundation 1988, Seite 37-59

Hermann, G. Heinrich: *Die 7 Hermann-Briefe.* Gauke GmbH, Hannoversch-Münden 1982

Hoffmann, Hans: *Die währungs- und wirtschaftspolitischen Einflüsse der Elemente der Geldmenge auf die Stabilität der inneren Kaufkraft des Geldes.* Gauke Verlag, Hannoversch-Münden 1977

Hüwe, Josef: »Wirtschaft und Krieg«. Flugblatt der KONWO-Initiative, 1000 Berlin 37, Riemeisterstraße 15, 1990, Seite 2

Internationale Vereinigung für natürliche Wirtschaftsordnung: *Die Zukunft der Ökonomie – Eine Denkschrift an Wirtschaftswissenschaftler.* Gauke Verlag, Hannoversch-Münden 1984

Kennedy, Declan und Margrit: »Permakultur – oder die Wiederaufforstung des Gartens Eden«. *Arch+,* Aachen Mai 1982, Seite 18-24

Kennedy, Margrit: *Ein Ausweg aus der Krise – Neues Geld braucht die Welt.* Permakultur Publikationen, Steyerberg 1991

Keynes, John Maynard: *The General Theory of Employment, Interest and Money.* London 1936 (Neuauflage 1967)

King, John L.: *How to Profit from the Next Great Depression.* New American Library, New York 1988 · *On The Brink of Great Depression II.* Future Economic Trends, Goleta, Ca., 1987

Laistner, Hermann: *Ökologische Marktwirtschaft – Ein Plädoyer für die Vernunft.* Verlag Max Hueber, München 1986

Leidtke, Rüdiger: *Wem gehört unsere Republik? – Hundert Konzerne und ihre Verflechtungen.* Eichborn Verlag, Frankfurt am Main 1988

Leverkus, Erich: *Freier Tausch und fauler Zauber.* Vom Geld und seiner Geschichte. Fritz Knapp Verlag, Frankfurt/Main 1990

Lietaer, Bernard A.: *A Strategy for a Convertible Currency.* ICIS Forum, Vol. 20, No. 3. International Center for Integrative Studies. New York, Juli 1990, Seite 59-72

Linhardt, Hannes: »Kreditinstitute im Wettbewerb: Das Verhältnis von Landesaufsicht und Bundesrecht«; in: E. Dürr (Hrsg.), *Geld- und Bankpolitik.* Neue Wissenschaftliche Bibliothek, Bd. 28, 2. Auflage, Köln, Berlin 1971

Martin, Paul C. & Walter Lüftl: *Die Pleite,* München 1984

Martin, Paul C.: *Aufwärts ohne Ende. Die neue Theorie des Reichtums.* Ullstein 1991 · *Der Kapitalismus. Ein System, das funktioniert.* Langen-Müller/Herbich, München 1986

Max-Neef, Manfred: »Reflections on Paradigm Shift«; in: Mary Inglis and Sandra Kramer (Eds.), *The New Economic Agenda.* The Findhorn Press 1984, Seite 143-154

Mees, Rudolf: *Geld, was ist das eigentlich?* Kaufen, Leihen, Schenken bewußt handhaben. Verlag Freies Geistesleben, Stuttgart 1988

Merchant, C.: *The Death of Nature: Women, Ecology and the Scientific Revolution.* Harper & Row, San Francisco 1983. Deutsch: *Der Tod der Natur, Ökologie, Frauen und die neuzeitliche Naturwissenschaft.* C. H. Beck, München 1987

Mies, Maria: *Patriarchat und Kapital – Frauen in der Internationalen Arbeitsteilung.* Rotpunkt Verlag, Zürich 1989

Nagatani, Keizo: *Monetary Theory.* Amsterdam, New York, Oxford 1978

Noebe, Will: *Um die Güter der Erde.* Rudolf Zitzmann Verlag, Lauf bei Nürnberg 1960

Onken, Werner: »Ein vergessenes Kapitel der Wirtschaftsgeschichte: Schwanenkirchen, Wörgl und andere Freigeldexperimente«. *Zeitschrift für Sozialökonomie,* Nr. 58/59, Mai 1983, Seite 3-20 · *Perspektiven einer ökologischen Ökonomie.* Gauke GmbH, Hannoversch-Münden 1983 · »Silvio Gesell – Persönlichkeit und Werk«; in: *Rudolf Steiner und Silvio Gesell als Wegbereiter einer sozialen Zukunft.* Bad Boll 1989

Otani, Yoshito: *Ausweg: Band 3, »Die Bodenfrage und ihre Lösung«, und Band 4, Ursprung und Lösung des Geldproblems.* Arrow Verlag, Hamburg 1981

Pfluger, Christoph (Hrsg.): *Die neue Wirtschaft,* Bellach/Schweiz, Nr. 10, 1990

Porritt, Jonathan: *Seeing Green: The Politics of Ecology Explained.* Blackwell, Oxford & New York 1984

Robertson, James: *Die lebenswerte Alternative. Wegweiser für eine andere Zukunft.* Fischer Alternativ 1979 · *The Sane Alternative – A Choice of Futures.* Wallingford Oxon, OX 10 9NK, England 1983

Roepke, Wilhelm: *Die Lehre von der Wirtschaft.* Wien 1937

Rosenberger, Werner: »Und die Antwort...«. *Evolution* Nr. 2, Februar 1990

Salzmann, Friedrich: *An die Überlebenden – Gedanken von Silvio Gesell.* Freiheit-Verlag, Heidelberg 1948

Schmitt, Klaus: *Silvio Gesell – »Marx« der Anarchisten? – Texte zur Befreiung der Marktwirtschaft vom Kapitalismus und der Kinder und Mütter vom patriarchalischen Bodenrecht.* Karin Kramer Verlag, Berlin 1989

Schulz, Reinhold: *Menschenrecht oder Untergang.* Moorburg-Verlag, Hannover 1985

Schumacher, E. F.: *Small is Beautiful: A Study of Economics as if People Mattered.* Blond and Briggs, London 1973

Schwarz, Fritz: *Das Experiment von Wörgl.* Verlags-Genossenschaft Freies Volk, Bern 1951

Schwarz, Wilfried: *Die große Vergeudung – Ist die Marktwirtschaft noch zu retten?* Pahl-Rugenstein, Köln 1987

Simonis, Udo Ernst: *Ökonomie und Ökologie – Alternative Konzepte.* Verlag C. F. Müller, Karlsruhe 1980

Solvay, E.: *Gesellschaftlicher Compatibilismus.* Brüssel 1897

Spiegel-Interview mit Alfred Herrhausen, »Ich sehe die Risiken ganz genau«, *Spiegel* Nr. 25, Hamburg 1987

Steiner, Rudolf: *Kernpunkte der sozialen Frage* (1919), Dornach 1973/1980

Stuart, James Gibb: *The Money Bomb.* William Mac Lellan, Glasgow 1983

Suhr, Dieter: *Alterndes Geld – Das Konzept Rudolf Steiners aus geldtheoretischer Sicht.* Novalis Verlag, Schaffhausen 1988 · *Geld ohne Mehrwert – Entlastung der Marktwirtschaft von monetären Transaktionskosten.* Fritz Knapp Verlag, Frankfurt/Main 1983 · *The Capitalistic Cost-Benefit Structure of Money – An Analysis of Money's Structural Nonneutrality and its Effects on the Economy (Die kapitalistische Kosten-Nutzen-Struktur des Geldes – Eine Analyse der strukturellen Nichtneutralität des Geldes und ihrer Auswirkungen auf die Wirtschaft).* Springer Verlag, Heidelberg 1989

Suhr, Dieter, Hugo Godschalk: *Optimale Liquidität – Eine liquiditätstheoretische Analyse und ein kreditwirtschaftliches Wettbewerbskonzept.* Fritz Knapp Verlag, Frankfurt/Main 1986

UN World Commission on Environment and Development: *Our Common Future.* Oxford University Press, Oxford 1987

Valentin, Otto: *Überwindung des Totalitarismus.* Hugo Mayer Verlag, Dornbirn 1952

Walker, Karl: *Das Geld in der Geschichte.* Lauf 1959 · *Demokratie und Menschenrechte.* Rudolf Zitzmann Verlag, Lauf bei Nürnberg 1947 · *Wirtschaftsring – Leistungen, Geld, Erfolg. Moderne Absatzwege.* Rudolf Zitzmann Verlag, Lauf bei Nürnberg 1959

Weitkamp, Hans: *Das Hochmittelalter – ein Geschenk des Geldwesens.* HMZ-Verlag, Hilterfingen 1983

WIR-Magazin, Basel, Juni 1990

Wünstel, Michael: »Aus der Vergangenheit für unsere Zukunft lernen«; in: *Angebot und Nachfrage,* 3/91

Personen-, Orts- und Sachregister

Acheson, Dean 44
Adel (im Mittelalter) 143
Almgren, Per 8, 203, 210
Allmende 140 f.
Arbeitskräfte (Wanderung) 116
Arbeitslosengeld 59
Arbeitslosigkeit 12, 24, 43, 64, 80, 84, 152 f., 170, 194, 200
Aristoteles 87
Armut 80 ff.
–, (Definition), 171 f.
–, ideelle 172
–, materielle 172
Aufschuldungseffekt siehe Zins- und Zinseszinseffekt
Augsburg 143
Außenhandel 66
Austausch von Gütern (Waren) und Dienstleistungen 17
Australien 189

Bankenwesen 47, 67 ff., 95, 98, 107, 141, 162, 202 f.
–, Werbung 72 f.
Bar-sur-Aube 162
Barter-Clubs 195, 198 f., 205 ff.
–, Anschrift 243
–, kommerzielle 208
–, Steuerhinterziehung (siehe auch Geldwesen [-system], neues)
Barter-Systeme siehe Barter-Clubs
Basel 142, 144, 196
Batra, Ravi 75, 100
BCI siehe Barter-Clubs
Bedarfsbefriedigung 106
Berlin 199
Bern 162
Beschäftigtenzahlen 65
Beschäftigungslosigkeit siehe Arbeitslosigkeit
Bethmann, Johann Philipp von 219, 222
Bibel, AT 87 f., 100, 165
Billiglohnländer 191 (siehe auch Entwicklungsländer)
Binswanger, Hans Christoph 120
Bodenkapitalversicherung 120
Bodenrecht 55, 141, 230
–, im Mittelalter 140
Bodenreform 52 ff., 56 ff., 76, 93, 118, 170, 185
–, Erbpacht 56 ff.

Bodenschätze siehe Rohstoffe
Bodenspekulation 51, 54, 56 ff., 141 (siehe auch Spekulation)
Bodin, Jean 146 f.
Boff, Leonarda 101
Böhm-Bawerk, Eugen Ritter von 224
Börsenwesen 141, 162
Bourges 143
Brakteatengeld (-pfennig) 51, 94, 137 ff., 141 ff., 145 ff., 149 ff., 158
–, Entstehung 138 f.
–, Halbbrakteaten 139
–, Münzverrufung 139, 146, 150
–, Schlagschatz (Prägesteuer) 139 f.
Brasilien 84, 97, 164
BRD siehe Deutschland
Bremen 145
Bröckers, Mathias 206 f., 214, 222
Brüning, Heinrich 152
Bruttosozialprodukt 31 f., 70 f., 121, 161, 173 f.
BSP siehe Bruttosozialprodukt
Bundesrepublik siehe Deutschland

Ceauşescu, Nicolae 86
Chartres 143
Chicago 162
China 151
Christen 88
Clausius, Rudolf 168
Clower, R. W. 127
Cohrssen, Hans R. L. 44 f., 61
Comox Valley 189, 207
Constitutio Criminalis 148
Courtney 194
Creutz, Helmut 8, 61, 101, 102 ff., 106 f., 110 ff., 114 ff., 118 ff., 165

Daimler-Benz AG 78
Dänemark 200
Danzig 142
Darlehen siehe Kreditgeschäft
Dauncey, Guy 174 f., 186, 210
»Debitismus« siehe Kapitalismus
Deflation 159
Deutsche Bank 136 f., 141
Deutsches Reich 138 ff., 142 ff., 146 ff., 150 ff. (siehe

auch Deutschland)
–, Reichsbank 44, 152
Deutschland 42, 44, 58, 70 f., 78, 80, 85, 120, 165, 171, 196 ff., 205 (siehe auch Deutsches Reich)
–, Bundesaufsichtsamt für das Kreditwesen 198, 214
–, Bundesbank 45 f., 48, 121
–, Grundgesetz 58
–, Hochzinsphase 121
–, Niedrigzinsphase 121
–, Statistisches Bundesamt 80, 123
–, Vermögensverteilung 80 ff.
–, Verschuldung 85, 90 f., 165
Dohnanyi, Klaus von 67 f., 100
Dollars, »grüne« 189, 192 ff., 205 ff. (siehe auch LET-System)
Dreißigjähriger Krieg 146
Dritte-Welt-Länder siehe Entwicklungsländer
Dunendag, Dieter 121

Elnaggar, Ahmed 101
Eckstein Diener, Bertha 135
Einkommen 29, 60, 67, 102, 120, 176
–, leistungsloses 74, 107, 120, 176
–, steuerfreies 60
–, Umschichtung 29, 97, 102
Einkommensteuer und Sozialabgaben 59 (siehe auch Steuerreform)
Einstein, Albert 74
Ekins, Paul 169, 186
Elisabeth II., engl. Königin 78
England 132, 152
Entwicklungsländer 11 f., 57, 60, 69, 79, 84 f., 149, 165 f., 172, 176, 178, 220, 225
–, Ausbeutung 79, 178, 220, 225
–, »Entwicklungshilfe« 84
–, Verschuldung 11 f., 69 f., 84 f., 165 f., 169 f.
Erde, Ökologie der 96 ff.
»Erlaßjahr« 88

Fabiunke, Günter 101
Faschismus 78
Findhorn 175
Fisher, Irving 44, 61
Fornallez, Pierre 61
Frankfurt/Main 145, 198

Frankreich 42, 43, 133, 161 f.
Frauen 94 ff., 145 ff., 169, 174,
    193, 213 (siehe auch
    Matriarchat)
–, Ausbeutung 96, 170
–, Gleichberechtigung 94 f.,
    170
–, Hexenverfolgung 146 f.
–, Mütter- und Erziehungsgeld
    95
–, Rolle in der Geschichte
    128, 145 ff.
–, Tätigkeit 95 f., 174
–, Unterdrückung 134, 148
Freiberg 199
Freiburg 143
freier Markt siehe Marktwirt-
    schaft, freie
Freigeld 40, 42, 44, 195, 226,
    229, 233 ff. (siehe auch
    Geldwesen, neues)
Freizeit 106
Friderichs, Hans 117
Friedmann, Milton 159
Friedrich I. Barbarossa, röm.-
    dt. Kaiser 139
Fugger, Handelshaus 146

Geitmann, Roland 8, 101
Geld
    als Spekulationsmittel 40,
        77, 95, 101, 167, 192 f.
    als Tauschmittel 30 f., 114,
        167, 182, 188 ff., 192, 232,
        233 f.
    »Dickpfennig« 146, 150
    Entstehung 128 ff.
    »ewiger Pfennig« siehe
        »Dickpfennig«
    Funktion 17 ff., 127 f.
    Geschichte 127 ff., 131 ff.,
        135 ff., 139 ff., 144 ff., 148 ff.
    Hortung 43, 111 f., 122, 140,
        206, 230
    Konzentration 29, 37, 62,
        102 f., 179, 183
    lokales 43, 170, 175 (siehe
        auch Geldwesen [-system],
        neues)
    Münzgeld 131 f., 141
    Umverteilung 30, 102
    Wertfestsetzung 131 f.
    Zinsabschaffung als Um-
        laufsicherung 37
    zinsfreies siehe Geldwesen
        (-system), neues bzw. Frei-
        geld
Geldinstitute siehe Bank-
    wesen
Geldordnungskorrektur siehe
    Geldreform
Geldreform 8, 45 ff., 59 f.,

64 ff., 68 ff., 75 f., 116, 151,
    175, 185, 211 ff., 216 ff.,
    230 f. (siehe auch Geldwe-
    sen [-system], neues)
Geldsystem, zinsloses siehe
    Geldwesen (-system), neues
Geldtheorie, quantitative 147
Geldvermögen, Akkumula-
    tion siehe Geld, Konzentra-
    tion
Geldwesen (-system), heutiges
    10 f., 17 ff., 30 f., 67, 72,
    75 ff., 153, 157 ff., 161 ff.,
    164 ff., 168 ff., 172 ff., 176 ff.,
    180 f., 189, 208, 225 f.
–, Änderung 62, 75, 79, 151,
    170, 200 f., 211 ff., 215 ff.
Geldwesen (-system), neues
    12, 24, 41, 46 ff., 56, 64 ff.,
    68 ff., 77 f., 84, 96, 99, 169,
    179 f., 183 ff., 188 ff., 192 ff.,
    196 ff., 200 ff., 205 ff., 211 ff.,
    215 ff., 219 ff., 223 ff., 227 ff.,
    231 ff., 235 ff.
–, Dreiseriengeld 50
–, J.A.K.-System 188, 200 ff.,
    215 f.
–, Klebegeld 50
–, Knappheitsindikator 48 ff.
–, Kreditvergabe 48 ff.
–, LET-System 188 ff., 207,
    216
–, Liquiditätsverzichtsprämie
    48, 241 f.
–, Markengeld 45
–, Modellversuche 216 f.
–, Nutzungsgebühr (als Um-
    laufsicherung) 24, 40 f.,
    46 ff., 65 f., 108 ff., 114, 151,
    182, 207 ff., 217, 235 f., 241
–, Papiergeld 151
–, Risikoprämie 48 ff.
–, Stempelgeld 50
–, Umtausch von Geldschei-
    nen 50
–, Vor- und Nachteile 205 ff.
–, Wechselkurs 65 f., 110 f.
–, Werterhaltung 51
–, WIR-Ring 188, 195 ff., 205,
    216
–, Zukunftsmodelle 157 ff.
General Motors Corp. 78
George, Henry 55, 61
–, Susan 170
Gesell, Silvio 39 ff., 55, 61, 95,
    101, 159, 183 f., 187, 206,
    229 f., 233
Gewerkschaften 96
Godschalk, Hugo T. C. 8, 61,
    198, 210, 223 ff., 227 ff.,
    231 ff., 235 ff.
Gresham, Sir Thomas 100

Grundstückspreise 57 f.
Guernsey 170
Guggenberger, Bernd 165, 186
Guthaben 239 f.

»Halljahr« 88
Hamburg 67, 213
Handel 30 f., 130 f.
Handwerk 142 ff.
Hankel, Wilhelm 100, 120
Hannover 145
Hassanal, Bolkiah, Sultan von
    Brunei 78
Heinsohn, Gunnar 128,
    130 ff., 158
Henderson, Hazel 168 ff.,
    173 ff., 180, 186 f., 213, 222
Herkules (griech.-röm. My-
    thol.) 134
Herodot 130 f.
Herrhausen, Alfred 100
Hildegard von Bingen 145
Hitler, Adolf 151 f., 209
Honecker, Erich 86
Hüwe, Josef 101
Hypothekenzinsen (-belastun-
    gen) 26, 57

Indianer 32
Industrie 90 f.
–, Konzentration 90
Industrielle Revolution 79
Industrienationen 32, 54, 69,
    176, 192
–, Verschuldung 32 f.
Inflation 31 ff., 36, 76, 114,
    157 f., 200, 228
Internationaler Währungs-
    fonds 149
Investitionen 39, 97, 111
–, ethische (ökologische) 99,
    213 ff., 232
–, Verringerung 39
Investoren 111

J. A. K.-System 188, 200 ff.,
    215 f.
–, Anschriften 243 (siehe auch
    Geldwesen [-system],
    neues)
–, Darlehen 202 ff.
Japan 57, 194
Jenetzky, Johannes 122
Jesaja 165
Jesus von Nazareth 87
Johannes XXIII., Papst 100
Juden 88

Kanada 188, 190
Kapitalakkumulation siehe
    Geld, Konzentration
Kapitaleinkünfte siehe Ein-

kommen, leistungsloses
Kapitalflucht 76, 110, 121
–, Währungsaustausch 110
Kapitalismus 11, 31, 89, 132f.,
    149, 155ff., 162ff., 166ff.,
    184, 237 (siehe auch Patriar-
    chat)
Kapitalverzinsung 120
Karl V., röm.-dt. Kaiser 148
Karl der Große, röm.-dt. Kai-
    ser 141
Karthager 130f.
Kaufkraftstabilisierung 112
Kaufkraftzuwachs 104f.
Kennedy, Margrit 223ff.,
    227ff., 231ff., 235ff.
Kern, Bruno 111
Keynes, John Maynard 74,
    100, 120, 159, 229, 231,
    233f.
Kinder 94f.
King, John L. 12, 35, 74f., 100
Kirche, katholische 87f., 146
    (siehe auch Mittelalter)
Kollaps, ökologischer siehe
    Zusammenbruch, ökologi-
    scher
Köln 145
Kommunismus 89, 184, 193
Konfuzius 239
Koran 89
Korngirosystem 151
Kreditgeschäft 105
(Friedrich) Krupp AG 78
Kunst 54
Kuwait 201

Lagny 162
Laistner, Hermann 59, 61
Länder, islamische 89
–, Bankenwesen 89
Länder, kapitalistische siehe
    Industrienationen
Länder, kommunistische sie-
    he Länder, sozialistische
Länder, sozialistische 11, 54,
    85f., 98, 217, 220
Landreform siehe Boden-
    reform
Landwirtschaft 92f.,215
–, biologische Anbauweise 93,
    215
–, Boden- und Steuerreform 93
–, Industrialisierung 92f.
–, Raubbau 93
–, Subventionen 92f.
Laterankonzil, zweites 87
Leibeigene 144
LET-System 170, 188ff., 207,
    216
–, Anschriften 243
–, Bankservice 207

–, Bruttosozialprodukt 194
–, »green« (grüne) Dollars 189,
    192ff., 205ff. (siehe auch
    Geldwesen (-system),
    neues)
Linhardt, Hannes 198, 200
Linton, Michael 194, 200
Litaer, Bernard 217, 222
Lokalwährung siehe Geld,
    lokales bzw. Geldwesen
    (-system), neues
London 162, 176
Lübeck 145
Lüftl, Walter 161f., 186
Luther, Hans 152
–, Martin 87f., 101

Marcos, Ferdinand E. 86
Marktwirtschaft, freie 11f.,
    27ff., 90, 218
–, ökologische 218
Martin, Paul C. 24, 130,
    158ff., 162ff., 178, 186
Marx, Karl 30, 74, 229, 232
Massenproduktion 59
–, Mechanisierung 59
Matriarchat 128ff. (siehe auch
    Frauen)
Matthöfer, Hans 122
Maximilian I., röm.-dt. Kaiser
    146
Mies, Maria 146, 148, 178,
    186f.
Mieten, überhöhte 54
Mittelalter 79, 138ff., 142ff.,
    146ff.
–, Bodenrechte (Allmende)
    140f., 148ff.
–, Bürgertum 147f.
–, Feiertage 144
–, Frauen 145ff.
–, Geldrecht 141, 148ff.
–, Handwerk 142ff.
–, Justiz 148
Mobutu, Sese Seko 86
Mohammed 87
Moses 87, 159
Moskau 120
Müller, Andreas 101
München 145
Münzgeld 131ff.
–, Entstehung 131, 141

Nationalsozialisten 43f.
Neef, Manfred Max 172, 174,
    186
Neuseeland 189
Neutrales Geld siehe Geldwe-
    sen (-system), neues
Neutral-Geld-System siehe
    Geldwesen (-system), neues
Newton, Sir Isaac 184

New York 162
Nicäa, Konzil von 87
Noriega, Manuel Antonio 86
Notgeld 43
Nürnberg 144f.

Ökobank 213
–, Anschrift 243
Ökonomie, neue siehe Geld-
    wesen (-system), neues
Ökosteuern und Abgaben
    64f., 117f., 122
Onken, Werner 8, 61, 183f., 187
Orwell, George 211, 222
Ostblockstaaten siehe Länder,
    sozialistische
Österreich 42f.
–, Nationalbank 43
Otani, Yoshito 8, 55, 61

Papiergeld, umlaufgesichertes
    siehe Geldwesen (-system),
    neues
Paping, Ronald 223ff., 227ff.,
    231ff., 235ff.
Paribas-Bank 214
Patriarch siehe Patriarchat
Patriarchat 128ff., 132ff., 137,
    146ff.
–, Eineha 135
–, Hexenverfolgung 146ff.
–, Inquisition 146ff.
–, Schuldknechtschaft 135f.
–, Schuldverträge 129
Pfluger, Christoph 186
Planwirtschaft 57, 218
Politik 67ff., 218ff.
–, Änderung 218ff.
Porritt, Jonathan 171, 186
Privatbesitz siehe Privat-
    eigentum
Privateigentum 128ff., 132ff.
Produktionssteigerungen 102
Projekte, ökologische 9f.
–, Finanzierung 10
Proudhon, Pierre Joseph 206,
    232f.
Provins 162

Reagan, Ronald 77
Recht, römisches 54, 134, 146
»Regenbogenökonomie« 175,
    178
Regensburg 145
Regenwälder, tropische 93
Reichtum 77ff.
–, (Definition) 171f.
–, ideeller 172
–, materieller 172
–, Umverteilung 220
Ressourcen siehe Rohstoffe
Robertson, James 170, 178

Roepke, Wilhelm 127
Rohstoffe 37, 59, 170, 226
–, Ausbeutung 70, 79, 116 f., 170, 226
–, Verknappung 37
Römisches Reich 129, 136 f.
–, Geldwesen 137
Roosevelt, Franklin Delano 45
Rosenberger, Werner 86, 100
Rüstungsindustrie siehe Waffenproduktion
RWE 214

Sachsen 143
Salvigsen, Stan 162
Sankt Gallen 142
Schacht, Hjalmar 198
Schleyer, Hanns Martin 92
Schmitt, Curt L. 222
Schuldenerlaß 67
Schuldenmachen siehe Verschuldung
»Schuldenwirtschaft« siehe Kapitalismus
Schumacher, E. F. 168, 186
Schwartz, Robert 222
Schwarz, Fritz 61
Schwarzarbeit 60
»Schwarzer Freitag« 152
Schweden 200
Schweiz 42 f., 58, 76, 162, 188, 195 f.
Siemens AG 78
Smith, Adam 184
Solvay, E. 209
Sowjetunion 54, 98
Spanien 42, 133
Spar- und Leihgemeinschaft 208
Spekulanten siehe Spekulation
Spekulation (Boden-, Geld-) 62, 66, 111, 118, 167, 192 (siehe auch Geldwesen [-system], neues)
Sprague, Russel 104
Stalin, Jossif W. 209
Steiner, Rudolf 183 f., 187
Steuerbelastungen 65
Steuerreform 52, 59 f., 76, 93, 170, 185
Strafzins 74
Straßburg 147
Stuttgart 144
Südafrika 216
Suhr, Dieter 8, 31, 44, 61, 84, 101, 222
»Systemkorruption« 86

Tagelöhner 144
Tally-System 151
Tauschringe 42 f., 205 ff. (siehe auch WIR-Ring, Barter-Clubs)
Timoschenko, A. S. 220, 222
Tokio 57, 162
TRION-Geldberatungsgenossenschaft 213, 214, 222
–, Anschrift 243
Troyes 162

Überschuldung 84 ff., 102
UdSSR siehe Sowjetunion
Ulm 144
Umschuldung 67
Umweltprobleme 12, 102, 117 f., 164, 167, 202
Umweltschutz 68, 99, 183
Umweltsteuernsystem siehe Ökosteuern
USA 35 f., 44 f., 77 f., 85, 98, 152, 166, 190, 199, 205, 208, 213
–, Hochzinspolitik 77
–, Kreditaufnahme 35
–, Stamp Scrip Movement 44 f.
–, Verschuldung 35, 166
–, Wirtschaftswachstum 35

Vermögen, zinsbringendes 78
Verschuldung 36, 121, 161 ff., 165 f., 182
Vogel, Gresima 8
Voss, Brigitte 8, 222

Wachstum, ökonomisches siehe Wirtschaftswachstum
Wachstumszwang siehe Wirtschaftswachstum, zwanghaftes
Waffenproduktion 98, 216
Walker, Karl 138, 141, 210
Warschauer-Pakt-Staaten siehe Länder, sozialistische
Washington 176
Weimarer Republik 151 f. (siehe auch Deutsches Reich)
Weitkamp 138
Welser, Handelshaus 146
Weltbank 30, 149
Weltkrieg, Erster 153
–, Zweiter 74
Weltwirtschaftskrise 152
Westdeutschland siehe Deutschland
Wichmann (Erzbischof) 139
Wien 142

WIR-Ring 195 ff., 205, 216 (siehe auch Geldwesen [-system], neues)
Wirtschaftsordnung, natürliche 40, 74
Wirtschaftswachstum
–, Abnahme (Stillstand) 116 f., 168 ff.
–, begrenztes 168 ff.
–, exponentielles 20, 22 ff., 28, 36, 159, 164 f., 169, 179, 226 f.
–, lineares 20
–, qualitatives 179 f.
–, quantitatives 92
–, unbegrenztes 157 ff.
–, zinsfreies 223 ff., 227 ff., 231 ff., 235 ff.
–, zwanghaftes 10, 12, 19, 24 f., 35, 46, 59, 97, 107, 116, 122, 158 ff., 162 ff., 233 ff., 237
Wirtschaftswissenschaft 74
Wörgl (Tirol) 42 f., 65, 170, 217, 231
–, Arbeitsbestätigungen 42 f. (siehe auch Geldwesen [-system], neues)
Worms 146
Wucher, Wucherer siehe Zinswucher
Wünstel, Michael 138, 182
Würzburg 144

Zahlenlotto 49
Zahlungsverkehr 113 f., 122
Zins/Gewinn (Gegenüberstellung) 115 f.
Zinsentstehung 128 ff.
Zinssenkung 117 ff.
Zins- und Zinseszinseffekt 12 f., 17, 22 ff., 24 ff., 72 f., 84 ff., 90 ff., 99, 103 ff., 137, 158 ff., 169 f., 209, 211, 223 ff., 227 ff., 231 ff., 235 ff.
Zins-/Zinseszinsmechanismus siehe Zins- und Zinseszinseffekt
Zinsverbot 87 ff., 138 ff., 234 f.
–, im Islam 234
Zinswucher 87 f., 100
Zürich 58
Zusammenbruch, ökologischer 103, 221
–, wirtschaftlicher 24, 62, 75, 79, 174 ff.
Zuwachsraten 21
Zwingli, Ulrich 87 f.

WISSENSCHAFTLER DENKEN NEUE WEGE

ISBN 3-442-11689-9

ISBN 3-442-11469-1

ISBN 3-442-11460-8

Ein leidenschaftliches Plädoyer für eine notwendige Neuorientierung von Wirtschaft, Wissenschaft, Kultur und Politik.

ISBN 3-442-12303-8

GOLDMANN TASCHENBÜCHER

Fordern Sie das kostenlose Gesamtverzeichnis an!

Literatur · Unterhaltung · Bestseller · Lyrik

Frauen heute · Thriller · Biographien

Bücher zu Film und Fernsehen · Kriminalromane

Science-Fiction · Fantasy · Abenteuer · Spiele-Bücher

Lesespaß zum Jubelpreis · Schock · Cartoon · Heiteres

Klassiker mit Erläuterungen · Werkausgaben

****

Sachbücher zu Politik, Gesellschaft,

Zeitgeschichte und Geschichte; zu Wissenschaft,

Natur und Psychologie

Ein Siedler Buch bei Goldmann

****

Esoterik · Magisch reisen

****

Ratgeber zu Psychologie, Lebenshilfe,

Sexualität und Partnerschaft;

zu Ernährung und für die gesunde Küche

Rechtsratgeber für Beruf und Ausbildung

Goldmann Verlag · Neumarkter Str. 18 · 8000 München 80

Bitte senden Sie mir das neue Gesamtverzeichnis.

Name: _____

Straße: _____

PLZ/Ort: _____